도전 만점
중등 내신
서술형 3

도전만점 중등내신 서술형 3

지은이 넥서스영어교육연구소
펴낸이 임상진
펴낸곳 (주)넥서스

출판신고 1992년 4월 3일 제311-2002-2호 ⑥
10880 경기도 파주시 지목로 5
Tel (02)330-5500 Fax (02)330-5555

ISBN 979-11-6165-005-0 54740
979-11-6165-002-9 (SET)

가격은 뒤표지에 있습니다.
잘못 만들어진 책은 구입처에서 바꾸어 드립니다.

www.nexusbook.com

※집필에 도움을 주신 분
: McKathy Green, Hyunju Lim, Shawn, Nick, Richard Pennington

절대평가 1등급, 내신 1등급을 위한 영문법 기초부터 영작까지

도전 만점 중등 내신 서술형 3

통문장 암기 훈련 워크북 포함

영문법+쓰기

NEXUS Edu

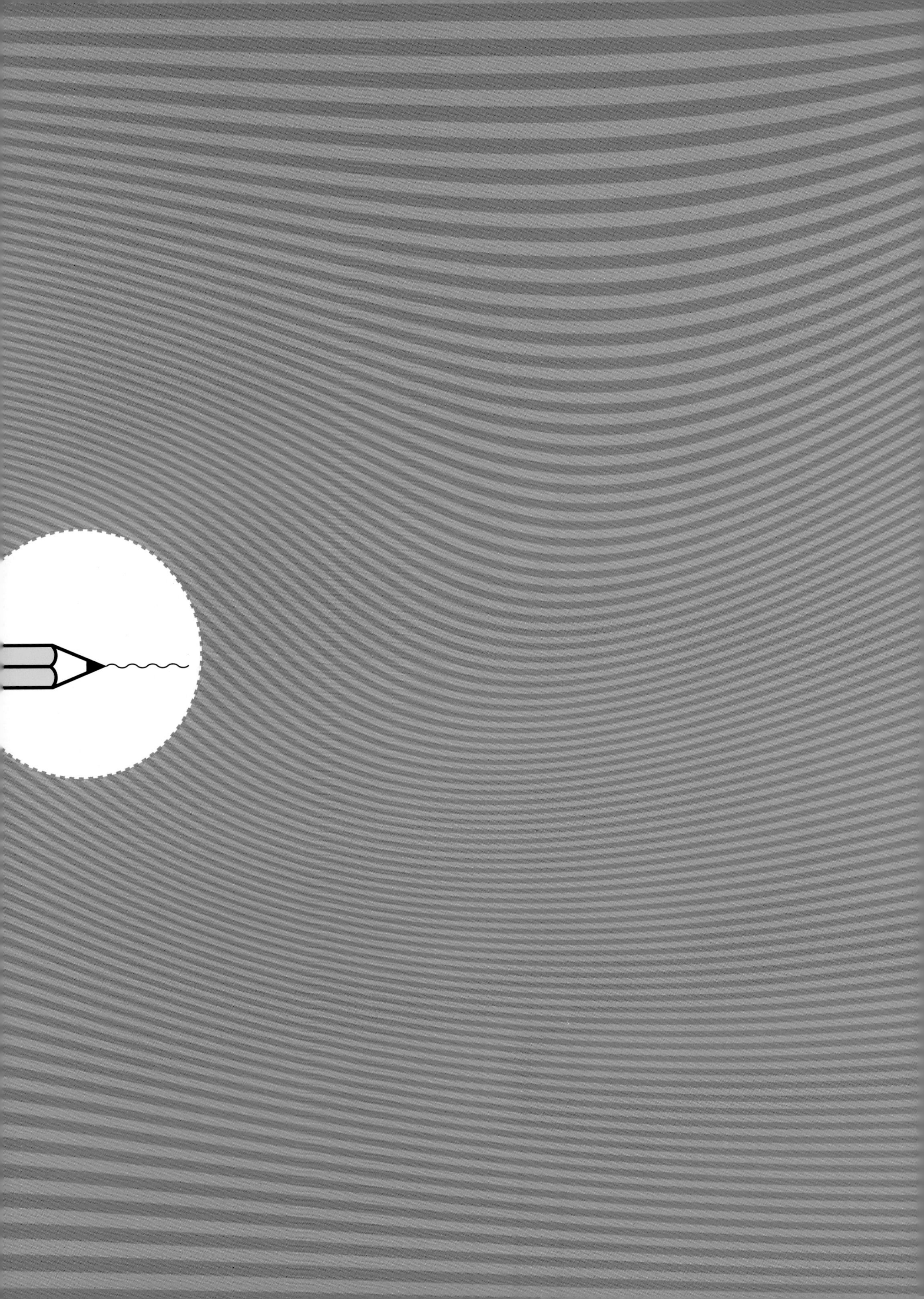

Preface

서술형 문제, 하나를 틀리면 영어 내신 점수에 어떤 영향을 줄까요?

앞으로는 단답형은 물론 서술형 문제 비중이 점차 높아진다고 합니다. 각 지역마다 차이는 있지만 30%~최대 50%까지 서술형 문제가 중간, 기말고사에 등장하고 있습니다. 학생들은 서술형이 너무 어렵다고 하면서도 어떻게 준비해야 할지를 모르는 경우가 많아, 객관식에서 거의 맞았음에도 불구하고 좋은 등급을 얻을 수 있는 고득점을 얻기에는 턱없이 부족한 점수가 나옵니다.

그렇다면, 서술형 문제는 어떻게 해결해야 단기간에 마스터할 수 있을까요?

첫째, 핵심 문법 사항은 그림을 그리듯이 머릿속에 그리고 있어야 합니다.

둘째, 문장을 구성하는 주어, 동사는 물론, 문장의 기본적인 구성 요소를 알고 있어야 합니다.

셋째, 문장 구성 요소를 파악하면서 핵심 문법과 관련된 다양한 예문을 완벽하게 써 보는 훈련이 필요합니다. 입으로 소리 내어 문장을 읽으면서 써 본다면, 듣기와 말하기 실력까지도 덤으로 얻게 됩니다.

마지막으로, 문장을 쓰고 난 후에 어떤 문장 요소를 바꿔 썼는지, 어떠한 문법 내용이 적용되었는지 확인하고 오답 노트를 정리한다면, 쓰기 실력은 여러분도 모르게 쑥쑥 향상되어 있을 것입니다.

"도전만점 중등내신 서술형" 시리즈는 내신에서 서술형 문제 때문에 고득점을 얻지 못하는 학생들을 위해 개발되었습니다. 개정 교과서 14종을 모두 철저히 분석한 후에, 중학교 1학년~3학년 과정의 핵심 영문법을 바탕으로 시험에 꼭 나오는 문제 중심으로 개발되었습니다. 또한 영문법은 물론, 문장 쓰기까지 마스터할 수 있도록 중등 과정을 반복 학습할 수 있도록 전체 목차를 구성하였습니다. 현재 예비 중학생으로서 중등 영어가 고민된다면, 도전만점 서술형 시리즈로 먼저 시작해 보세요! 영어 내신 점수는 물론, 영어 문법 및 쓰기 실력까지 완벽하게 갖출 수 있으리라 기대합니다.

넥서스영어교육연구소

Features

영문법
핵심 포인트를
한눈에!
기본 개념
Check-up!

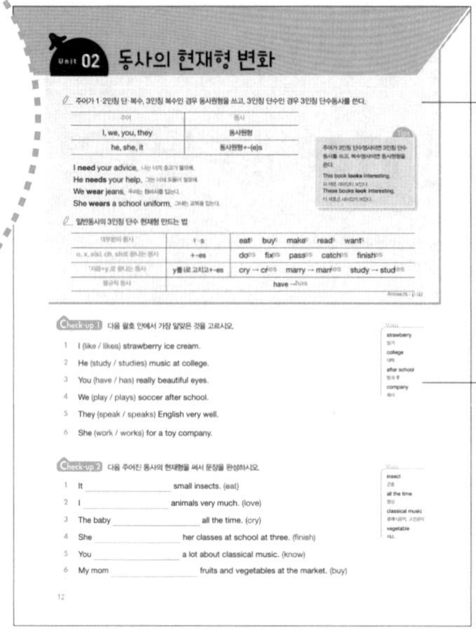
Unit 02 동사의 현재형 변화

I need your advice.
He needs your help.
We wear jeans.
She wears a school uniform.

Check-up 1
1 I (like / likes) strawberry ice cream.
2 He (study / studies) music at college.
3 You (have / has) really beautiful eyes.
4 We (play / plays) soccer after school.
5 They (speak / speaks) English very well.
6 She (work / works) for a toy company.

Check-up 2
1 It ________ small insects. (eat)
2 I ________ animals very much. (love)
3 The baby ________ all the time. (cry)
4 She ________ her classes at school at three. (finish)
5 You ________ a lot about classical music. (know)
6 My mom ________ fruits and vegetables at the market. (buy)

한눈에 핵심 문법 내용이 그림처럼 그려질 수 있도록 도식화하였습니다. 자꾸만 혼동되거나 어려운 문법 포인트는 Tips에 담았습니다.

핵심 문법을 Check-up 문제를 통해 간단히 개념 정리할 수 있습니다. 또한 어휘로 인해 영문법이 방해되지 않도록 어휘를 제시하였습니다. 서술형 대비를 위해서는 어휘는 기본적으로 암기해야 합니다.

Step by Step
중등내신
영문법+쓰기

단계별 단답형, 서술형 문제를 통해 완전한 문장을 쓸 수 있는 훈련을 하게 됩니다. 내신 기출문제에서 등장하는 조건에 유의하여 서술형 대비 훈련을 자연스럽게 할 수 있습니다.

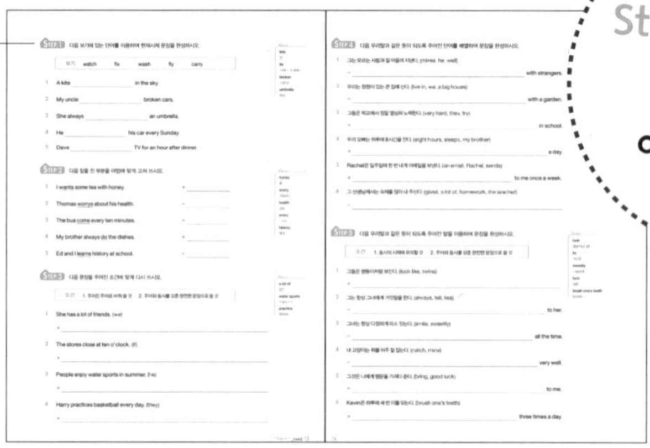

도전만점
중등내신
단답형 & 서술형

학교 시험에서 자주 등장하는 서술형 문제유형을 통해 앞에서 학습한 내용을 복습하는 과정입니다. 핵심 문법 포인트를 기억하며 시간을 정해 놓고 시험 보듯이 풀어본다면 서술형 시험을 완벽 대비할 수 있습니다.

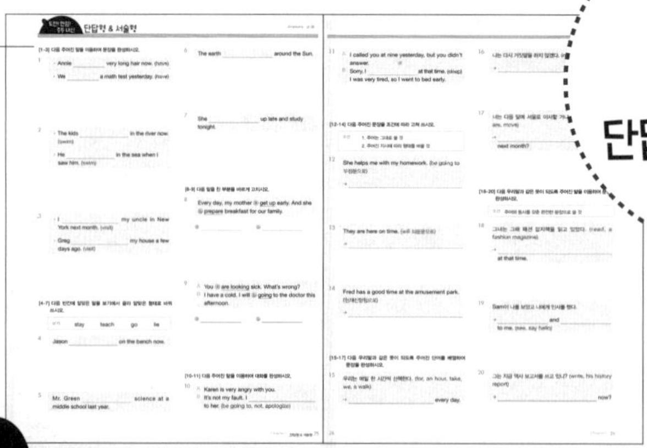

앞에서 학습한 내용을 통문장으로 영작해 보는 훈련을 하도록 구성하였습니다. 문법 핵심 포인트를 활용하여 문장을 쓰다 보면, 영문법 및 쓰기 실력이 쑥쑥 향상됩니다.

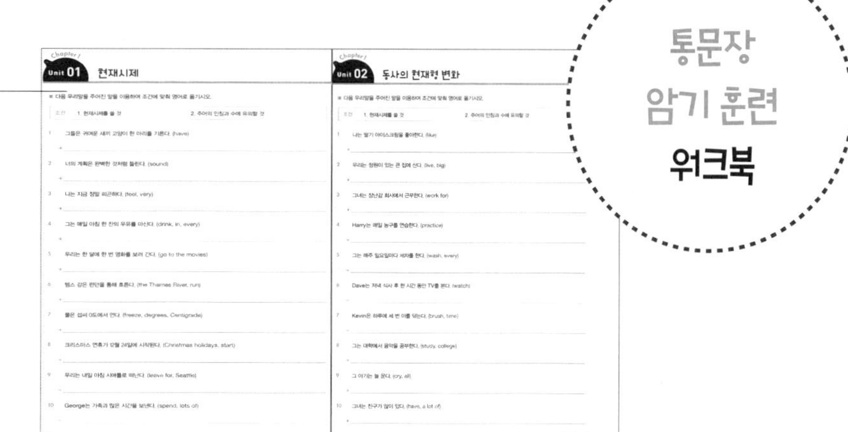

통문장 암기 훈련 **워크북**

Check-up부터 각 Step에 이르기까지 모든 문장의 해석이 들어 있습니다. 해석을 보고 영어로 말하고 쓸 수 있도록 정답지를 활용해 보세요. 간단한 해설을 통해 문법 포인트를 확인할 수 있습니다.

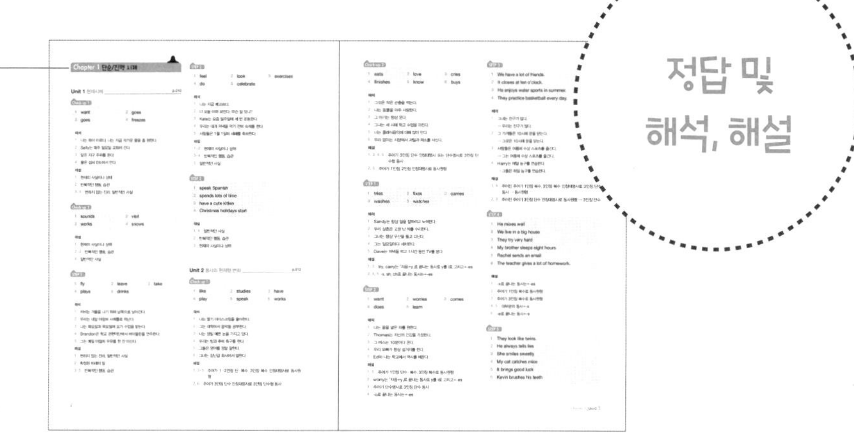

정답 및 해석, 해설

부가 자료 제공 : www.nexusbook.com

테스트 도우미
어휘 리스트 & 어휘 테스트

+

챕터별 리뷰 테스트
객관식, 단답형, 서술형 문제

+

기타 활용 자료
동사변화표 / 문법 용어 정리
비교급 변화표 등

Contents

Chapter 1 단순/진행 시제

Chapter 2 현재완료 시제

Chapter 3 조동사

Chapter 4 수동태

Chapter 5 부정사

Chapter 6 동명사

Chapter 7 분사

도전만점 중등내신 서술형 1 2 3 4

도전만점 중등내신 서술형 1

도전만점 중등내신 서술형 2

도전만점 중등내신 서술형 3

도전만점 중등내신 서술형 4

Chapter 1

단순/진행 시제

Unit 01 현재시제

현재시제는 불변의 진리나 일반적인 사실, 상태나 습관을 나타낸다.

현재의 사실이나 상태	Sam **lives** in a big city. Sam은 대도시에 산다. I **feel** very tired now. 나는 지금 정말 피곤하다.
반복적인 행동·습관	I **walk** to school every day. 나는 매일 걸어서 학교에 간다. We **go** to the movies once a month. 우리는 한 달에 한 번 영화를 보러 간다.
변하지 않는 진리 일반적인 사실	The River Thames **runs** through London. 템스 강은 런던을 통해 흐른다. The Sun **rises** in the east. 태양은 동쪽에서 뜬다.

Tips

영화, 공연의 시작 시간 또는 출발, 도착 등과 같이 확정된 미래의 일은 현재시제로 나타낼 수 있다.

The train **leaves** in ten minutes.
기차는 10분 후에 출발한다.

주로 now, every day, every Sunday, on Mondays, once a day/week/month/year 등과 같이 현재를 나타내는 어구와 함께 쓴다.

Answers - p.02

Check-up 1 다음 괄호 안에서 가장 알맞은 것을 고르시오.

1 I'm thirsty. I (want / wanted) some cold water now.

2 Sally (goes / is going) to church every Sunday.

3 The moon (goes / went) around the earth.

4 Water (freezes / froze) at zero degrees Centigrade.

Voca
thirsty 목마른
go to church 교회에 가다
freeze 얼다
degree (온도 단위인) 도
Centigrade 섭씨

Check-up 2 다음 우리말과 같은 뜻이 되도록 주어진 말을 이용하여 문장을 완성하시오.

1 너의 계획은 완벽한 것처럼 들린다. (sound)

→ Your plan ______________ perfect.

2 우리는 매주 일요일 조부모님을 방문한다. (visit)

→ We ______________ our grandparents every Sunday.

3 우리 아빠는 월요일부터 금요일까지 일하신다. (work)

→ My dad ______________ from Monday to Friday.

4 뉴욕은 겨울에 눈이 많이 내린다. (snow)

→ It ______________ a lot in New York during the winter.

Voca
sound ~처럼 들리다
perfect 완벽한
during ~ 동안

STEP 1 다음 주어진 말을 이용하여 문장을 완성하시오.

1 Swallows ______________ south for the winter. (fly)

2 We ______________ for Seattle tomorrow morning. (leave)

3 I ______________ a yoga lesson on Tuesdays and Thursdays. (take)

4 Brandon ______________ the violin in the school orchestra. (play)

5 He ______________ a glass of milk in the morning every day. (drink)

Voca
swallow 제비
leave for ~로 떠나다
take a lesson 수업 받다
orchestra 관현악단

STEP 2 다음 밑줄 친 부분을 어법에 맞게 고쳐 쓰시오.

1 I felt very hungry now. → ______________

2 You looked sick today. What's wrong? → ______________

3 Kate exercised three times a week these days. → ______________

4 We usually will do our homework before dinner. → ______________

5 People celebrated New Year's Day every year. → ______________

Voca
wrong 잘못된
exercise 운동하다
celebrate 기념하다

STEP 3 다음 우리말과 같은 뜻이 되도록 주어진 말을 이용하여 문장을 완성하시오.

조건	1. 동사의 시제에 유의할 것	2. 주어와 동사를 갖춘 완전한 문장으로 쓸 것

1 멕시코 사람들은 스페인어를 사용한다. (speak, Spanish)

→ Mexicans ______________________________.

2 George는 가족과 많은 시간을 보낸다. (spend, lots of time)

→ George ______________________________ with his family.

3 그들은 귀여운 새끼 고양이 한 마리를 기른다. (have, a cute kitten)

→ They ______________________________.

4 크리스마스 연휴가 12월 24일 시작된다. (Christmas holidays, start)

→ ______________________________ on December 24th.

Voca
Mexican 멕시코인
Spanish 스페인어
kitten 새끼고양이
holiday 휴가, 휴일

Unit 02 동사의 현재형 변화

주어가 1·2인칭 단·복수, 3인칭 복수인 경우 동사원형을 쓰고, 3인칭 단수인 경우 3인칭 단수동사를 쓴다.

주어	동사
I, we, you, they	동사원형
he, she, it	동사원형+-(e)s

I **need** your advice. 나는 너의 충고가 필요해.
He **needs** your help. 그는 너의 도움이 필요해.
We **wear** jeans. 우리는 청바지를 입는다.
She **wears** a school uniform. 그녀는 교복을 입는다.

Tips

주어가 3인칭 단수명사이면 3인칭 단수동사를 쓰고, 복수명사이면 동사원형을 쓴다.

This book **looks** interesting.
이 책은 재미있어 보인다.
These books **look** interesting.
이 책들은 재미있어 보인다.

일반동사의 3인칭 단수 현재형 만드는 법

대부분의 동사	+-s	eats buys makes reads wants
o, x, s(s), ch, sh로 끝나는 동사	+-es	does fixes passes catches finishes
「자음+y」로 끝나는 동사	y를 i로 고치고+-es	cry → cries marry → marries study → studies
불규칙 동사	have → has	

Answers - p.02

Check-up 1 다음 괄호 안에서 가장 알맞은 것을 고르시오.

1 I (like / likes) strawberry ice cream.
2 He (study / studies) music at college.
3 You (have / has) really beautiful eyes.
4 We (play / plays) soccer after school.
5 They (speak / speaks) English very well.
6 She (work / works) for a toy company.

Voca
strawberry 딸기
college 대학
after school 방과 후
company 회사

Check-up 2 다음 주어진 동사의 현재형을 써서 문장을 완성하시오.

1 It ____________ small insects. (eat)
2 I ____________ animals very much. (love)
3 The baby ____________ all the time. (cry)
4 She ____________ her classes at school at three. (finish)
5 You ____________ a lot about classical music. (know)
6 My mom ____________ fruits and vegetables at the market. (buy)

Voca
insect 곤충
all the time 항상
classical music 클래식음악, 고전음악
vegetable 채소

STEP 1 다음 보기에 있는 단어를 이용하여 현재시제 문장을 완성하시오.

보기	watch	fix	wash	try	carry

1 Sandy always ________________ to do a good job.

2 My uncle ________________ broken cars.

3 She always ________________ an umbrella.

4 He ________________ his car every Sunday.

5 Dave ________________ TV for an hour after dinner.

Voca
fix
고치다, 수리하다
broken
고장 난
umbrella
우산

STEP 2 다음 밑줄 친 부분을 어법에 맞게 고쳐 쓰시오.

1 I wants some tea with honey. → ________________

2 Thomas worrys about his health. → ________________

3 The bus come every ten minutes. → ________________

4 My brother always do the dishes. → ________________

5 Ed and I learns history at school. → ________________

Voca
honey
꿀
worry
걱정하다
health
건강
every
~마다
history
역사

STEP 3 다음 문장을 주어진 조건에 맞게 다시 쓰시오.

조건	1. 주어진 주어로 바꿔 쓸 것	2. 주어와 동사를 갖춘 완전한 문장으로 쓸 것

1 She has a lot of friends. (we)

→ ____

2 The stores close at ten o'clock. (it)

→ ____

3 People enjoy water sports in summer. (he)

→ ____

4 Harry practices basketball every day. (they)

→ ____

Voca
a lot of
많은
water sports
수상스포츠
practice
연습하다

STEP 4 다음 우리말과 같은 뜻이 되도록 주어진 단어를 배열하여 문장을 완성하시오.

Voca
mix
섞다[섞이다]; 어울리다
stranger
낯선 사람

1 그는 모르는 사람과 잘 어울려 지낸다. (mixes, he, well)

→ ______________________ with strangers.

2 우리는 정원이 있는 큰 집에 산다. (live in, we, a big house)

→ ______________________ with a garden.

3 그들은 학교에서 정말 열심히 노력한다. (very hard, they, try)

→ ______________________ in school.

4 우리 오빠는 하루에 8시간을 잔다. (eight hours, sleeps, my brother)

→ ______________________ a day.

5 Rachel은 일주일에 한 번 내게 이메일을 보낸다. (an email, Rachel, sends)

→ ______________________ to me once a week.

6 그 선생님께서는 숙제를 많이 내 주신다. (gives, a lot of, homework, the teacher)

→ ______________________

STEP 5 다음 우리말과 같은 뜻이 되도록 주어진 말을 이용하여 문장을 완성하시오.

Voca
twin
쌍둥이(한 명)
lie
거짓말
sweetly
다정하게
luck
행운
brush one's teeth
양치하다

조건	1. 동사의 시제에 유의할 것	2. 주어와 동사를 갖춘 완전한 문장으로 쓸 것

1 그들은 쌍둥이처럼 보인다. (look like, twins)

→ ______________________

2 그는 항상 그녀에게 거짓말을 한다. (always, tell, lies)

→ ______________________ to her.

3 그녀는 항상 다정하게 미소 짓는다. (smile, sweetly)

→ ______________________ all the time.

4 내 고양이는 쥐를 아주 잘 잡는다. (catch, mice)

→ ______________________ very well.

5 그것은 나에게 행운을 가져다준다. (bring, good luck)

→ ______________________ to me.

6 Kevin은 하루에 세 번 이를 닦는다. (brush one's teeth)

→ ______________________ three times a day.

Unit 03 과거시제

과거시제는 과거에 일어난 일을 나타낸다.

과거에 이미 끝난 동작이나 상태, 습관	Jason **called** me last night. Jason이 어젯밤 나에게 전화했다. I **liked** the ending of the movie. 나는 그 영화의 결말이 마음에 들었다. He **worked** late all last week. 그는 지난주 내내 늦게까지 일했다.
과거에 있었던 역사적인 사실	The Titanic **sank** in 1912. 타이타닉 호는 1912년에 가라앉았다. Edison **invented** the light bulb. Edison이 전구를 발명했다.

주로 yesterday, at that time, then, last ~, ~ ago 등과 같이 과거를 나타내는 어구와 함께 쓴다.

Answers - p.04

Check-up 1 다음 밑줄 친 부분을 해석하시오.

1 a. We paint our house every year. ____________

b. We painted our house last weekend. ____________

2 a. The concert ends at five thirty. ____________

b. The concert ended two hours ago. ____________

3 a. Ian and I talked about our dreams. ____________

b. Ian and I often talk about our dreams. ____________

4 a. She cleans the house every day. ____________

b. She cleaned the house from top to bottom. ____________

Voca
paint 페인트칠하다
end 끝나다
from top to bottom 구석구석

Check-up 2 다음 괄호 안에서 가장 알맞은 것을 고르시오.

1 The rain stopped (tomorrow / an hour ago).

2 Susan (enter / entered) a university last year.

3 We (feel / felt) sad when we heard the news.

4 They stayed in New York (these days / last month).

5 Neil Armstrong (walks / walked) on the moon in 1969.

6 Abraham Lincoln (becomes / became) President in 1861.

Voca
enter 들어가다[오다]
university 대학교

STEP 1 다음 주어진 동사의 현재형과 과거형을 각각 한 번씩 사용하여 문장을 완성하시오.

Voca
earn (돈을) 벌다
country 시골; 나라, 국가
beef stew 소고기 스튜

1 He ______________ $8 an hour last year. He ______________ $10 now. (earn)

2 Sam ______________ in the country when he was young. He ______________ in a big city now. (live)

3 Mom ______________ spaghetti for dinner on Fridays. She ______________ beef stew last week. (cook)

4 We usually ______________ to pop music. But we ______________ to classical music this morning. (listen)

STEP 2 다음 우리말과 같은 뜻이 되도록 주어진 단어를 배열하여 문장을 완성하시오.

Voca
hold 열다, 개최하다
play 희곡

1 겨울 방학이 어제 시작했어. (yesterday, started, the winter vacation)

→ ______________________________

2 Greg은 며칠 전에 시드니로 떠났다. (left, a few days ago, for Sydney, Greg)

→ ______________________________

3 한국은 2002년에 월드컵을 개최했다. (Korea, the World Cup, in 2002, held)

→ ______________________________

4 셰익스피어는 많은 훌륭한 희곡을 썼다. (Shakespeare, many, wrote, great plays)

→ ______________________________

STEP 3 다음 우리말과 같은 뜻이 되도록 주어진 말을 이용하여 문장을 완성하시오.

Voca
floor 바닥
audience 청중, 관객
laugh 웃다
joke 농담

조건	1. 동사의 시제에 유의할 것　2. 주어와 동사를 갖춘 완전한 문장으로 쓸 것

1 그는 바닥에 앉았다. (sit down, on the floor)

→ ______________________________

2 청중은 그의 농담에 웃었다. (the audience, laugh at)

→ ______________________________ his joke.

3 Irene이 파티에 쿠키를 좀 가져왔다. (bring, some cookies)

→ ______________________________ to the party.

4 레오나르도 다빈치는 1506년에 모나리자를 그렸다. (Leonardo da Vinci, paint, the *Mona Lisa*, in 1506)

→ ______________________________

Unit 04 동사의 과거형 변화

동사의 과거형은 주어의 인칭과 수에 관계없이 쓰고, 규칙 변화와 불규칙 변화가 있다.

❶ 규칙 변화

대부분의 동사	+-ed	asked called	learned wanted
-e로 끝나는 동사	+-d	arrived moved	liked received
「자음+y」로 끝나는 동사	y를 i로 고치고+-ed	cry – cried	marry – married
「단모음+단자음」으로 끝나는 동사	자음을 한 번 더 쓰고+-ed	plan – planned	stop – stopped

❷ 불규칙 변화

현재형과 과거형이 같은 동사	cut – cut let – let	cost – cost hurt – hurt	hit – hit set – set	put – put read[ri:d] – read[red]	
불규칙 변화 동사	begin – began break – broke bring – brought build – built buy – bought catch – caught come – came do – did drink – drank drive – drove	eat – ate feel – felt find – found fly – flew forget – forgot get – got give – gave go – went grow – grew have – had	hear – heard hold – held keep – kept know – knew leave – left lend – lent lose – lost make – made meet – met pay – paid	ride – rode run – ran say – said see – saw sell – sold send – sent sing – sang sit – sat sleep – slept spend – spent	steal – stole swim – swam take – took teach – taught tell – told think – thought wake – woke wear – wore win – won write – wrote

Answers - p.04

Check-up 1 다음 괄호 안에서 가장 알맞은 것을 고르시오.

1 I (droped / dropped) a fork on the floor.

2 Mike (buyed / bought) her some red roses.

3 Sarah (cut / cutted) the cake into six pieces.

4 Brian (eated / ate) a tuna sandwich for lunch.

Voca
drop 떨어뜨리다
fork 포크
piece 조각
tuna 참치

Check-up 2 다음 우리말과 같은 뜻이 되도록 주어진 단어를 과거형으로 써서 문장을 완성하시오.

1 나는 네 가방을 소파 아래에서 찾았다. (find)

→ I ____________ your bag under the sofa.

2 우리 엄마가 쇼핑몰에서 Kate와 Ross를 보셨다. (see)

→ My mom ____________ Kate and Ross at the mall.

3 그 아이들이 크리스마스 캐럴을 불렀다. (sing)

→ The children ____________ Christmas carols.

Voca
mall 쇼핑몰
carol 캐럴

STEP 1 다음 주어진 단어를 과거형으로 써서 문장을 완성하시오.

1 Ben ______________ a small gift to me. (give)

2 It was late, and I ______________ home. (hurry)

3 The girl ______________ these paper dolls. (make)

4 Mom ______________ us a storybook last night. (read)

5 I ______________ some coins into the piggy bank. (put)

6 Kevin ______________ his pocket money on the books. (spend)

Voca
hurry 급히[서둘러] 가다
doll 인형
storybook 이야기책
piggy bank 돼지저금통
pocket money 용돈

STEP 2 다음 문장에서 어법상 어색한 부분을 바르게 고치시오.

1 We planed a surprise party for Nick. ______________ → ______________

2 Jacob visitted his aunt a few days ago. ______________ → ______________

3 They enjoied fireworks so much last night. ______________ → ______________

4 She thinked about her secret plan for a long time. ______________ → ______________

5 I swimmed in the lake every day when I was young. ______________ → ______________

Voca
plan 계획하다
surprise party 깜짝 파티
fireworks 불꽃놀이
secret 비밀

STEP 3 다음 주어진 말을 이용하여 보기와 같이 과거형 문장으로 완성하시오.

보기 I get up late on weekends. (early) → I got up early last weekend.

1 My father usually goes to work by bus. (by subway)

→ He ______________________________ this morning.

2 Cathy sleeps for eight hours a day. (five hours)

→ She ______________________________ yesterday.

3 I have a fried egg and toast for breakfast. (cereal)

→ I ______________________________ for breakfast today.

4 The school bus comes right on time. (ten minutes late)

→ It ______________________________ today.

5 Sam drinks a glass of water every morning. (a glass of milk)

→ He ______________________________ this morning.

Voca
fried 튀긴, 프라이한
toast 토스트
cereal 시리얼
on time 제시간에

STEP 4 다음 우리말과 같은 뜻이 되도록 주어진 단어를 배열하여 문장을 완성하시오.

Voca
break 깨다, 부수다
vase 꽃병
by mistake 실수로
change 바꾸다

1 우리는 경기에서 3대 1로 졌다. (the game, lost, we)

→ ______________________________ three to one.

2 내가 실수로 탁자 위에 있는 꽃병을 깨뜨렸다. (the vase, I, broke)

→ ______________________________ on the table by mistake.

3 새 한 마리가 교실로 날아 들어왔다. (a bird, the classroom, flew, into)

→ ______________________________

4 나는 그 소식을 James로부터 들었다. (from James, heard, I, the news)

→ ______________________________

5 경찰이 그에게 몇 가지 질문을 했다. (asked, the police, some, questions)

→ ______________________________ of him.

6 그는 2년 전에 자신의 이름을 바꿨다. (changed, he, two years ago, his name)

→ ______________________________

STEP 5 다음 우리말과 같은 뜻이 되도록 주어진 말을 이용하여 문장을 완성하시오.

Voca
half an hour 30분
hit 치다
home run 홈런
raincoat 우비
competition 대회; 경쟁

조건	1. 동사의 시제에 유의할 것	2. 주어와 동사를 갖춘 완전한 문장으로 쓸 것

1 눈이 30분 전에 그쳤다. (stop)

→ ______________________________ half an hour ago.

2 그녀의 언니는 작년에 고등학생이 되었다. (become)

→ ______________________________ last year.

3 우리 할아버지께서 2000년에 이 집을 지으셨다. (build)

→ ______________________________ in 2000.

4 그는 지난 경기에서 두 개의 홈런을 쳤다. (hit, home run)

→ ______________________________ in the last game.

5 그 소녀는 어제 빨간색 우비를 입고 있었다. (wear, a red raincoat)

→ ______________________________ yesterday.

6 그들은 열심히 노력했고 대회에서 우승했다. (try hard, win, the competition)

→ ______________________________

Unit 05 진행시제

진행시제는 특정 시점에 진행 중인 일을 나타낸다.

❶ 현재진행은 「am/are/is+V-ing」의 형태로 현재 진행 중인 일을 나타낸다.
Isabel **is watching** TV in the living room. Isabel은 거실에서 TV를 보고 있다.
We **are baking** chocolate cookies now. 우리는 지금 초콜릿 쿠키를 굽고 있다.

❷ 과거진행은 「was/were+V-ing」의 형태로 과거의 한 시점에서 진행 중인 일을 나타낸다.
Ben **was doing** his homework when I saw him. 내가 Ben을 봤을 때 그는 숙제를 하고 있었다.
They **were sitting** around the table at that time. 그들은 그때 탁자에 둘러 앉아 있었다.

Tips

소유, 상태, 감정, 지각 등을 나타내는 동사는 진행형으로 쓰지 않는다. 단 have가 '먹다'와 같은 의미로 동작을 나타내는 경우 진행형으로 쓸 수 있다.

He **has** a nice car. (○)
He ~~**is having**~~ a nice car. (×)
그는 멋진 차가 있다.

He **is having** dinner now. (○)
그는 지금 저녁을 먹고 있다.

동사의 -ing형 만드는 법

대부분의 동사	동사원형+-ing	doing seeing	playing reading	talking standing
-e로 끝나는 동사	e를 빼고+-ing	dancing using	living writing	making taking
-ie로 끝나는 동사	ie를 y로 고치고+-ing	lie – lying	die – dying	tie – tying
「단모음+단자음」으로 끝나는 동사	자음을 한 번 더 쓰고 +-ing	cut – cutting stop – stopping	put – putting plan – planning	run – running swim – swimming

Answers - p.06

Check-up 1 다음 괄호 안에서 가장 알맞은 것을 고르시오.

1 She (knows / is knowing) the truth.

2 It (snowing / is snowing) hard outside.

3 I (am / was) taking a nap when you called me.

4 Mom was (prepare / preparing) dinner at that time.

5 Children (be playing / are playing) on the playground.

Voca
truth 사실, 진실
outside 밖으로, 밖에
take a nap 낮잠을 자다
prepare 준비하다
playground 운동장

Check-up 2 다음 주어진 동사의 진행형을 써서 문장을 완성하시오.

1 Julia was ____________ down the stairs. (come)

2 We are ____________ a trip to Chicago. (plan)

3 The trees need water. They are ____________. (die)

4 Look! The baby is ____________ so sweetly. (smile)

5 The students were ____________ to the teacher carefully. (listen)

Voca
stairs 계단
sweetly 다정하게
carefully 주의하여, 신중히

STEP 1 다음 주어진 말을 이용하여 진행시제 문장을 완성하시오.

1 Nancy ____________ in bed now. She is sick. (lie)

2 They ____________ bikes along the river now. (ride)

3 We ____________ to the movies at that time. (go)

4 Fred ____________ to the house when I saw him. (run)

5 Ed has an exam tomorrow. He ____________ in his room. (study)

Voca
lie 눕다
along ~을 따라
exam 시험

STEP 2 다음 문장에서 어법상 어색한 부분을 찾아 바르게 고치시오.

1 We waiting for a bus now. ________ → ________

2 I am liking TV dramas very much. ________ → ________

3 Alex is staying at Matt's house then. ________ → ________

4 She is puting the books on the shelves. ________ → ________

5 They are wanting some drinks and snacks. ________ → ________

Voca
shelf 선반
drink 음료
snack 간식

STEP 3 다음 주어진 문장을 진행형으로 바꿔 쓰시오.

조건	1. 동사의 시제와 같은 진행형으로 쓸 것 2. 주어와 동사를 갖춘 완전한 문장으로 쓸 것

1 I use the copy machine.

→ ____________________

2 Ian wore a suit and tie.

→ ____________________

3 The cold wind blew hard.

→ ____________________

4 We learn about Korean culture.

→ ____________________

5 She tied her hair back with a ribbon.

→ ____________________

Voca
copy machine 복사기
a suit and tie 정장
blow 불다
culture 문화

STEP 4 다음 우리말과 같은 뜻이 되도록 주어진 단어를 배열하여 문장을 완성하시오.

1 나는 지금 북극곰을 그리고 있다. (drawing, am, a polar bear, I)

→ ______________________ now.

2 Amy는 구내식당에서 점심을 먹고 있다. (lunch, is, Amy, having)

→ ______________________ in the cafeteria.

3 그가 운전해서 집에 가고 있을 때 사고를 봤다. (home, was, driving, he)

→ When ______________________, he saw an accident.

4 Brown 씨는 소파를 차고로 옮기고 있었다. (was, the sofa, Mr. Brown, moving)

→ ______________________ into the garage.

5 많은 사람들이 퍼레이드를 보고 있다. (are, a lot of, people, the parade, watching)

→ ______________________

6 우리는 그때 유럽 전역을 여행하고 있었다. (across, Europe, were, we, traveling)

→ ______________________ at that time.

Voca
polar bear 북극곰
cafeteria 구내식당
garage 차고
parade 퍼레이드, 행진
across 전체에 걸쳐; 가로질러

STEP 5 다음 우리말과 같은 뜻이 되도록 주어진 말을 이용하여 문장을 완성하시오.

조건	1. 시제에 유의하여 진행형으로 쓸 것	2. 주어와 동사를 갖춘 완전한 문장으로 쓸 것

1 우리 개가 크게 짖고 있다. (bark loudly)

→ ______________________

2 그 소년들은 하늘에 연을 날리고 있었다. (fly, kites)

→ ______________________ into the sky.

3 몇몇 사람들이 해변에 누워 있었다. (lie, on the beach)

→ ______________________

4 그들은 지금 쓰레기를 줍고 있다. (pick up, some trash)

→ ______________________

5 그는 지금 자신의 방에서 에세이를 쓰고 있다. (write an essay)

→ ______________________

6 네가 나에게 전화했을 때 나는 머리를 감고 있었다. (wash, hair)

→ ______________________ when you called me.

Voca
bark 짖다
loudly 큰 소리로, 소란하게
pick up 줍다
trash 쓰레기
essay 에세이

Unit 06 미래시제(will/be going to)

「will+동사원형」은 '~할 것이다', '~하겠다'라는 의미로 미래의 일, 의지를 나타낸다.

부정문	will not[won't]+동사원형
의문문	Will+주어+동사원형~?

I **will come** home early tonight. 나는 오늘 밤에 일찍 들어올 것이다.
It **will not**[**won't**] **rain** tomorrow. 내일은 비가 오지 않을 것이다.
Will you **go** swimming after school? 너는 방과 후에 수영하러 갈 거니?

> **Tips**
> 예정된 일이나 계획은 현재진행시제로 가까운 미래를 나타낼 수 있다.
> My family **is moving** to California next week.
> 우리는 가족은 다음 주에 캘리포니아로 이사할 것이다.

「be going to+동사원형」은 '~할 것이다', '~할 예정이다'라는 의미로 미래의 일이나 계획을 나타낸다.

부정문	be동사+not+going to+동사원형
의문문	Be동사+주어+going to+동사원형~?

Sam **is going to help** me. Sam이 나를 도와줄 것이다.
He **is not going to** come to the party. 그는 그 파티에 오지 않을 것이다.
Are they **going to get married** next month? 그들은 다음 달에 결혼할 거니?

미래시제는 주로 tomorrow, soon, later, next ~, in ~ 등과 같이 미래를 나타내는 어구와 함께 쓴다.

Answers - p.07

Check-up 1 다음 괄호 안에서 가장 알맞은 것을 고르시오.

1 Will you (are / be) here on time?

2 She will (visit / visits) us this evening.

3 Lisa (will not / not will) accept my apology.

4 Are you going (take / to take) the last train?

5 I (am not / won't) going to break the promise.

> **Voca**
> accept 받아들이다
> apology 사과
> promise 약속

Check-up 2 다음 문장을 will과 주어진 단어를 이용하여 완성하시오.

1 그녀는 여기 오래 머무를 건가요? (stay)

→ ______________ she ______________ here long?

2 Jeff가 나를 공항에 태워다 줄 것이다. (give)

→ Jeff ______________ ______________ me a ride to the airport.

3 나는 너의 친절을 잊지 않을 것이다. (not, forget)

→ I ______________ ______________ ______________ your kindness.

> **Voca**
> give a ride 태워주다
> forget 잊다
> kindness 친절

STEP 1 다음 be going to와 주어진 말을 이용하여 문장을 완성하시오.

1 I ______________________ next week. (graduate)

2 They ______________________ us this Friday. (not, visit)

3 __________ Susan ______________________ the work tomorrow? (finish)

4 We ______________________ a cake for our parents. (make)

5 Harry ______________________ his vacation in Guam. (not, spend)

Voca
graduate 졸업하다
visit 방문하다
vacation 방학, 휴가

STEP 2 다음 우리말과 같은 뜻이 되도록 주어진 단어를 배열하여 문장을 완성하시오.

1 Ann은 그 회의에 참석할 거니? (Ann, is, attend, going to, the meeting)

→ ______________________

2 너는 수영 강습을 받을 거니? (swimming, you, will, lessons, take)

→ ______________________

3 그는 그 규칙을 지키지 않을 것이다. (follow, the rule, he, not, will)

→ ______________________

4 우리 학교 팀이 선수권 대회에서 우승할 것이다. (is, win, our school team, going to)

→ ______________________ the championship.

Voca
attend 참석하다
follow (지시 등을) 따르다
rule 규칙
championship 선수권 대회

STEP 3 다음 주어진 문장을 조건에 따라 괄호 안의 형태로 바꿔 쓰시오.

조건	1. 동사의 시제에 유의할 것	2. 주어와 동사를 갖춘 완전한 문장으로 쓸 것

1 You do me a favor. (will을 이용한 의문문으로)

→ ______________________

2 I talk to Jason. (will을 이용한 부정문으로)

→ ______________________ again.

3 We believe his story. (be going to를 이용한 부정문으로)

→ ______________________

4 Paul goes to the dentist tomorrow. (be going to를 이용한 의문문으로)

→ ______________________ tomorrow?

Voca
favor 부탁, 호의
believe 믿다
dentist 치과 의사, 치과

도전! 만점! 중등 내신 단답형 & 서술형

Answers - p.08

[1-3] 다음 주어진 말을 이용하여 문장을 완성하시오.

1
- Annie ________ very long hair now. (have)
- We ________ a math test yesterday. (have)

2
- The kids ____________ in the river now. (swim)
- He ____________ in the sea when I saw him. (swim)

3
- I ______________ my uncle in New York next month. (visit)
- Greg ______________ my house a few days ago. (visit)

[4-7] 다음 빈칸에 알맞은 말을 보기에서 골라 알맞은 형태로 바꿔 쓰시오.

보기	stay	teach	go	lie

4 Jason ____________ on the bench now.

5 Mr. Green ____________ science at a middle school last year.

6 The earth ____________ around the Sun.

7 She ____________ up late and study tonight.

[8-9] 다음 밑줄 친 부분을 바르게 고치시오.

8 Every day, my mother ⓐ get up early. And she ⓑ prepare breakfast for our family.

ⓐ __________ ⓑ __________

9
A You ⓐ are looking sick. What's wrong?
B I have a cold. I will ⓑ going to the doctor this afternoon.

ⓐ __________ ⓑ __________

[10-11] 다음 주어진 말을 이용하여 대화를 완성하시오.

10
A Karen is very angry with you.
B It's not my fault. I ________________ to her. (be going to, not, apologize)

11 A I called you at nine yesterday, but you didn't answer.
B Sorry. I ______________ at that time. (sleep)
I was very tired, so I went to bed early.

[12-14] 다음 주어진 문장을 조건에 따라 고쳐 쓰시오.

조건 1. 주어는 그대로 쓸 것
2. 주어진 지시에 따라 형태를 바꿀 것

12 She helps me with my homework. (be going to 부정문으로)

→ ______________________________

13 They are here on time. (will 의문문으로)

→ ______________________________

14 Fred has a good time at the amusement park. (현재진행형으로)

→ ______________________________

[15-17] 다음 우리말과 같은 뜻이 되도록 주어진 단어를 배열하여 문장을 완성하시오.

15 우리는 매일 한 시간씩 산책한다. (for, an hour, take, we, a walk)

→ ______________________________ every day.

16 나는 다시 거짓말을 하지 않겠다. (not, a lie, tell, I, will)

→ ______________________________ again.

17 너는 다음 달에 서울로 이사할 거니? (you, going to, are, move)

→ ______________________________ to Seoul next month?

[18-20] 다음 우리말과 같은 뜻이 되도록 주어진 말을 이용하여 문장을 완성하시오.

조건 주어와 동사를 갖춘 완전한 문장으로 쓸 것

18 그녀는 그때 패션 잡지책을 읽고 있었다. (read, a fashion magazine)

→ ______________________________ at that time.

19 Sam이 나를 보았고 나에게 인사를 했다.

→ ______________ and ______________ to me. (see, say hello)

20 그는 지금 역사 보고서를 쓰고 있니? (write, his history report)

→ ______________________________ now?

Chapter 2

현재완료 시제

Unit 01 현재완료: 계속

현재완료는 과거 한 시점에서 시작된 상태나 동작이 현재까지 영향을 미칠 때 사용하며, 「have/has+p.p.」의 형태이다.
'(계속) ~해 왔다/~하고 있다'라는 의미로 과거에 시작된 일이 현재까지 계속되는 것을 나타낸다.
주로 「for+지속 기간」, 「since+시작된 시점」과 함께 쓴다.

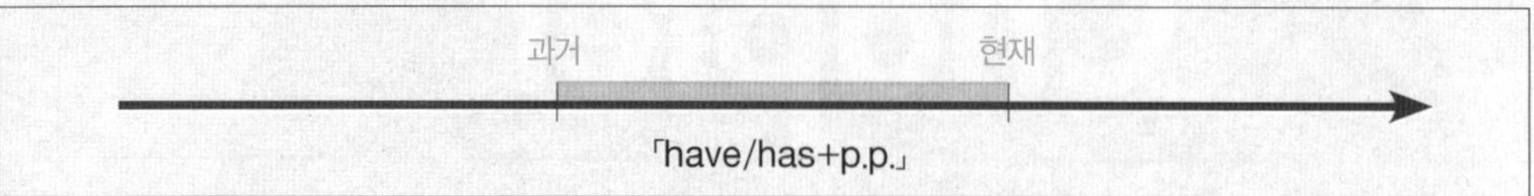

I **have studied** French for a year. 나는 1년째 프랑스어를 공부하고 있다.
Lucy **has been** sick since yesterday. Lucy는 어제부터 아프다.

Answers - p.10

Check-up 1 다음 우리말과 같은 뜻이 되도록 괄호 안에서 가장 알맞은 것을 고르시오.

1 나는 이 책가방을 5년 동안 쓰고 있다.

→ I have (used / using) this schoolbag for five years.

2 지난 주말 이후로 날씨가 좋다.

→ The weather (be / has been) nice since last weekend.

3 Sarah는 여기에 온 이후부터 자신의 가족을 그리워하고 있다.

→ Sarah has missed her family (for / since) she came here.

4 그들은 여기에서 15년 동안 살고 있다.

→ They have lived here (for / since) fifteen years.

Voca
use 사용하다, 쓰다
schoolbag 책가방
weather 날씨
miss 그리워하다

Check-up 2 다음 주어진 말을 이용하여 현재완료 문장을 완성하시오.

1 I have ____________ cats since I was young. (have)

2 My father has ____________ this farm since 2010. (own)

3 They have ____________ Korean food since last year. (prefer)

4 We have ____________ each other for five years. (know)

5 She has ____________ in New York for six months. (stay)

STEP 1 다음 주어진 말을 이용하여 계속의 의미를 나타내는 현재완료 문장으로 완성하시오.

1 I ______________ a cold for a week. (have)

2 We ______________ here since 10 a.m. (be)

3 My father ______________ old coins since elementary school. (collect)

4 He ______________ to have a smartwatch since last year. (want)

5 People ______________ Christmas for about 2000 years. (celebrate)

Voca
have a cold 감기에 걸리다
collect 모으다, 수집하다
coin 동전
smartwatch 스마트워치
celebrate 축하하다

STEP 2 다음 우리말과 의미가 같도록 밑줄 친 부분을 고쳐 쓰시오.

1 그녀는 가수가 되기를 꿈꿔 왔다.

→ She dreamed of being a singer. → ______________

2 한국인은 1446년 이래로 한글을 사용해 왔다.

→ Korean people have use Hangeul since 1446. → ______________

3 Ken은 지난 10주 동안 저녁으로 닭가슴살을 먹어 왔다.

→ Ken eaten chicken breast for dinner for the last ten weeks. → ______________

4 Jones는 대학에 입학한 이후로 물리학을 공부하고 있다.

→ Jones has studied physics for he entered college. → ______________

STEP 3 다음 주어진 말을 이용하여 두 문장을 한 문장으로 만드시오.

조건	1. 현재완료 시제로 쓸 것	2. for 또는 since를 이용할 것

1 We became friends in 2010. We are still friends. (be)

→ We ______________________________ 2010.

2 Peter loved Kelly ten years ago. He still loves her. (love)

→ Peter ______________________________ ten years.

3 Jacob played the violin when he was young. He still plays it. (play)

→ Jacob ______________________________ he was young.

4 Silvia began to take yoga classes two years ago. She still takes them. (take)

→ Silvia ______________________________ two years.

Voca
play the violin 바이올린을 연주하다
still 여전히, 아직도
take a class 수업을 받다

STEP 4 다음 우리말과 같은 뜻이 되도록 주어진 단어를 배열하여 문장을 완성하시오.

1 그녀는 30년째 안경을 쓰고 있다. (has, she, glasses, worn, for)

→ ______________________________ thirty years.

2 그는 어릴 때부터 개를 무서워한다. (has, afraid of, since, been, he, dogs)

→ ______________________________ he was little.

3 Cooper 씨는 2015년 이래로 그 주유소를 운영해왔다 . (run, Mr. Cooper, the gas station, has)

→ ______________________________ since 2015.

4 James는 자신의 변호사를 그들의 첫 만남 이래로 계속 신뢰해 왔다. (his lawyer, has, James, trusted)

→ ______________________________ since their first meeting.

5 나는 여기로 이사 온 이래로 영어를 10년 동안 가르치고 있다. (taught, for 10 years, English, have, I)

→ ______________________________ since I moved here.

6 우리 부모님은 같은 차를 15년 동안 가지고 계신다. (had, the same car, for, have, my parents)

→ ______________________________ fifteen years.

STEP 5 다음 우리말과 같은 뜻이 되도록 주어진 말을 이용하여 문장을 완성하시오.

조건	1. 현재완료 시제로 쓸 것	2. 주어와 동사를 갖춘 완전한 문장으로 쓸 것

1 Mia는 어릴 때부터 초콜릿을 좋아했다. (like, chocolate)

→ ______________________________ since she was a kid.

2 한 달 동안 강추위가 계속되고 있다. (it, very cold)

→ ______________________________

3 그들은 지난 3년 동안 내 인기를 부러워해 왔다. (envy, popularity)

→ ______________________________ for the last three years.

4 우리 집은 지난주 이래로 고약한 냄새가 나고 있다. (smell, bad, last week)

→ ______________________________

5 사람들은 수천 년 전부터 각종 신을 믿어왔다. (believe in, all kinds of gods)

→ ______________________________ since thousands of years ago.

6 나는 수년 동안 그 배우를 실제로 볼 수 있기를 원해왔다. (want, actor, in person)

→ ______________________________ for years.

Voca
envy 부러워하다
popularity 인기
in person 직접

Unit 02
현재완료: 경험

'~한 적 있다'라는 의미로 과거부터 현재까지 있었던 경험을 나타낸다.

	예문	주로 함께 쓰는 부사
경험	She **has met** James before. 그녀는 전에 James를 만난 적이 있다. I **have been** to Australia four times. 나는 호주에 네 번 가 본 적이 있다.	before, once, twice ...

Answers - p.11

Check-up 1 다음 우리말과 같은 뜻이 되도록, 괄호 안에서 가장 알맞은 것을 고르시오.

1 나는 바다에서 수영해 본 적이 있다.

→ I (swam / have swum) in the sea.

2 너는 이 영화를 두 번 본 적이 있다.

→ You (saw / have seen) this movie twice.

3 그녀는 전에 그 박물관을 방문한 적이 있다.

→ She (visits / has visited) the museum before.

4 우리는 태국 음식을 한 번 먹어 본 적이 있다.

→ We (eat / have eaten) Thai food once.

5 나는 포켓몬 고를 몇 번 해 본 적 있다.

→ I (have played / am playing) Pokémon GO a few times.

6 이탈리아는 월드컵에서 네 차례 우승한 적 있다.

→ Italy (has won / was winning) the World Cup four times.

Voca
museum 박물관
Thai 태국의
once 한 번

Check-up 2 다음 주어진 말을 이용하여 현재완료 문장을 완성하시오.

1 I have ____________ my arm once. (break)

2 Tim has ____________ a camel twice. (ride)

3 They have ____________ us several times. (call)

4 Sam has ____________ the letter many times. (read)

5 Sophie and I have ____________ to the coffee shop once. (be)

6 Mary has ____________ my car more than ten times. (drive)

Voca
camel 낙타
several 몇몇의

STEP 1 다음 주어진 말을 이용하여 경험의 의미를 나타내는 현재완료 문장으로 완성하시오.

1 I ______________ a raccoon before. (see)

2 He ______________ abroad many times. (be)

3 Bill ______________ for a foreign company once. (work)

4 They ______________ at this restaurant three times. (eat)

5 Linda ______________ a fan letter to her favorite actor before. (write)

Voca
raccoon 너구리
abroad 해외에, 해외로
foreign 외국의

STEP 2 다음 우리말과 의미가 같도록 밑줄 친 부분을 고쳐 쓰시오.

1 나는 전에 Smith 씨를 만난 적이 있다.

→ I met Mr. Smith before. → ______________

2 Anna는 전에 뉴욕에 살아 본 적이 있다.

→ Anna has lives in New York before. → ______________

3 우리는 달팽이를 두 번 먹어본 적이 있다.

→ We try snails twice. → ______________

4 우리 가족은 스위스를 여행한 적이 있다.

→ My family has travel to Switzerland. → ______________

Voca
snail 달팽이
twice 두 번
Switzerland 스위스

STEP 3 다음 밑줄 친 부분에 유의하여 우리말로 해석하시오.

1 They have been to London.

→ ______________________________

2 My dad has cried during a movie before.

→ ______________________________

3 She has ridden a roller coaster once.

→ ______________________________

4 We have learned Japanese before.

→ ______________________________

5 I have watched the movie ten times.

→ ______________________________

Voca
during ~동안
roller coaster 롤러코스터
Japanese 일본어

STEP 4 다음 우리말과 같은 뜻이 되도록 주어진 단어를 배열하여 문장을 완성하시오.

Voca
problem 문제
snowboard 스노보드를 타다
climb 오르다

1 그녀는 전에 그 책을 세 번이나 읽은 적이 있다. (read, she, has, the book)

→ ______________________ three times before.

2 그는 전에 이것과 같은 문제를 겪은 적이 있다. (he, a problem, had, has)

→ ______________________ like this before.

3 우리는 이것에 대해 몇 번 얘기한 적이 있다. (have, this, talked about, we)

→ ______________________ a few times.

4 나는 스노보드를 한 번 타 본 적이 있다. (snowboarding, I, have, once, tried)

→ ______________________

5 그들은 몇 번 그 산 정상에 오른 적이 있다. (climbed, they, several times, the mountain top, have)

→ ______________________

6 Jim은 전에 여자친구의 부모님을 만난 적이 있다. (his girlfriend's parents, met, Jim, before, has)

→ ______________________

STEP 5 다음 우리말과 같은 뜻이 되도록 주어진 말을 이용하여 문장을 완성하시오.

Voca
sail 항해하다
yacht 요트
rumor 소문

조건	1. 현재완료 시제로 쓸 것	2. 주어와 동사를 갖춘 완전한 문장으로 쓸 것

1 Lucy는 골프를 몇 번 쳐 본 적이 있다. (play, golf)

→ ______________________ several times.

2 우리는 하와이에 가 본 적이 있다. (be, Hawaii)

→ ______________________

3 Ryan은 전에 요트를 타 본 적이 있다. (sail, a yacht)

→ ______________________ before.

4 그들은 너의 블로그를 방문한 적이 있다. (visit, your blog)

→ ______________________

5 나는 북극곰을 한 번 본 적이 있다. (see, polar bears)

→ ______________________

6 Tom과 나는 전에 그 소문을 들은 적이 있다. (hear, the rumor)

→ ______________________ before.

Unit 03 현재완료: 결과

'~해버렸다'라는 의미로 과거에 일어난 일이 현재까지 영향을 마치고 있음을 나타낸다.

	예문
결과	I **have lost** my cell phone. 나는 내 휴대 전화를 잃어버렸다. (→ So I don't have it now.) 그래서 지금 그것을 가지고 있지 않다. Ryan **has gone** to Canada. Ryan은 캐나다로 가버렸다. (→ So he isn't here now.) 그래서 그는 지금 여기에 없다.

Tips

have/has gone (to)는 '~가버렸다(현재 여기에 없음)'이라는 의미로 결과를 나타내고, have/has been (to)는 '가 본 적이 있다'라는 의미로 경험을 나타낸다.

She **has gone** to New York.
그녀는 뉴욕에 가버렸다.

She **has been** to New York.
그녀는 뉴욕에 가 본 적이 있다.

Answers - p.12

Check-up 1 다음 우리말과 같은 뜻이 되도록 괄호 안에서 가장 알맞은 것을 고르시오.

1 Rick이 네 자전거를 가져갔다.

→ Rick has (took / taken) your bike.

2 John이 일본으로 가버렸다.

→ John (has gone / has went) to Japan.

3 Carl은 지갑을 버스에 놓고 내려버렸다.

→ Carl (leaves / has left) his wallet on the bus.

4 내 딸은 가위에 손가락을 베었다.

→ My daughter (has cut / was cutting) her finger with scissors.

Voca
wallet 지갑
daughter 딸
scissors 가위

Check-up 2 다음 주어진 말을 이용하여 현재완료 문장을 완성하시오.

1 I have ____________ my backpack. (lose)

2 Stephen has ____________ his knee. (hurt)

3 Someone has ____________ my car. (steal)

4 Sarah has ____________ my bike. (borrow)

5 He has ____________ all the milk in the fridge. (drink)

6 My parents have ____________ my birthday. (forget)

Voca
backpack 배낭
knee 무릎
steal 훔치다
forget 잊다, 잊어버리다

STEP 1 다음 주어진 말을 이용하여 결과의 의미를 나타내는 현재완료 문장을 완성하시오.

1 They ______________ the wrong road. They are lost. (take)

2 She ______________ the TV. The TV is on now. (turn on)

3 I ______________ my last dollar to Steven. I have no money. (give)

4 We ______________ the last train. We should take a taxi home. (miss)

Voca
road 길
turn on 켜다
last 마지막의
dollar 달러

STEP 2 다음 우리말과 같은 뜻이 되도록 주어진 단어를 배열하여 문장을 완성하시오.

1 나는 내 손을 데었다. (burned, I, my hand, have)

→ ______________________________

2 내 애완용 새가 날아 가버렸다. (my pet bird, flown away, has)

→ ______________________________

3 그녀는 내 차를 Brian에게 팔아 버렸다. (she, my car, has, sold, to Brian)

→ ______________________________

4 Willy는 문법책을 잃어버렸다. (his grammar book, Willy, lost, has)

→ ______________________________

Voca
burn 데다, 타다
sell 팔다
grammar 문법

STEP 3 다음 우리말과 같은 뜻이 되도록 주어진 말을 이용하여 문장을 완성하시오.

조건	1. 현재완료 시제로 쓸 것	2. 주어와 동사를 갖춘 완전한 문장으로 쓸 것

1 그의 다리가 부러져버렸다. (break, his leg)

→ ______________________________

2 너의 개가 내 점심을 먹어버렸어. (eat, my lunch)

→ ______________________________

3 우리는 돈을 다 써버렸다. (spend, all our money)

→ ______________________________

4 나는 너의 이름을 잊어버렸다. (forget, your name)

→ ______________________________

5 내 아이들이 여권을 잃어버렸다. (lose, their passports)

→ ______________________________

Voca
passport 여권

Unit 04 현재완료: 완료

'(막/벌써/이미) ~했다'라는 의미로 어떤 일이 완료된 상태를 나타낸다.

	예문	주로 함께 쓰는 부사
완료	Bill **has already arrived** at the station. Bill은 벌써 역에 도착했다. I **have just done** my math homework. 나는 막 수학 숙제를 끝냈다.	already, just, yet

Tips
just는 주로 has/have와 p.p.사이에 오고, already는 has/have와 p.p. 사이 또는 문장 맨 뒤에 오며, yet은 부정문 또는 의문문에서 쓰이며 문장 맨 뒤에 온다.

Answers - p.12

Check-up 1 다음 밑줄 친 부분을 우리말로 옮기시오.

1 Bella has just come back home.

→ Bella가 막 집에 ____________________.

2 Kate has already heard the news.

→ Kate가 벌써 그 소식을 ____________________.

3 The train has just arrived at the station.

→ 기차는 이제 방금 역에 ____________________.

4 I have just bought Christmas presents for my family.

→ 나는 방금 가족에게 줄 크리스마스 선물을 ____________________.

Voca
just 막, 방금
already 벌써, 이미
station 역, 정거장
present 선물

Check-up 2 다음 주어진 말을 이용하여 문장을 완성하시오.

1 I have ____________________ Richard the truth. (tell)

2 Mom has ____________________ dinner already. (cook)

3 They have ____________________ all the furniture. (move)

4 He has ____________________ to change his job. (decide)

5 Scientists have ____________________ a cooking robot. (invent)

6 Erica has already ____________________ too many candies. (eat)

7 You have ____________________ all the questions already. (answer)

8 My parents have just ____________________ back from their holidays. (get)

Voca
furniture 가구
decide 결정[결심]하다
scientist 과학자
invent 발명하다
answer 답하다, 대답하다

STEP 1 다음 주어진 말을 이용하여 완료의 의미를 나타내는 현재완료 문장을 완성하시오.

Voca
repair 수리하다
sign up 등록하다

1 Walter ______________________ his bike. (just, repair)

2 The waiter ______________________ our food. (just, bring)

3 I ______________________ for cooking classes. (already, sign up)

4 Tom and Alice ______________________ the house. (already, paint)

STEP 2 다음 우리말과 같은 뜻이 되도록 주어진 단어를 배열하여 문장을 완성하시오.

Voca
forgive 용서하다

1 그녀는 이미 너를 용서했다. (has, you, she, forgiven, already)

→ ______________________

2 나는 그 보고서를 막 끝냈다. (just, the report, finished, have, I)

→ ______________________

3 우리는 막 휴가 계획을 세웠다. (we, our vacation, planned, just, have)

→ ______________________

4 그 소년은 벌써 피자 다섯 조각을 먹었다. (eaten, the boy, five pieces of pizza, has, already)

→ ______________________

STEP 3 다음 우리말과 같은 뜻이 되도록 주어진 말을 이용하여 문장을 완성하시오.

Voca
thief 도둑
book 예약하다
flight 비행; 항공편

조건	1. 현재완료 시제로 쓸 것	2. 주어와 동사를 갖춘 완전한 문장으로 쓸 것

1 봄이 벌써 왔다. (spring, come)

→ ______________________

2 우리는 방금 이 집으로 이사를 왔다. (move to)

→ ______________________

3 그 경찰관이 방금 그 도둑을 잡았다. (the police officer, catch, the thief)

→ ______________________

4 그녀는 집에 돌아오는 항공편을 예약했다. (book, her flight home)

→ ______________________

5 그들이 이미 고등학교를 졸업했다. (graduate from, high school)

→ ______________________

Unit 05 현재완료 부정문

현재완료 부정문은 「have/has+not/never+p.p.」의 형태이다. have not은 haven't로, has not은 hasn't로 줄여 쓸 수 있다.

I **have not eaten** anything today. 나는 오늘 아무것도 먹지 못했다.

You **haven't changed** a bit. 너는 하나도 변하지 않았다.

She **has never told** a lie to me. 그녀는 나에게 거짓말을 한 적이 없다.

Answers - p.13

Check-up 1 다음 밑줄 친 부분을 우리말로 옮기시오.

1 She hasn't gotten married yet.

→ 그녀는 아직 ____________________.

2 It hasn't rained for three weeks.

→ 3주 동안 ____________________.

3 I have never used a smartphone.

→ 나는 스마트폰을 ____________________.

4 He has never learned ballet.

→ 그는 발레를 ____________________.

5 You haven't finished your dinner yet.

→ 너는 아직 저녁을 ____________________.

6 We haven't talked to each other for a month.

→ 우리는 한 달 동안 서로 ____________________.

Voca
get married 결혼하다
yet 아직
ballet 발레

Check-up 2 다음 주어진 말을 이용하여 현재완료 부정문을 완성하시오.

1 Sophie ____________________ a new job. (not, find)

2 I ____________________ the fish for three days. (not, feed)

3 The new semester ____________________ yet. (not, start)

4 Cindy ____________________ a motorbike. (never, ride)

5 He ____________________ about his future. (never, think)

Voca
feed 먹이를 주다
motorbike 오토바이
future 미래

STEP 1 다음 문장을 괄호 안에 주어진 단어를 이용하여 부정문으로 바꿔 쓰시오.

Voca
set the table 식탁을 차리다
skydive 스카이다이빙 하다

1 She has set the table. (not)

→ ______

2 I have tried skydiving before. (never)

→ ______

3 Carl has told his secrets to his friends. (never)

→ ______

4 The team has lost a lot of games so far. (not)

→ ______

STEP 2 다음 우리말과 같은 뜻이 되도록 주어진 단어를 배열하여 문장을 완성하시오.

Voca
kitchen 부엌
gold 금
medal 메달

1 나는 Sue에게서 어떤 이메일도 받지 않았다. (I, received, any emails, haven't, from Sue)

→ ______

2 Lisa는 아직 부엌을 청소하지 않았다. (yet, cleaned, hasn't, Lisa, the kitchen)

→ ______

3 Susan은 금메달을 따 본 적이 없다. (never, a gold medal, has, Susan, won)

→ ______

4 그들은 전에 로마를 방문해 본 적이 없다. (Rome, they, visited, never, have, before)

→ ______

STEP 3 다음 우리말과 같은 뜻이 되도록 현재완료 시제를 이용하여 문장을 완성하시오.

Voca
whale 고래
make up one's mind 결심하다

1 나는 이틀 동안 잠을 자지 못했다. (sleep, for)

→ ______

2 Ian은 고래를 전에 본 적이 전혀 없다. (never, see, a whale)

→ ______

3 그는 에베레스트 산을 오른 적이 전혀 없다. (never, climb, Mt. Everest)

→ ______

4 그녀는 아직 결정을 내리지 않았다. (make up her mind)

→ ______

Unit 06 현재완료 의문문

현재완료 의문문은 「Have/Has+주어+p.p.~?」 또는 「의문사+have/has+주어+p.p.~?」의 형태이다.

현재완료 의문문	Have/Has+주어+p.p.~?	· 긍정의 대답: Yes, 주어+have/has. · 부정의 대답: No, 주어+haven't/hasn't.
	의문사+have/has+주어+p.p.~?	· Yes나 No로 대답하지 않음

A **Have** you ever **been** to Paris? 너는 파리에 가 본 적이 있니?
B Yes, I **have**. / No, I **haven't**. 응, 그래. / 아니, 그렇지 않아.

A How long **have** you **known** Harry? 너는 Harry를 얼마나 오래 알았니?
B I **have known** him for more than ten years. 나는 그를 10년 넘게 알고 지내고 있어.

Answers - p.14

Check-up 1 다음 괄호 안에서 가장 알맞은 것을 고르시오.

1 (Do / Have) we met before?

2 Have you ever (be / been) to Vancouver?

3 (Did / Have) you ever tried sushi?

4 Has Walter (call / called) us today?

5 (Has / Have) they forgotten your birthday?

6 (Does it stopped / Has it stopped) snowing yet?

7 Have (you passed / passed you) your driving test?

Voca
sushi 초밥
pass 통과하다
driving test 운전면허 시험

Check-up 2 다음 주어진 말을 이용하여 현재완료 의문문을 완성하시오.

1 __________ you __________ Central Park? (visit)

2 __________ she ever __________ a pet before? (raise)

3 __________ you ever truly __________ someone? (love)

4 __________ they __________ the date for the meeting? (set)

5 How many books __________ Ron __________ this month? (read)

6 __________ you __________ your life in ten years? (imagine)

7 How many countries __________ they __________ to so far? (travel)

Voca
truly 정말로, 진심으로
someone 누군가
set 정하다, 결정하다
imagine 상상하다

STEP 1 다음 주어진 말을 이용하여 대화를 완성하시오.

Voca
advice 충고
helpful 도움이 되는

1 A Have you done your homework? (have)
B No, ______________. I have just come home from school.

2 A Have Bill and Mary ever ridden an elephant? (have)
B Yes, ______________. They grew up in Thailand.

3 A How long ______________ in China? (she, study)
B For two years.

4 A ______________ you any advice? (your teacher, give)
B Yes, he has. His advice has been very helpful.

STEP 2 다음 우리말과 의미가 같도록 밑줄 친 부분을 고쳐 쓰시오.

1 그들은 얼마나 오랫동안 같이 살았니?
How long do they live together? → ______________

2 그녀는 토론토에 가 본 적 있니?
Has been she ever to Toronto? → ______________

3 너는 지난 10년 동안 어디에 있었니?
You have been where for the last 10 years? → ______________

4 너의 아들은 선생님이 되는 것에 대해 생각해 본 적이 있니?
You son has thought about becoming a teacher? → ______________

STEP 3 다음 주어진 문장을 의문문으로 바꿔 쓰시오.

Voca
take medicine 약을 먹다
French 프랑스어
receive 받다

1 He has taken medicine.
→ ______________

2 She has used this program before.
→ ______________

3 They have learned French at school.
→ ______________

4 You have received a letter from Brad.
→ ______________

STEP 4 다음 우리말과 같은 뜻이 되도록 주어진 단어를 배열하여 문장을 완성하시오.

Voca
poem
시
dolphin
돌고래

1 그가 일을 방금 끝냈니? (he, finished, just, has, work)

→ ______________________________

2 그것은 온종일 어디 있었니? (been, it, where, has)

→ ______________________________ all day?

3 너 벌써 이를 닦았니? (you, have, your teeth, brushed)

→ ______________________________ already?

4 그녀는 얼마 동안 아팠니? (has, how long, sick, been, she)

→ ______________________________

5 너는 시를 써 본 적이 있니? (you, written, ever, a poem, have)

→ ______________________________

6 그들은 전에 핑크색 돌고래를 본 적이 있니? (seen, have, a pink dolphin, they)

→ ______________________________ before?

STEP 5 다음 우리말과 같은 뜻이 되도록 주어진 말을 이용하여 문장을 완성하시오.

Voca
pack
짐을 싸다
Greek
그리스의

조건	1. 현재완료 시제로 쓸 것	2. 주어와 동사를 갖춘 완전한 문장으로 쓸 것

1 Ben은 벌써 가방을 다 꾸렸니? (pack, his bags)

→ ______________________________ already?

2 너는 피아노를 쳐 본 적이 있니? (ever, play)

→ ______________________________

3 너는 여기서 얼마나 오랫동안 일했니? (how long, work, here)

→ ______________________________

4 그녀가 그 계획에 대해 너에게 물어 본 적 있니? (ask you)

→ ______________________________ about the plan?

5 너는 내 차에 무슨 짓을 한 거니? (what, do, my car)

→ ______________________________

6 그들은 전에 그리스 음식을 먹어 본 적이 있니? (eat, Greek food)

→ ______________________________

Unit 07 과거 vs. 현재완료

과거는 과거에 이미 끝난 일을, 현재완료는 과거에 일어난 일이 현재까지 영향을 미침을 나타낸다.

	과거	현재완료
의미	과거의 한 시점에서 일어난 동작이나 상태로 현재와 관련 없음	과거에 일어난 일이 현재까지 영향을 미침
함께 쓰는 부사(구)	주로 yesterday, last night, last, ago, when절 등 과거 시점을 나타내는 부사구	since, for, already, just, yet, before, once 등

Brad **went** to India last summer. Brad는 지난여름에 인도에 갔다.
Brad **has been** to India five times. Brad는 인도에 다섯 번 가 보았다.
The train **left** five minutes ago. 기차는 5분 전에 떠났다.
The train **has** just **left** the station. 기차가 방금 역을 떠났다.

Answers - p.15

Check-up 1 다음 괄호 안에서 가장 알맞은 것을 고르시오.

1 Sam (called / has called) me an hour ago.

2 When (did you meet / have you met) Carrie first?

3 I (had / have had) a toothache since this morning.

4 Bob (worked / has worked) at a radio station in 1998.

5 You (don't answer / haven't answered) my question yet.

6 We (don't go / haven't been) to an aquarium before. This is our first time.

Voca
toothache 치통
station 방송국
aquarium 수족관

Check-up 2 다음 주어진 단어의 과거형과 현재완료형을 각각 한 번씩 써서 문장을 완성하시오.

1 write
I ______________ an essay last week.
I ______________ three essays this semester.

2 win
He ______________ an Emmy Award last year.
He ______________ four Emmy Awards so far.

3 visit
Susan ______________ the art gallery yesterday.
Susan ______________ the art gallery several times.

4 see
They ______________ the woman somewhere before.
They ______________ the woman at the party a few days ago.

Voca
essay 에세이, 수필
Emmy Award 에미 상
so far 지금까지
somewhere 어딘가에서

STEP 1 다음 밑줄 친 부분을 어법에 맞게 고쳐 쓰시오.

1 Sue has left her umbrella at school yesterday. → ____________

2 Have you gone to Spain for vacation last year? → ____________

3 I have lost my cell phone, and I found it in my closet. → ____________

4 Peter is staying in bed. He was very ill since last Sunday. → ____________

5 Vincent van Gogh was a great painter. He has painted 900 paintings. → ____________

Voca
vacation 휴가, 방학
closet 옷장
stay in bed 계속 침대 안에 있다

STEP 2 다음 우리말과 같은 뜻이 되도록 주어진 단어를 배열하여 문장을 완성하시오.

1 너는 '동물 농장'을 읽어 본 적이 있니? (read, you, ever, have, *Animal Farm*)

→ ____

2 모차르트는 평생 동안 600곡 이상을 작곡했다. (over 600 works, composed, Mozart)

→ ________________________________ throughout his lifetime.

3 나는 온종일 아무것도 안 먹었더니 배가 너무 고프다. (eaten, all day, haven't, I, anything)

→ ________________________________ and feel very hungry.

4 Sarah는 10년 동안 맨해튼에 살고 있다. (has, in Manhattan, Sarah, lived, for ten years)

→ ____

Voca
compose 작곡하다
throughout ~동안 죽, 내내
all day 온종일

STEP 3 다음 우리말과 같은 뜻이 되도록 주어진 말을 이용하여 문장을 완성하시오.

조건	1. 동사의 시제에 유의할 것	2. 주어와 동사를 갖춘 완전한 문장으로 쓸 것

1 그녀가 벌써 시험을 끝냈니? (finish, the test)

→ ________________________________ already?

2 Jake는 다리가 부러져서 걷지 못한다. (break)

→ ________________________________, so he can't walk.

3 그는 어릴 때부터 동물에 관심이 있었다. (be interested in)

→ ________________________________ since he was a little kid.

4 그들은 2016년에 이 아파트로 이사했다. (move to, this apartment)

→ ________________________________ in 2016.

Voca
be interested in ~에 관심이 있다
apartment 아파트, (공공주택의) 한 가구

단답형 & 서술형

Answers - p.16

[1-2] 다음 주어진 말을 이용하여 문장을 완성하시오.

1
· I have ____________ to her house once. (be)

· Sammy has just ____________ the cheesecake. (eat)

2
· Have you ever ____________ Mexican food? (try)

· She hasn't ____________ my letter for a month. (answer)

[3-4] 다음 주어진 말을 이용하여 현재완료 문장을 완성하시오.

3
· I ____________ ____________ ____________ the movie yet. (not, see)

· Megan ____________ ____________ cats since she was young. (have)

4
· ____________ you ____________ ____________ abroad? (ever, travel)

· He ____________ ____________ her phone number. (forget)

5 다음 보기에서 알맞은 것을 골라 현재완료 문장을 완성하시오.

보기	since	for	yet	already

· The train hasn't arrived ____________.

· She has felt bad ____________ last Saturday.

· I have ____________ done all of my homework.

· We have been friends ____________ ten years.

[6-7] 다음 주어진 말을 이용하여 현재완료와 과거형 문장을 완성하시오.

6
· I ____________ in this town since I was born. (live)

· I ____________ in this town when I was a child. (live)

7
· He ____________ this book last month. (read)

· He ____________ this book several times. (read)

[8-11] 다음 밑줄 친 부분을 바르게 고치시오.

8
David and Bella has gone to the movies. They won't be back until 8 o'clock.

→ ____________________

9
Vicky never has had her own room.

→ ____________________

10
A Have you seen Jessica today?
B Yes, I have. I have seen her an hour ago.

→ ____________________

11
A Have you ever gone to Canada?
B Yes, I've been there three times.

→ ____________________

[12-14] 다음 두 문장을 한 문장으로 연결하시오.

조건 1. 주어는 그대로 쓸 것
2. 현재완료 시제로 쓸 것
3. 주어진 단어를 이용할 것

12 James started to play tennis 10 years ago. He still plays tennis now. (play)

→ James ______________ tennis for 10 years.

13 I left my wallet at home. I don't have it now. (leave)

→ I ______________ at home.

14 Dave was busy last week. He is still busy now. (be)

→ Dave ______________ since last week.

[15-17] 다음 우리말과 같은 뜻이 되도록 주어진 단어를 배열하여 문장을 완성하시오.

15 Bob이 쿠키를 다 먹어버렸다.
(all, the cookies, has, Bob, eaten)

→ ______________

16 나는 번지점프를 두 번 해 본 적이 있다.
(tried, twice, I, have, bungee jumping)

→ ______________

17 그들이 엘리베이터를 다 고쳤나요?
(fixed, have, the elevator, they)

→ ______________

[18-20] 다음 우리말과 같은 뜻이 되도록 주어진 말을 이용하여 문장을 완성하시오.

조건 1. 주어와 동사를 갖춘 완전한 문장으로 쓸 것
2. 현재완료 시제로 쓸 것

18 Brian은 아직 보고서를 끝내지 못했다.
(finish, his report)

→ ______________ yet.

19 너희 아버지는 수학을 가르치신 지 얼마나 됐니?
(teach, math)

→ How long ______________?

20 그녀는 캐나다로 가버렸다.
(go, Canada)

→ ______________

Chapter 3

조동사

Unit 01 can / could

「can+동사원형」은 능력·가능, 허가, 요청을 나타내며, can의 부정문은 「주어+cannot[can't]+동사원형」, can의 의문문은 「Can+주어+동사원형~?」의 형태이다.

능력·가능 (= be able to+동사원형) ※ 과거형: could 부정형: could not [couldn't]	~할 수 있다	I **can[am able to] speak** Spanish fluently. 나는 스페인어를 유창하게 할 수 있다. I **can't[am not able to] read** without my glasses. 나는 안경이 없으면 볼 수 없다. **Can** you**[Are** you **able to] ride** a bicycle? 너는 자전거를 탈 수 있니? I **could[was able to] run** very fast when I was young. 어렸을 때 나는 매우 빨리 달릴 수 있었다.
허가 (= may)	~해도 좋다	You **can** always **use** my car. 너는 언제든 내 차를 써도 좋다. **Can** I **borrow** your umbrella? 우산을 좀 빌려도 될까?
요청 (= will, would)	~해 줄래? ~해 주시겠어요?	**Can** you **give** me a hand? 나를 좀 도와줄래? **Could** you **do** me a favor? 제 부탁을 하나 들어주시겠어요? ※ could를 쓰면 더 공손한 표현이 된다.

Answers - p.17

Check-up 1 다음 밑줄 친 부분에 유의하여 해석하시오.

1 He can solve this problem easily.
→ 그는 이 문제를 쉽게 ______________.

2 You can leave early if you want to.
→ 네가 원하면 일찍 ______________.

3 Can you tell me about your family?
→ 너의 가족에 대해 내게 ______________?

Tips

can의 미래형은 will be able to로 나타내며, '~할 수 있을 것이다'라는 의미이다.

He will **be able to** pass the driving test.
그는 운전면허 시험을 통과할 수 있을 것이다.

Check-up 2 다음 괄호 안에서 가장 알맞은 것을 고르시오.

1 Greg can (run / runs) very fast.
2 I (cannot / not can) ride a motorbike.
3 Ben could (fix / fixed) the broken computer.
4 She (can't / couldn't) sleep well last night.
5 (Can I / Do I can) talk to you for a minute?
6 Could you (moving / move) your car, please?

Voca

motorbike 오토바이
broken 고장 난

STEP 1 다음 주어진 단어와 can 또는 can't를 이용해서 문장을 완성하시오.

1 The music is too noisy. I ________ ________ you. (hear)

2 It's too late. You ________ ________ ________ alone. (go out)

3 Kate is a great artist. She ________ ________ really well. (draw)

4 Ron is from Germany. He ________ ________ German very well. (speak)

5 I've lost my wallet. ________ you ________ me some money? (lend)

Voca
noisy 시끄러운
alone 혼자, 홀로
artist 예술가
German 독일어

STEP 2 다음 밑줄 친 부분을 어법에 맞게 고쳐 쓰시오.

1 Can we has a break? → ________

2 They will can be here on time. → ________

3 I can't lifting the box by myself. → ________

4 My little sister can't read last year. → ________

5 Penguins are birds, but they not can fly. → ________

Voca
break 휴식, 쉬는 시간
lift 들어 올리다
by oneself 혼자
penguin 펭귄

STEP 3 다음 두 문장의 의미가 같도록 빈칸에 알맞은 말을 쓰시오.

조건 1. be able to를 이용할 것
2. 주어진 문장과 같은 시제의 완전한 문장으로 쓸 것

1 I can jump very high.

→ I ________ very high.

2 Can you climb that tree?

→ ________ you ________ that tree?

3 Steve is busy. He can't join us for dinner.

→ Steve is busy. He ________ us for dinner.

4 It was cloudy last night. We couldn't see the stars.

→ It was cloudy last night. We ________ the stars.

5 Fred could play tennis well when he was a teenager.

→ Fred ________ tennis well when he was a teenager.

Voca
high 높게, 높이
climb 오르다
cloudy 흐린
teenager 십대

STEP 4 다음 우리말과 같은 뜻이 되도록 주어진 단어를 배열하여 문장을 완성하시오.

Voca
pass 건네주다
salt 소금
remember 기억하다
deadline 마감 시간

1 소금을 나에게 건네줄래? (you, me, can, the salt, pass)

→ ______________________________

2 나는 그의 이름이 기억나지 않는다. (can't, I, his name, remember)

→ ______________________________

3 그는 몇 년 전에 말을 탈 수 있었다. (was, he, ride, able to, a horse)

→ ______________________________ some years ago.

4 그들은 마감 시간을 맞출 수 없었다. (couldn't, the deadline, they, meet)

→ ______________________________

5 우리 오빠는 물고기처럼 수영을 잘할 수 있다. (swim, my brother, well, can)

→ ______________________________, like a fish.

6 너는 한 번에 일곱 권의 책을 빌릴 수 있어. (borrow, you, seven books, can)

→ ______________________________ at one time.

STEP 5 다음 우리말과 같은 뜻이 되도록 주어진 말을 이용하여 문장을 완성하시오.

Voca
give a ride 태워주다
breathe 숨을 쉬다, 호흡하다
menu (식당의) 메뉴
save 구하다
fire 불, 화재

조건	1. 적절한 조동사를 쓸 것	2. 주어와 동사를 갖춘 완전한 문장으로 쓸 것

1 그를 역까지 데려다 줄래? (can, give, a ride)

→ ______________________________ to the station?

2 우리는 물에서 숨을 쉴 수 없다. (able, breathe)

→ ______________________________ under water.

3 메뉴를 볼 수 있을까요? (can, see, the menu)

→ ______________________________, please?

4 그는 이 기계를 잘 다룬다. (can, handle, this machine)

→ ______________________________ well.

5 Jones는 내년에 새집을 살 수 있을 것이다. (will, able, buy, a new house)

→ ______________________________ next year.

6 다행스럽게도, 그들은 화재에서 그 소년을 구할 수 있었다. (can, save, the boy)

→ Luckily, ______________________________ from the fire.

Unit 02 may / might

「may+동사원형」은 불확실한 추측과 허가를 나타낸다. may의 부정문은 「주어+may not+동사원형」, may의 의문문은 「May+주어+동사원형~?」의 형태이다. may의 과거형인 might는 '~일지도 모른다'의 의미를 갖는다.

불확실한 추측	~일지도 모른다	It **may[might] snow** this afternoon. 오늘 오후에 눈이 내릴지도 모른다. She **may[might] know** the answer. 그녀는 답을 알지도 모른다. Tim **may[might] not be** at home. Tim이 집에 없을지도 모른다.
허가 (= can)	~해도 좋다	You **may come** in if you want to. 네가 원한다면 들어와도 좋다. **May** I **ask** you something? 뭐 좀 물어봐도 될까요?

Answers - p.18

Check-up 1 다음 밑줄 친 부분에 유의하여 해석하시오.

1 He may agree with our plan.

→ 그는 우리의 계획에 ______________________.

2 Silvia might not come to school today.

→ Silvia는 오늘 학교에 ______________________.

3 May I eat this sandwich?

→ 제가 이 샌드위치를 ______________________?

4 You may open your presents now.

→ 너는 지금 선물을 ______________________.

Voca
agree with ~에 동의하다
plan 계획
present 선물

Check-up 2 다음 괄호 안에서 가장 알맞은 것을 고르시오.

1 Sue may (is / be) interested in hip hop music.

2 Brad and Sally may (love / to love) each other.

3 Harry might (not is / not be) honest.

4 Tommy (may / mays) not come to the party.

5 May I (take / taking) your order?

6 You (take may / may take) this book if you want to.

Voca
be interested in ~에 관심이 있다
each other 서로
take one's order ~의 주문을 받다

STEP 1 다음 주어진 단어와 may 또는 may not을 이용해서 문장을 완성하시오.

1 Look at the clouds! It ________ ________ soon. (rain)

2 Rick hasn't come home yet. He ________ ________ at school now. (be)

3 Mia ________ ________ ________ my call. She and I had a big fight. (answer)

4 My phone is dead. ________ I ________ your cell phone for a minute? (use)

5 The traffic is very bad. He ________ ________ ________ at the concert on time. (arrive)

Voca
cloud 구름
soon 곧, 머지않아
dead 작동을 안 하는
traffic 교통(량)

STEP 2 다음 우리말과 같은 뜻이 되도록 주어진 단어를 배열하여 문장을 완성하시오.

1 숙제를 끝낸 후에 TV를 봐도 좋다. (may, you, TV, watch)

→ ________________________ after you finish your homework.

2 Jamie가 수업에 늦을지도 모른다. (Jamie, be, late, might, for class)

→ ________________________

3 내일 네 차를 좀 빌려도 될까? (you car, borrow, I, may, tomorrow)

→ ________________________

5 그녀는 새로 오신 선생님을 좋아하지 않을지도 모른다. (may, she, her new teacher, like, not)

→ ________________________

STEP 3 다음 우리말과 같은 뜻이 되도록 주어진 말을 이용하여 문장을 완성하시오.

조건	1. 괄호에 주어진 말과 may/might를 활용할 것 2. 주어와 동사를 갖춘 완전한 문장으로 쓸 것

1 너는 내 옆에 앉아도 좋다. (sit, next to)

→ ________________________

2 손님들이 곧 도착할지도 모른다. (the guests, arrive)

→ ________________________

3 그들이 그 사실을 모를지도 모른다. (know, the truth)

→ ________________________

4 당신과 얘기를 나눌 수 있을까요? (have a word)

→ ________________________

Voca
next to ~ 옆에
guest 손님
have a word 이야기를 하다

Unit 03 must / have to

「must+동사원형」은 의무·필요 또는 강한 추측을 나타내고, 부정문은 「must not[mustn't]+동사원형」의 형태로 금지를 나타낸다.

의무·필요 (= have to)	~해야 한다	We **must be** quiet in the library. 우리는 도서관에서 조용히 해야 한다.
※ 부정 (= must not): 금지	~하면 안 된다	You **must not[mustn't] tell** lies. 너는 거짓말을 하면 안 된다.
강한 추측	~임이 틀림없다	He **must be** Joanna's brother. 그는 Joanna의 오빠임이 틀림없어.
※ 주의: 강한 부정 추측	~일 리가 없다	The rumor **can't be** true. 그 소문이 사실일 리가 없다.

「have/has to+동사원형」은 의무·필요를 나타내고, 부정문은 「don't/doesn't have to+동사원형」의 형태로 불필요를 나타내며 의문문은 「Do/Does+주어+have to+동사원형~?」의 형태이다.

have to (= must)	~해야 한다	Roy **has to study** for the test. Roy는 시험공부를 해야 한다. **Do** I **have to leave** now? 저 지금 가야 하나요?
don't have to (= don't need to = need not)	~할 필요가 없다	You **don't have to bring** your lunch. 너는 점심을 가져올 필요가 없다. She **doesn't have to leave** now. 그녀는 지금 떠날 필요가 없다.

Answers - p.19

Check-up 1 다음 밑줄 친 부분에 유의하여 해석하시오.

1 Tim must be in the library now.
→ Tim은 지금 도서관에 ______________________.

2 Mark has to work this weekend.
→ Mark는 이번 주말에 ______________________.

3 You don't have to wait for him.
→ 너는 그를 ______________________.

4 I had to do my homework again.
→ 나는 내 숙제를 다시 ______________________.

Tips
must의 과거형과 미래형은 have to를 이용해 had to, will have to로 나타낸다.
I **had to** get up early this morning.
나는 오늘 아침에 일찍 일어나야 했다.
You **will have to** be here on time.
너는 제시간에 여기에 와야 할 것이다.

Check-up 2 다음 괄호 안에서 가장 알맞은 것을 고르시오.

1 We must (throw / throwing) trash in the trash can.

2 Kids must (not play / play not) in this dangerous place.

3 (Do I have to / Have I to) eat more vegetables?

4 It's Sunday. I (don't have to / have not to) get up early.

Voca
trash can 쓰레기통
dangerous 위험한
place 장소

STEP 1 다음 주어진 말을 이용하여 문장을 완성하시오.

조건	[1-3] must 또는 must not을 이용할 것

1 Everyone is sleeping. You ______________________ quiet. (be)

2 This lake is very deep. We ______________________ here. (swim)

3 If you want to pass the test, you ______________________ hard. (study)

조건	[4-6] have to 또는 don't have to를 이용할 것

4 The TV doesn't work. I ______________________ a repairman. (call)

5 I will take a taxi. You ______________________ me a ride. (give)

6 It's my treat. You ______________________ your lunch. (pay for)

Voca
quiet 조용한
deep 깊은
repairman 수리공
treat 대접, 한턱

STEP 2 다음 밑줄 친 부분을 어법에 맞게 고쳐 쓰시오.

1 Kate often goes to the movies. She must likes movies. → ______________

2 We have not to hurry up. We have plenty of time. → ______________

3 I will must think carefully about my future plans. → ______________

4 Kelly must not be here. She is in Seattle now. → ______________

5 They musted work until midnight last night. → ______________

Voca
hurry up 서두르다
plenty of 많은
future 미래
midnight 자정, 밤 12시

STEP 3 다음 두 문장의 의미가 같도록 빈칸에 알맞을 말을 쓰시오.

1 You must wear a swimsuit in the pool.

= You ______________________________ in the pool.

2 She has to exercise at least three times a week.

= She ______________________________ at least three times a week.

3 We don't have to stay here any longer.

= We ______________________________ here any longer.

4 He doesn't have to finish this work today.

= He ______________________________ this work today.

Voca
swimsuit 수영복
at least 적어도
longer 더 오래

STEP 4 다음 우리말과 같은 뜻이 되도록 주어진 단어를 배열하여 문장을 완성하시오.

1 그녀는 공부를 하느라 밤을 새야 했다. (stay up, she, all night, had to)

→ ______________________________ studying.

2 우리는 자연을 보호해야 한다. (must, our, we, protect, environment)

→ ______________________________

3 너는 상한 우유를 마시면 안 된다. (not, you, spoiled milk, drink, must)

→ ______________________________

4 그들은 걱정할 필요 없어. (don't, worry, they, have to)

→ ______________________________

5 그는 수학을 매우 잘하는 것이 틀림없다. (at math, very good, must, he, be)

→ ______________________________

6 제가 모든 질문에 답해야 하나요? (have to, do, all the questions, answer, I)

→ ______________________________

Voca
stay up all night 밤새다
protect 보호하다, 지키다
environment 환경
spoiled 썩은, 부패한

STEP 5 다음 우리말과 같은 뜻이 되도록 주어진 말을 이용하여 문장을 완성하시오.

조건	1. 적절한 조동사를 쓸 것	2. 주어와 동사를 갖춘 완전한 문장으로 쓸 것

1 너는 아무것도 할 필요 없다. (do, anything)

→ ______________________________

2 Max는 매우 배가 고픈 것이 틀림없다. (very, hungry)

→ ______________________________

3 Gary는 일주일 동안 병원에 있어야 한다. (be in the hospital)

→ ______________________________ for a week.

4 여러분들은 시험을 보는 도중에는 말을 하면 안 된다. (talk)

→ ______________________________ during the test.

5 우리는 선생님들께 공손하게 얘기해야 한다. (speak, politely)

→ ______________________________ to our teachers.

6 오늘밤 내가 남동생들을 돌봐야 할 것이다. (will, take care of, brothers)

→ ______________________________ tonight.

Voca
politely 공손히, 예의 바르게
take care of ~을 돌보다

Unit 04 should / had better

should는 의무·충고를 나타내고, 부정문은 「should not[shouldn't]+동사원형」, 의문문은 「Should+주어+동사원형 ~?」의 형태로 나타낸다.

의무·충고	~해야 한다	You **should be** careful when you use a knife. 칼을 사용할 때 조심해야 한다. **Should** I **say** sorry to her? 제가 그녀에게 미안하다고 말해야 하나요?
	~하면 안 된다	We **should not[shouldn't] watch** too much TV. 우리는 TV를 너무 많이 보면 안 된다.

「had better+동사원형」은 '~하는 것이 좋겠다'라는 의미로 조언·충고를 나타낸다. 부정문은 「had better not+동사원형」의 형태이다. 「had better」는 「'd better」로 축약해서 쓸 수 있다.

You **had better take** a rest. 너는 휴식을 취하는 게 좋겠다.
You**'d better not go** out today. 너는 오늘 외출을 하지 않는 게 좋겠다.

Answers - p.21

Check-up 1 다음 밑줄 친 부분에 유의하여 해석하시오.

Voca
guest 손님
go out 외출하다

1 We should prepare food for the guests.
→ 우리는 손님들에게 대접할 음식을 ______________________.

2 You should not call him at this late hour.
→ 너는 이렇게 늦은 시간에 그에게 ______________________.

3 We had better go to sleep now.
→ 우리는 지금 ______________________.

4 I had better not go out in this bad weather.
→ 나는 이런 나쁜 날씨에는 ______________________.

Check-up 2 다음 괄호 안에서 가장 알맞은 것을 고르시오.

Voca
liar 거짓말쟁이
believe 믿다
whole 전체의, 전부의

1 You look sick. You should (see / seeing) a doctor.

2 Matthew is a liar. You (not should / should not) believe him.

3 (Do I should / Should I) read the whole book?

4 It's on the seventh floor. We had better (take / taking) the elevator.

5 You (have better / had better) ask him first before you use his phone.

6 We (had not better / had better not) tell Nick about it.

STEP 1 다음 우리말과 같은 뜻이 되도록 주어진 말을 이용하여 문장을 완성하시오.

1 나는 거기에 혼자 가지 않는 게 좋겠다. (go)

→ I ______________________ there alone.

2 그들은 초콜릿을 너무 많이 먹으면 안 된다. (eat)

→ They ______________________ too much chocolate.

3 화장실을 쓰고 난 후에는 손을 씻어야 한다. (wash)

→ You ______________________ your hands after using the bathroom.

4 밖이 매우 춥다. 우리는 따뜻한 옷을 입는 게 좋겠다. (wear)

→ It is very cold outside. We ______________________ warm clothes.

5 그들은 휴식을 취해야 한다. (get)

→ They ______________________ some rest.

Voca
bathroom 화장실; 욕실
warm 따뜻한
clothes 옷

STEP 2 다음 밑줄 친 부분을 어법에 맞게 고쳐 쓰시오.

1 You don't should cut in line. → ______________________

2 Do I should tell him the truth? → ______________________

3 I had not better waste time and money. → ______________________

4 We had better starting a new project right now. → ______________________

5 They are waiting for you. You have better hurry. → ______________________

Voca
cut in line 끼어들다, 새치기하다
waste 낭비하다; 낭비
project 기획, 프로젝트, 과제

STEP 3 다음 문장을 주어진 지시대로 바꿔 쓰시오. (단, 주어는 그대로 쓸 것)

1 We should take this seriously.

부정문 → ______________________

2 I had better not go for a walk today.

긍정문 → ______________________

3 I should call you back after six.

의문문 → ______________________

4 You had better go hiking today.

부정문 → ______________________

Voca
take 받다, 받아들이다
seriously 심각하게
go for a walk 산책하러 가다
go hiking 하이킹하러 가다

STEP 4 다음 우리말과 같은 뜻이 되도록 주어진 단어를 배열하여 문장을 완성하시오.

Voca
take one's advice ~의 충고를 따르다
honest 정직한
lend 빌려주다

1 너는 내 충고를 받아들여야 한다. (should, you, my, take, advice)

→ ______________________________

2 우리가 다른 방법을 시도해야 할까요? (we, another, way, should, try)

→ ______________________________

3 우리는 종이컵을 사용하면 안 된다. (not, we, should, paper cups, use)

→ ______________________________

4 너는 Brandon에게 솔직해지는 것이 좋겠다. (be, you, honest, had better)

→ ______________________________ with Brandon.

5 교통이 혼잡하다. 나는 지하철을 타는 게 좋겠다. (had better, take, I, the subway)

→ The traffic is heavy. ______________________________

6 너는 Jessica에게 돈을 빌려주지 않는 것이 좋겠다. (lend, had better, you, not, money)

→ ______________________________ to Jessica.

STEP 5 다음 우리말과 같은 뜻이 되도록 주어진 말을 이용하여 문장을 완성하시오.

Voca
bother 귀찮게 하다
apologize 사과하다
respect 존중[존경]하다
opinion 의견

조건	1. 적절한 조동사를 쓸 것	2. 주어와 동사를 갖춘 완전한 문장으로 쓸 것

1 그는 누나를 귀찮게 하지 않는 게 좋을 거야. (bother, his sister)

→ ______________________________

2 제가 Joanna에게 사과를 해야 할까요? (apologize to)

→ ______________________________

3 우리는 이 기회를 놓치면 안 된다. (miss, this chance)

→ ______________________________

4 나는 그에게 감사 편지를 쓰는 것이 좋겠다. (write, a thank-you note)

→ ______________________________ to him.

5 바닥이 젖었다. 너는 발밑을 조심하는 것이 좋겠다. (watch, your step)

→ The floor is wet. ______________________________

6 우리는 다른 사람들의 의견을 존중해야 한다. (respect, other people's opinions)

→ ______________________________

Unit 05 used to / would like to

「used to+동사원형」은 과거의 습관 또는 상태를 나타낸다.

과거의 습관 (= would)	~하곤 했다	I **used to take** a walk every day. 나는 매일 산책을 하곤 했다. Helen **used to read** a lot, but she doesn't now. Helen은 독서를 많이 하곤 했는데 지금은 그렇지 않다.
과거의 상태	(예전에) ~이었다	Sam **used to be** fat, but he is thin now. Sam은 뚱뚱했었는데 지금은 날씬하다. There **used to be** an old theater here. 여기에 낡은 극장이 있었다. ※ 과거의 상태를 나타낼 때는 would를 쓸 수 없다.

「would like to+동사원형」은 '~하고 싶다'라는 의미로 소망을 나타낸다. 의문문은 「Would+주어+like to+동사원형~?」의 형태로 권유를 나타낸다.

I **would like to**[**I'd like to**] **travel** to the moon. 나는 달을 여행하고 싶다.

Would you **like to have** lunch with me? 저와 함께 점심 먹지 않을래요?

Tips

would like to 다음에는 동사원형이, would like 다음에는 명사가 온다.

Would you **like to** have some coffee?
커피 좀 드시겠어요?

Would you **like** some coffee?
커피 좀 드시겠어요?

Answers - p.22

Check-up 1 다음 밑줄 친 부분에 유의하여 해석하시오.

1 Sarah used to play tennis every morning.

→ Sarah는 매일 아침 ______________________.

2 This used to be an art gallery.

→ 이곳은 미술관 ______________________.

3 I would like to talk to you for a moment.

→ 당신과 잠깐 ______________________.

4 Would you like to dance with me?

→ 저랑 ______________________?

Voca
art gallery 미술관
for a moment 잠깐, 잠시 동안

Check-up 2 다음 괄호 안에서 가장 알맞은 것을 고르시오.

1 There (would / used to) be a tall tree in the backyard.

2 My grandparents used to (live / living) in the country.

3 I would like (have / to have) a brand-new smartphone.

4 Would you (like / like to) join our chess club?

Voca
brand-new 새 것인
chess 체스

STEP 1 다음 문장을 used to 또는 would like to와 주어진 단어를 이용하여 완성하시오.

1 I ______________ horror movies, but not anymore. (like)

2 She ______________ a nurse before becoming a singer. (be)

3 We ______________ long walks on weekends, but we don't now. (take)

4 This is our first visit. We ______________ the city. (look around)

5 Nick ______________ more time with his family, but he is always busy. (spend)

Voca
horror 공포
not anymore 더 이상 ~가 아닌
look around 둘러보다

STEP 2 다음 우리말과 같은 뜻이 되도록 주어진 단어를 배열하여 문장을 완성하시오.

1 제 친구를 소개하고 싶어요. (would like to, my friend, introduce, I)

→ ______________

2 그녀는 영화사에서 일했었다. (used to, she, a film company, work for)

→ ______________

3 Brian은 패스트푸드를 많이 먹곤 했다. (Brian, a lot of, eat, fast food, used to)

→ ______________

4 우리 언니들은 그리스로 여행을 가고 싶어 한다. (would like to, my sisters, go on a trip)

→ ______________ to Greece.

Voca
introduce 소개하다
film 영화
go on a trip 여행가다

STEP 3 다음 우리말과 같은 뜻이 되도록 주어진 말을 이용하여 문장을 완성하시오.

조건	1. 적절한 조동사를 쓸 것	2. 주어와 동사를 갖춘 완전한 문장으로 쓸 것

1 오늘 밤 영화 보러 가실래요? (would, go to the movies)

→ ______________

2 내가 아이였을 때 나는 내 인형을 어디든 가져가곤 했다. (would, take, doll, everywhere)

→ When I was a kid, ______________.

3 Beth는 매우 수줍음이 많았지만, 지금은 활달하다. (used, very shy)

→ ______________, but she is outgoing now.

4 Timmy는 대학에서 영문학을 공부하고 싶어 한다. (would, study, English literature)

→ ______________ at university.

Voca
shy 수줍음을 많이 타는
outgoing 활발한, 외향적인
literature 문학

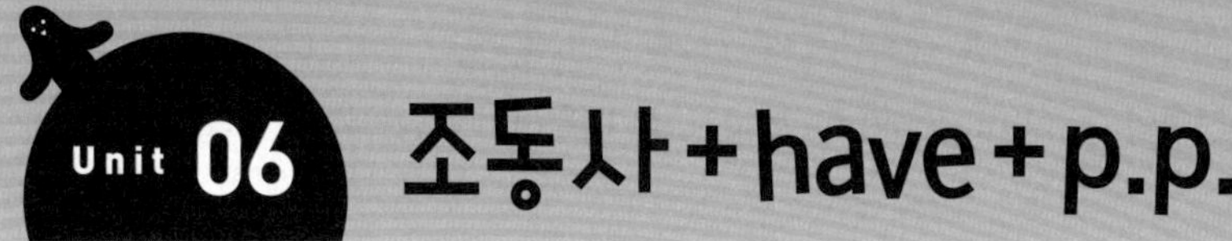

Unit 06 조동사+have+p.p.

과거에 하지 못했음을 후회하거나, 과거사실에 대한 추측은 「조동사 + have + p.p.」로 나타낸다.

should have p.p.	~했어야 했다 (하지 않았다) [후회, 유감]	I'm sorry I couldn't help you last time. I **should have helped** you. 지난번에 도와주지 못해서 미안해. 너를 도와줬어야 했는데.
must have p.p.	~했음이 틀림없다 [강한 추측]	He is not here. He **must have left** early. 그는 여기 없어. 일찍 떠났음이 틀림없어.
cannot have p.p.	~했을 리가 없다 [강한 추측]	She **cannot have been** sick. I saw her at the theater. 그녀가 아팠을 리가 없어. 나는 극장에서 그녀를 봤어.
may/might have p.p.	~했을지도 모른다 [약한 추측]	He was limping. He **might have fallen** down the stairs. 그가 발을 절고 있었어. 계단에서 넘어졌을지도 몰라.
could have p.p.	~할 수 있었을 것이다 (하지 못했다)	Why didn't you ask me? I **could have gone** with you. 왜 나에게 부탁하지 않았어? 내가 너와 함께 갈 수도 있었는데.

Answers - p.23

Check-up 다음 문장의 밑줄 친 부분에 유의하여 가장 알맞은 의미를 고르시오.

1 I should have bought the tickets last night.

a. 나는 지난밤에 표를 사야 해서 샀다.
b. 나는 지난밤에 표를 샀어야 했는데 사지 못했다.

2 You shouldn't have said that.

a. 당신은 그 말을 하면 안 되는데 해버렸다.
b. 당신은 해야 할 말을 하지 않았다.

3 He must have left for Seoul.

a. 그는 서울로 떠난 것이 틀림없다.
b. 그는 서울로 떠나야만 했다.

4 He cannot have won the game.

a. 그가 그 게임에서 승리했을 리 없다.
b. 그는 그 게임에서 승리할 수 없다.

5 She may have gone home.

a. 그녀는 집에 갔을 지도 모른다.
b. 그녀는 집에 가도 된다.

6 You could have called me.

a. 당신은 나에게 전화할 수 있었다.
b. 당신은 나에게 전화할 수 있었는데 하지 않았다.

STEP 1 다음 두 문장이 같은 뜻이 되도록 주어진 단어와 〈cannot/could have p.p.〉를 이용하여 문장을 완성하시오.

Voca
email 이메일을 보내다
careful 주의 깊은
cross 건너다

1 그가 영어 시험을 못 봤을 리 없어. 그는 영어를 정말 잘해. (do)

→ He ____________ poorly in the English test. He is really good at English.

2 그녀는 나에게 이메일을 보냈을 리 없어. 그녀는 내 이메일 주소를 몰라. (email)

→ She ____________ me. She doesn't know my email address.

3 길을 건널 때는 주의하세요! 당신이 다칠 뻔 했잖아요. (be hurt)

→ Be careful when you cross the street! You ____________.

STEP 2 다음 두 문장이 같은 뜻이 되도록 주어진 단어와 〈should/must (not) have p.p.〉를 이용하여 문장을 완성하시오.

1 나는 너무 많이 먹지 말았어야 했어. (eat)

→ I ____________ too much.

2 그녀는 그들에게 그것에 대해 말하지 말았어야 했다. (tell)

→ She ____________ them about it.

3 그들은 거기서 너를 봐서 놀랐던 게 틀림없어. (be)

→ They ____________ surprised to see you there.

STEP 3 우리말과 같은 뜻이 되도록 주어진 말과 〈조동사 have p.p.〉를 이용하여 문장을 완성하시오.

Voca
turn off (전기, TV 등을) 끄다
reserve 예약하다
in advance 미리, 사전에

1 그가 TV를 끄는 것을 잊어버렸음에 틀림없어. (forget, to turn off, the TV)

→ ____________________________

2 그녀가 거짓말을 했을 리가 없어. (tell a lie)

→ ____________________________

3 우리는 미리 방을 예약했어야 했다. (reserve, a room)

→ ____________________________ in advance.

4 내가 자고 있을 때 Tony가 전화했을 수도 있다. (call, me)

→ ____________________________ while I was sleeping.

5 그들은 마지막 열차를 놓치지 말았어야 했다. (miss, the last train)

→ ____________________________

단답형 & 서술형

Answers - p.23

[1-2] 다음 빈칸에 공통으로 들어갈 말을 쓰시오.

1

· Dave used ___________ live in a big city.

· I'd like ___________ have a cheese burger and Coke.

→ _______________

2

· She was very sick. So she ___________ to stay in bed.

· I'm tired. I ___________ better take a break.

→ _______________

[3-5] 다음 우리말과 같은 뜻이 되도록 주어진 말을 이용하여 문장을 완성하시오.

3 당신의 이름을 여쭤봐도 될까요? (ask)

→ ___________ I ___________ your name?

4 너는 모든 것을 나에게 말할 필요 없다. (tell)

→ You ___________ ___________ ___________ ___________ me everything.

5 우리 아버지는 밴드에서 드럼을 연주하시곤 했었다. (play)

→ My father ___________ ___________ ___________ the drums in a band.

[6-7] 다음 밑줄 친 부분을 바르게 고치시오.

6 It may ⓐ <u>rains</u> this afternoon. You had better ⓑ<u>taking</u> an umbrella with you.

ⓐ _______________ ⓑ _______________

7 If you would like ⓐ <u>get</u> good grades, you ⓑ <u>shouldn't</u> study hard.

ⓐ _______________ ⓑ _______________

[8-10] 다음 주어진 말을 이용하여 대화를 완성하시오.

8

A I have a terrible toothache.

B You ___________ ___________ ___________ to the dentist. (go)

9

A I heard Bella quit her job.

B It ___________ ___________ true. She really enjoys her job. (be)

10

A This is a public place. You ___________ ___________ ___________ like that. (shout)

B I won't do it again, Mom.

[11-12] 다음 두 문장이 같은 뜻이 되도록 주어진 단어를 이용하여 문장을 완성하시오.

조건 1. 주어는 그대로 쓸 것
2. 같은 시제로 쓸 것

11 I can't read Chinese books. (able)

→ ______

12 You must wash your hands before eating. (have)

→ ______

[13-15] 다음 우리말과 같은 뜻이 되도록 주어진 말을 이용하여 문장을 완성하시오.

조건 적절한 조동사를 추가하여 완전한 문장으로 쓸 것

13 우리는 같은 실수를 다시 하면 안 된다.
(make, the same mistake)

→ We ______ again.

14 나는 어렸을 때 줄넘기를 잘 할 수 있었다.
(jump rope well)

→ ______ when I was young.

15 나는 신분증을 잃어 버렸다. 어딘가에 그것을 떨어뜨렸음에 틀림없다. (drop)

→ I've lost my ID card. I ______ it somewhere.

[16-18] 다음 우리말과 같은 뜻이 되도록 주어진 단어를 배열하여 문장을 완성하시오.

16 너는 그 일을 내일까지 끝내야 할 것이다. (finish, will, the work, you, have to)

→ ______ by tomorrow.

17 우리는 그를 걱정할 필요가 없다. (don't, we, to, worry, about, have, him)

→ ______

18 A Why didn't you come to the party? We had a lot of fun.
B Oh, 내가 파티에 갔었어야 했는데.
(should, I, gone, have, to the party)

→ ______

[19-20] 다음 글을 읽고, 물음에 답하시오.

A week ago, Emma borrowed my cell phone. While she ⓐ using it, she dropped and broke it. She gave it back to me without an apology. I ⓑ musted take it to the repair shop and I spent $50 to fix it. I asked her to apologize to me, but she said that it wasn't her fault. I ⓒ been very angry with her since then. I don't want to talk to her. (A) 우리는 좋은 친구였지만, 지금은 아니다. I ⓓ never will forgive her.

19 윗글의 ⓐ ~ ⓓ를 어법에 맞게 고쳐 쓰시오.

ⓐ ______ ⓑ ______

ⓒ ______ ⓓ ______

20 주어진 말을 이용하여 밑줄 친 (A)를 우리말로 옮기시오.

→ ______, but not anymore. (good friends)

Chapter 4

수동태

Unit 01 능동태 vs. 수동태

능동태는 주어가 어떤 동작이나 행위를 하는 것을 말하고, 수동태는 주어가 동작이나 행위를 당하거나 영향을 받는 것을 말한다.

능동태	주어+동사+목적어 ~가 …한다	A lot of people **love** this song. (능동태) 많은 사람들이 이 노래를 사랑한다. This song **is loved by** a lot of people. (수동태) 이 노래는 많은 사람들에 의해 사랑 받는다.
수동태	주어+be동사+p.p.+by 행위자(목적격) ~가 받다, 당하다, 되어진다	He **solved** the tough problem. (능동태) 그가 그 어려운 문제를 해결했다. The tough problem **was solved by** him. (수동태) 그 어려운 문제는 그에 의해 해결되었다.

행위자가 일반인일 때, 또는 중요하거나 분명하지 않은 경우 「by+행위자」를 생략한다.

English **is spoken** in many countries. 영어는 많은 나라에서 사용된다.
The museum **was built** in 1920. 그 박물관은 1920년에 지어졌다.

Tips
have, become, resemble 등과 같이 소유나 상태를 나타내는 동사는 수동태로 바꿀 수 없다.

Answers - p.25

Check-up 1 다음 밑줄 친 부분에 유의하여 해석하시오.

1 a. I made this kite. → 내가 이 연을 ______________.
b. This kite was made by me. → 이 연은 나에 의해 ______________.

2 a. We clean the house. → 우리가 그 집을 ______________.
b. The house is cleaned by us. → 그 집은 우리에 의해 ______________.

3 a. Dad cooks breakfast. → 아빠가 아침을 ______________.
b. Breakfast is cooked by Dad. → 아침은 아빠에 의해 ______________.

Check-up 2 다음 괄호 안에서 가장 알맞은 것을 고르시오.

1 Keats (wrote / was written) this poem.
→ This poem (wrote / was written) by Keats.

2 People (sing / are sung) carols on Christmas Day.
→ Carols (sing / are sung) by people on Christmas Day.

3 Many students (respect / are respected) Mr. Brown.
→ Mr. Brown (respects / is respected) by many students.

Voca
poem
시
respect
존경하다

STEP 1 다음 문장을 수동태로 바꿀 때 빈칸에 알맞은 말을 쓰시오.

Voca
mail carrier 우편집배원
deliver 배달하다
mail 우편(물)
feed 먹이를 주다

1 The mail carrier delivers mail.

→ Mail ________ ________ ________ the mail carrier.

2 We painted the bedroom.

→ The bedroom ________ ________ ________ us.

3 Someone stole my bike.

→ My bike ________ ________ ________ someone.

4 I feed my cats every morning.

→ My cats ________ ________ ________ me every morning.

STEP 2 다음 밑줄 친 부분을 어법에 맞게 고쳐 쓰시오.

Voca
bulb 전구
seafood 해산물

1 This work was did by James. → ________

2 Edison was invented the light bulb. → ________

3 This movie was making in 1995. → ________

4 These pictures were drawn Jessica. → ________

5 A lot of people are drunk coffee. → ________

6 Seafood spaghetti cooked by my father. → ________

STEP 3 다음 문장을 수동태 문장으로 바꿔 쓰시오.

Voca
front 앞쪽의
jeans 청바지
building 건물
design 디자인하다, 설계하다

조건	1. 동사의 시제에 유의할 것	2. 주어와 동사를 갖춘 완전한 문장으로 쓸 것

1 She locked the front door.

→ The front door ________________.

2 People of all ages wear jeans.

→ Jeans ________________.

3 My father built the building.

→ The building ________________.

4 Vera Wang designed this dress.

→ This dress ________________.

STEP 4 다음 우리말과 같은 뜻이 되도록 주어진 단어를 배열하여 문장을 완성하시오.

1 저녁상이 차려져 있다. (is, the table, set)

→ ______________________ for dinner.

2 길이 눈으로 막혀 있다. (is, by, the road, snow, blocked)

→ ______________________

3 문은 바람에 의해 닫혔다. (was, closed, the door, the wind, by)

→ ______________________

4 그 거울은 내 여동생에 의해 깨졌다. (broken, was, the mirror, my sister, by)

→ ______________________

5 그 기계는 태양력에 의해 작동된다. (solar power, is, the machine, by, worked)

→ ______________________

6 이 멋진 사진들은 Mark에 의해 찍혔다. (were, these nice photos, by, taken, Mark)

→ ______________________

Voca
set the table 식탁을 차리다
block 막다, 차단하다
machine 기계
solar power 태양력
work 작동시키다

STEP 5 다음 우리말과 같은 뜻이 되도록 주어진 말을 이용하여 문장을 완성하시오.

조건	1. 수동태로 쓸 것	2. 주어와 동사를 갖춘 완전한 문장으로 쓸 것

1 그는 자신의 친구들에게 신뢰를 받는다. (trust)

→ ______________________

2 창문들은 매주 청소된다. (the windows, clean)

→ ______________________

3 축구는 전 세계에서 경기된다. (play, all over the world)

→ ______________________

4 은행들은 밤에 문을 닫는다. (banks, close, at night)

→ ______________________

5 쿠키는 내 남동생이 다 먹어버렸다. (all the cookies, eat)

→ ______________________

6 그림책은 어린 아이들에 의해 읽힌다. (picture books, read, young children)

→ ______________________

Voca
trust 신뢰하다
all over the world 전 세계에서

Unit 02 수동태의 시제

현재와 과거시제는 be동사의 형태를 바꿔서 나타내고, 미래시제는 will을 이용해 수동태의 시제를 나타낸다.

현재	am/are/is+p.p.(+by 행위자)	Computers **are used** all over the world. 컴퓨터는 전 세계에서 사용된다. Times Square **is visited by** many tourists every year. 타임스 광장은 매년 많은 관광객들이 방문한다.
과거	was/were+p.p.(+by 행위자)	This letter **was written by** Laura. 이 편지는 Laura에 의해 써졌다. All the rooms **were booked.** 모든 방이 예약되었다.
미래	will be+p.p.(+by 행위자)	The dinner **will be cooked** by my dad. 저녁은 우리 아빠에 의해 요리될 것이다. The bill **will be paid** by Jane. 그 청구서는 Jane에 의해 지불될 것이다.

Answers - p.26

Check-up 1 다음 우리말과 같은 뜻이 되도록 괄호 안에서 가장 알맞은 것을 고르시오.

1 아이스크림은 전 세계에서 즐긴다.

→ Ice cream is (enjoyed / enjoying) all over the world.

2 창문은 그에 의해 깨졌다.

→ The window was (broke / broken) by him.

3 국가는 Sarah에 의해 불릴 것이다.

→ The national anthem will be (sing / sung) by Sarah.

Voca
national anthem
국가

Check-up 2 다음 밑줄 친 부분에 유의하여 주어진 말을 이용하여 문장을 완성하시오.

1 건물들은 건축가에 의해 설계된다. (design)

→ Buildings ______________________ by architects.

2 이 스웨터는 우리 이모에 의해 만들어졌다. (make)

→ This sweater ______________________ by my aunt.

3 그 결승전은 이번 일요일에 열릴 것이다. (hold)

→ The final match ______________________ this Sunday.

Voca
architect
건축가
final
마지막의
match
경기, 시합

STEP 1 다음 밑줄 친 부분에 유의하여 주어진 말을 이용한 수동태 문장을 완성하시오.

1 Robots ______________ in many ways these days. (use)

2 His blog ______________ by many people every day. (visit)

3 The thieves ______________ by the police tomorrow. (catch)

4 The tickets ______________ online from next month. (sell)

5 These trees ______________ by volunteers in 2010. (plant)

Voca
online 온라인으로
plant 심다; 식물
volunteer 자원봉사자

STEP 2 다음 밑줄 친 부분을 어법에 맞게 고쳐 쓰시오.

1 A UFO is seen by them yesterday. → ______________

2 You will be pay 15 dollars an hour. → ______________

3 Breakfast serves in the dining room. → ______________

4 Science will be teaching by Mrs. Green. → ______________

5 Kevin was take to the hospital last night. → ______________

Voca
UFO 미확인비행물체
serve 제공하다
dining room 식당

STEP 3 다음을 수동태 문장으로 바꿔 쓰시오.

조건	1. 동사의 시제에 유의할 것	2. 주어와 동사를 갖춘 완전한 문장으로 쓸 것

1 Many students take the course.

→ ______________

2 A stranger followed me last night.

→ ______________ last night.

3 His words hurt my feelings yesterday.

→ ______________ yesterday.

4 My sisters will make dinner tonight.

→ ______________

5 The mechanic repairs broken cars.

→ ______________

Voca
course 강의, 강좌
follow 따라가다[오다]
hurt 아프게 하다
feeling 기분, 감정
mechanic 정비공

STEP 4 다음 우리말과 같은 뜻이 되도록 주어진 단어를 배열하여 문장을 완성하시오.

1 호랑이들은 우리에 갇혀 있다. (are, tigers, kept)

→ ______________________________ in the cage.

2 오렌지는 파운드 단위로 팔린다. (sold, oranges, are)

→ ______________________________ by the pound.

3 새 다리가 내년에 건설될 것이다. (be, the new bridge, built, will)

→ ______________________________ next year.

4 설거지는 Brian이 할 것이다. (will, by, done, the dishes, be, Brian)

→ ______________________________

5 그 숲은 화재로 인해 파괴되었다. (by, was, the forest, fire, destroyed)

→ ______________________________

6 내 이름은 할아버지께서 지어주셨다. (made, my grandfather, my name, by, was)

→ ______________________________

Voca
cage 우리
pound 파운드(무게 단위 약 0.45kg)
forest 숲
destroy 파괴하다

STEP 5 다음 우리말과 같은 뜻이 되도록 주어진 말을 이용하여 문장을 완성하시오.

조건	1. 수동태로 쓸 것	2. 주어와 동사를 갖춘 완전한 문장으로 쓸 것

1 당신의 제품은 내일 배송될 것입니다. (your product, send)

→ ______________________________ tomorrow.

2 다른 기회가 너희에게 주어질 것이다. (another chance, give)

→ ______________________________ to you.

3 펭귄들에게는 하루에 두 번 먹이를 먹인다. (the penguins, feed)

→ ______________________________ twice a day.

4 오늘 아침 발생한 사고로 한 여성이 부상을 당했다. (a woman, injure)

→ ______________________________ in an accident this morning.

5 미키 마우스는 Walt Disney에 의해 만들어졌다. (Mickey Mouse, create)

→ ______________________________

6 교황은 많은 사람들로부터 존경 받는다. (the Pope, admire, a lot of people)

→ ______________________________

Voca
product 제품
injure 부상을 입히다
create 창조하다
the Pope 교황
admire 존경하다

Unit 03 수동태의 부정문

현재와 과거시제 수동태는 be동사 뒤에 not을 쓰고, 미래시제 수동태는 will 뒤에 not을 써서 부정문을 만든다.

현재	am/are/is+not +p.p.(+by 행위자)	Rice **is not grown** in cold regions. 쌀은 추운 지방에서 재배되지 않는다. Pets **are not allowed** on this bus. 애완동물은 이 버스에 허용되지 않는다.
과거	was/were+not +p.p.(+by 행위자)	The picture **was not painted** by Picasso. 그 그림은 피카소가 그리지 않았다. These cookies **were not baked** enough. 이 쿠키들은 충분히 구워지지 않았다.
미래	will+not+be +p.p.(+by 행위자)	These data **will not be saved.** 이 데이터는 저장되지 않을 것이다. The work **will not be done** on time. 그 일은 제때 끝나지 않을 것이다.

Answers - p.27

Check-up 1 다음 밑줄 친 부분을 우리말로 옮기시오.

1 Your name is not found on the waiting list.

당신의 이름은 대기자 명단에서 ____________________.

2 The letter was not written by me.

그 편지는 나에 의해 ____________________.

3 A scholarship will not be given to Jim.

장학금이 Jim에게 ____________________.

4 They will not be invited to the party.

그들은 그 파티에 ____________________.

Voca
waiting list 대기자 명단
scholarship 장학금

Check-up 2 다음 괄호 안에서 가장 알맞은 것을 고르시오.

1 Sadly, he is (not loved/ loved not) by anyone.

2 These songs (not are / are not) sung by Pete.

3 The grass was (cut not / not cut) by Brandon.

4 Her car (was not made / was made not) in Germany.

5 The train (not will / will not) be delayed.

6 Our invitation will (not be / be not) accepted by them.

Voca
sadly 안타깝게도, 슬프게
grass 잔디
delay 미루다, 지연시키다
invitation 초대(장)
accept 받아들이다

STEP 1 다음 주어진 말을 이용하여 수동태 부정문을 완성하시오. (단, 시제에 주의할 것)

1 Socks ________________ in the middle drawer. (keep, 현재)

2 These cookies ________________ by Kelly. (buy, 과거)

3 The island ________________ until 1821. (discover, 과거)

4 The next Olympics ________________ in Istanbul. (hold, 미래)

5 The result ________________ tomorrow. (announce, 미래)

Voca
middle 가운데의, 중앙의
drawer 서랍
discover 발견하다
result 결과
announce 발표하다, 알리다

STEP 2 다음 밑줄 친 부분을 어법에 맞게 고쳐 쓰시오.

1 Rome was built not in a day. → ________________

2 English is don't spoken in China. → ________________

3 Seats not are booked in advance. → ________________

4 Your kindness will not forgotten. → ________________

5 The rule was not follow by Jamie. → ________________

Voca
in advance 미리, 앞서
kindness 친절
forget 잊다, 잊어버리다
rule 규칙

STEP 3 다음을 수동태 문장으로 바꿔 쓰시오.

조건	1. 동사의 시제에 유의할 것	2. 주어와 동사를 갖춘 완전한 문장으로 쓸 것

1 Ross will not help me.

→ ________________

2 The thunder didn't scare the boy.

→ ________________

3 Lena doesn't wash the dishes.

→ ________________

4 Many people don't visit museums.

→ ________________

5 Einstein didn't invent the computer.

→ ________________

Voca
thunder 천둥
scare 겁주다, 겁먹게 하다
museum 박물관

STEP 4 다음 우리말과 같은 뜻이 되도록 주어진 단어를 배열하여 문장을 완성하시오.

1 이 제품들은 중국에서 만들어지지 않는다. (made, are, these, not, products)

→ ______________________________ in China.

2 그 약은 슈퍼마켓에서 판매되지 않는다. (the medicine, not, is, sold)

→ ______________________________ in supermarkets.

3 공사는 제때 끝나지 않았다. (finished, not, the construction, was)

→ ______________________________ on time.

4 우리는 선생님께 처벌을 받지 않았다. (not, by, we, our teacher, were, punished)

→ ______________________________

5 그 야구 경기는 TV로 중계되지 않을 것이다. (shown, the baseball game, not, be, will)

→ ______________________________ on TV.

6 주문을 취소하더라도 배송료는 환불되지 않는다. (be, refunded, not, a delivery fee, will)

→ Even if you cancel your order, ______________________________.

Voca
product 제품
medicine 약
construction 공사
punish 벌주다
refund 환불하다

STEP 5 다음 우리말과 같은 뜻이 되도록 주어진 말을 이용하여 문장을 완성하시오.

조건 1. 수동태 부정문으로 쓸 것	2. 주어와 동사를 갖춘 완전한 문장으로 쓸 것

1 저 옷들은 어제 세탁되지 않았다. (those clothes)

→ ______________________________ yesterday.

2 신용카드는 그들이 받지 않는다. (credit cards, accept)

→ ______________________________

3 내 남동생은 아버지한테 혼나지 않았다. (scold, my father)

→ ______________________________

4 저 문은 손님들에 의해 사용되지 않는다. (use, customers)

→ ______________________________

5 그 질문들은 이메일로 답변되지 않을 것이다. (the questions, answer)

→ ______________________________ by email.

6 너희들의 성적표는 집으로 보내지지 않을 것이다. (your report cards, send)

→ ______________________________ home.

Voca
credit card 신용카드
scold 꾸짖다, 야단치다
customer 손님, 고객
report card 성적표

Unit 04 수동태의 의문문

현재와 과거시제는 be동사를 주어 앞으로 보내고, 미래시제는 will을 주어 앞으로 보내 수동태 의문문을 만든다.

현재	Am/Are/Is+주어+p.p.~?	**Is** your car **washed** every week? 너는 매주 세차를 하니? **Are** these books **written** in English? 이 책들은 영어로 쓰여 있니?
과거	Was/Were+주어+p.p.~?	**Was** this copy machine **fixed**? 이 복사기가 수리됐니? **Were** you **born** in Canada? 너는 캐나다에서 태어났니?
미래	Will+주어+ be+p.p.~?	**Will** the project **be completed** by Friday? 그 프로젝트는 금요일까지 완료될까요? **Will** a new library **be built** in our town? 우리 마을에 새 도서관이 건설될 건가요?

Answers - p.29

Check-up 1 다음 밑줄 친 부분을 우리말로 해석하시오.

1 Are the stores closed at 10 o'clock every day?

→ 상점들은 매일 10시에 ________________________ ?

2 Was the chicken soup made by Vicky?

→ 치킨 수프는 Vicky에 의해 ________________________ ?

3 Were the robbers caught yesterday?

→ 그 강도들은 어제 ________________________ ?

4 Will the festival be held next week?

→ 축제가 다음 주에 ________________________ ?

Voca
robber 강도
festival 축제, 페스티벌

Check-up 2 다음 괄호 안에서 가장 알맞은 것을 고르시오.

1 (Do / Are) these magazines read by teenage girls?

2 Is French (speaking / spoken) in Quebec, Canada?

3 Was the parcel (sends / sent) by Timmy?

4 Will history (taught / be taught) by Mr. Thomson?

Voca
teenage 10대의
parcel 소포, 꾸러미

STEP 1 다음 주어진 말을 이용하여 수동태 의문문을 완성하시오. (단, 시제에 주의할 것)

1 __________ the windows __________ by Dave? (break, 과거)

2 __________ the plants __________ once a week? (water, 현재)

3 __________ your salary __________ into your account? (pay, 현재)

4 __________ lunch __________ __________ by Brandon? (prepare, 미래)

5 __________ your bag __________ in the lost and found? (find, 과거)

Voca
water 물을 주다
salary 급여, 봉급
account 계좌
lost and found 분실물 취급소

STEP 2 다음 밑줄 친 부분을 어법에 맞게 고쳐 쓰시오.

1 Is fresh milk deliver every morning? → __________

2 Was spent all the money on the dress? → __________

3 Will this math problem is solved easily? → __________

4 Will be the steak cooked by your brother? → __________

5 Are these books only lending to the students? → __________

Voca
fresh 신선한; 상쾌한
steak 스테이크
lend 빌려주다

STEP 3 다음 주어진 문장을 수동태 의문문으로 바꿔 쓰시오.

조건	1. 동사의 시제에 유의할 것	2. 주어와 동사의 위치에 유의할 것

1 Did the car hit the tree?

→ __________

2 Does the gardener cut the grass?

→ __________

3 Do people elect the president?

→ __________

4 Will they move this table?

→ __________

5 Did Kevin fix the broken toilet?

→ __________

Voca
hit 치다, 때리다
gardener 정원사
elect 선출하다
toilet 변기; 화장실

STEP 4 다음 우리말과 같은 뜻이 되도록 주어진 단어를 배열하여 문장을 완성하시오.

1 너는 벌에 쏘였니? (by, stung, you, a bee, were)

→ ______________________________

2 너의 정원에 토마토가 재배되니? (tomatoes, grown, are)

→ ______________________________ in your garden?

3 그 문제는 충분히 논의되었니? (the matter, was, discussed)

→ ______________________________ enough?

4 새 가게는 5일 후에 문을 열 거니? (be, will, a new shop, opened)

→ ______________________________ in five days?

5 중력은 Newton에 의해 발견되었니? (discovered, was, by, gravity, Newton)

→ ______________________________

6 생일 케이크는 Rachel이 구울 거니? (by, the birthday cake, will, Rachel, baked, be)

→ ______________________________

Voca
sting (곤충 등이) 쏘다, 찌르다
matter 문제, 사안
discuss 논의하다
gravity 중력

STEP 5 다음 우리말과 같은 뜻이 되도록 주어진 말을 이용하여 문장을 완성하시오.

조건	1. 수동태 의문문으로 쓸 것	2 주어와 동사의 위치에 유의할 것

1 크리켓은 미국에서 경기되니? (cricket, play)

→ ______________________________ in America?

2 네 차가 길 한 가운데 세워져 있니? (your car, park)

→ ______________________________ in the middle of the road?

3 그 소문은 Sarah가 말했니? (the rumor, tell, Sarah)

→ ______________________________

4 우리 마을에 새 학교가 건설될 거니? (a new school, build)

→ ______________________________ in our town?

5 그 강연들은 많은 학생들이 참석하니? (the lectures, attend)

→ ______________________________

6 그 집들은 폭풍우로 피해를 입었니? (the houses, damage, the storm)

→ ______________________________

Voca
cricket 크리켓
rumor 소문
lecture 강연, 강의
damage 피해를 입히다
storm 폭풍(우)

Unit 05 by이외의 전치사를 쓰는 수동태

수동태는 행위자를 보통 by로 나타내지만, with, in, at 등 다른 전치사를 쓰는 경우도 있다.

be covered with ~로 덮이다	be made of/from ~로 만들어지다
be disappointed with ~로 실망하다	be pleased with ~로 기뻐하다
be excited about ~에 흥분하다	be surprised at ~에 놀라다
be filled with ~로 가득 차다	be satisfied with ~에 만족하다
be interested in ~에 관심이 있다	be tired of ~에 싫증이 나다
be known to ~에게 알려지다	be bored with ~를 지루해 하다

Tips

재료의 물리적 변화인 경우 be made of를 쓰고, 화학적 변화인 경우 be made from을 쓴다.

The table **was made of** wood.
탁자는 나무로 만들어졌다.

Butter **is made from** milk.
버터는 우유로 만들어진다.

I **am interested in** music and art. 나는 음악과 예술에 관심이 있다.
They **were surprised at** her visit. 그들은 그녀의 방문에 놀랐다.
The sky **is covered with** clouds. 하늘이 구름으로 뒤덮여 있다.

Answers - p.30

Check-up 1 다음 우리말과 같은 뜻이 되도록 괄호 안에서 가장 알맞은 것을 고르시오.

1 길이 낙엽으로 덮여 있다.
→ The road is covered (with / to) fallen leaves.

2 학생들은 수학여행으로 들떠있다.
→ The students are excited (in / about) the school trip.

3 그의 방은 책으로 가득 차 있다.
→ His room is filled (with / from) books.

4 그의 이름은 전 세계에 알려져 있다.
→ His name is known (about / to) the whole world.

Voca
fallen 떨어진
leaf 나뭇잎(pl. leaves)

Check-up 2 다음 문장의 빈칸에 알맞은 전치사를 쓰시오.

1 Charlie is very interested ____________ science and math.

2 This blanket is made ____________ wool.

3 The kids are very pleased ____________ the Christmas gifts.

4 The teacher was surprised ____________ my questions.

Voca
blanket 담요
wool 양모, 양털

STEP 1 다음 주어진 말을 이용하여 수동태 문장을 완성하시오. (단, 현재시제로 쓸 것)

1 The truth ______________________ everyone. (know)

2 I ______________________ doing the same thing every day. (tire)

3 My parents ______________________ my decision. (please)

4 The gift box ______________________ chocolate and candies. (fill)

5 We ______________________ the ending of the film. (disappoint)

Voca
ending
결말

STEP 2 다음 문장에서 어법상 어색한 부분을 찾아 바르게 고치시오.

1 I was surprise at his failure. __________ → __________

2 Fans are excite about his new movie. __________ → __________

3 They were very satisfied of our service. __________ → __________

4 Ron was not pleasing with the surprise party. __________ → __________

5 The whole cake is covered about fresh cream. __________ → __________

Voca
failure
실패

STEP 3 다음을 수동태 문장으로 바꿔 쓰시오.

조건 주어진 문장과 같은 시제로 쓸 것

1 Joy fills my heart.

→ ______________________________

2 Mud covers your coat.

→ ______________________________

3 A lot of people know her.

→ ______________________________

4 Oil paintings interest me.

→ ______________________________

5 Their son's success pleased them.

→ ______________________________

Voca
joy
기쁨
heart
가슴, 심장
mud
진흙
oil painting
유화
success
성공

STEP 4 다음 우리말과 같은 뜻이 되도록 주어진 단어를 배열하여 문장을 완성하시오.

1 그 병은 모래로 가득 차 있다. (is, sand, with, filled, the bottle)

→ ______________________________

2 그 책상들은 먼지로 덮여 있다. (dust, the desks, covered, are, with)

→ ______________________________

3 우리는 그 식당의 음식에 실망했다. (were, with, disappointed, we, the food)

→ ______________________________ in the restaurant.

4 Richard는 고대 역사에 관심이 있다. (ancient history, is, in, Richard, interested)

→ ______________________________

5 빵은 밀가루, 우유, 계란으로 만들어진다. (is, flour, and eggs, made, bread, milk, from)

→ ______________________________

6 그 소녀는 자신의 생일 파티에 들떠있다. (the girl, about, excited, is, her birthday party)

→ ______________________________

Voca
bottle 병
sand 모래
dust 먼지
ancient 고대의
flour 밀가루, (곡물의) 가루

STEP 5 다음 우리말과 같은 뜻이 되도록 주어진 말을 이용하여 문장을 완성하시오.

조건	주어와 동사를 갖춘 수동태 문장으로 쓸 것

1 창문은 유리로 만들어진다. (windows, glass)

→ ______________________________

2 나는 그의 무례한 행동에 진저리가 난다. (tired, his rude behavior)

→ ______________________________

3 우리 부모님께서는 내 성적에 기뻐하셨다. (pleased, my grades)

→ ______________________________

4 나는 내 새로운 머리 스타일에 만족하지 않는다. (satisfied, my new hair style)

→ ______________________________

5 그 사실들은 대중에게 알려져 있지 않다. (the facts, the public)

→ ______________________________

6 그들은 그녀의 사고 소식에 놀란 상태다. (surprised, the news of her accident)

→ ______________________________

Voca
glass 유리
rude 무례한
behavior 행동
fact 사실
public 대중, 일반 사람들

단답형 & 서술형

Answers - p.32

[1-2] 다음을 수동태 문장으로 바꿀 때 빈칸에 알맞은 말을 쓰시오.

1 Carrie solved the problem easily.

→ The problem was __________ easily by Carrie.

2 Many people love this musical.

→ This musical is __________ by many people.

[3-5] 다음 주어진 말을 이용하여 문장을 완성하시오. (단, 시제에 주의할 것)

3 The computer ____________________ by James yesterday. (fix)

4 The report ____________________ tomorrow. (finish)

5 The National Zoo ____________________ by a lot of people these days. (visit)

6 다음 보기에서 알맞은 전치사를 골라 빈칸을 채우시오.

보기	with	at	in	from

(1) Cheese is made __________ milk.

(2) We are pleased __________ the news.

(3) Isaac is very interested __________ sports.

(4) I was surprised __________ his IQ score.

[7-9] 다음 밑줄 친 부분을 바르게 고치시오.

7 The concert <u>will held</u> in the main hall tonight.

→ ____________________

8 The Internet is <u>use</u> all over the world.

→ ____________________

9 <u>Did</u> this room cleaned by your sister?

→ ____________________

[10-11] 다음 주어진 말을 이용하여 대화를 완성하시오.

10 A Thank you for visiting our restaurant. Were you ____________________ the food? (satisfy)

B Yes. The food was really good.

11 A I love this painting. Who painted it?

B It ____________________ Chagall. (paint) His works are known to many people.

[12-13] 다음을 수동태 문장으로 바꿔 쓰시오.

12 A famous architect will design the building.

→ The building ______________________

______________________.

13 George Orwell didn't write this book.

→ This book ______________________

______________________.

14 다음 주어진 문장을 지시대로 바꿔 쓰시오.

This comic book is read by teenage boys.

부정문 → ______________________

____

의문문 → ______________________

____

[15-16] 다음 우리말과 같은 뜻이 되도록 주어진 단어를 배열하여 문장을 완성하시오.

15 그 극장은 사람들로 가득 차 있다. (filled, the theater, people, is, with)

→ ______________________

16 이 사진들은 너의 남동생이 찍은 거니? (these pictures, by, taken, your brother, were)

→ ______________________

[17-18] 다음 우리말과 같은 뜻이 되도록 주어진 말을 이용하여 문장을 완성하시오.

조건	1. 수동태로 문장으로 쓸 것 2. 주어와 동사를 갖춘 완전한 문장으로 쓸 것

17 이 교회는 1900년에 지어지지 않았다.
(this church, build)

→ ______________________ in 1900.

18 너는 그 일에 대해 50달러를 지급받을 것이다.
(you, pay)

→ ______________ 50 dollars for the work.

[19-20] 다음 글을 읽고, 물음에 답하시오.

Hi Mina,
Merry Christmas!
It is a white Christmas here. (A) 밖은 모든 것이 눈으로 덮여 있어. I dreamed of it, and my wish ⓐ has come true. Even though the snow ⓑ keeps me inside, I'm so happy.
What is Christmas like in Korea? ⓒ Do Christmas celebrated in Korea? We celebrate Christmas because Jesus ⓓ was born on December 25th. We decorate a Christmas tree and sing carols. Family and relatives get together and have a party.
Please tell me about Christmas in Korea.
Alice

19 윗글의 ⓐ ~ ⓓ 중 어법상 어색한 것을 찾아 바르게 고치시오.

→ ______________________

20 밑줄 (A)의 우리말을 주어진 말을 이용하여 영어로 옮기시오.
(everything, cover, snow)

→ ______________________ outside.

Chapter 5

부정사

Unit 01 to부정사의 명사적 쓰임: 주어

to부정사는 「to+동사원형」의 형태로 문장에서 다양한 역할을 한다. to부정사는 명사처럼 주어 역할을 할 수 있으며 3인칭 단수로 취급한다.

역할	예문
주어	To make **miniature models** is fun. 미니어처 모형을 만드는 것은 재미있다. To eat **vegetables** is healthy. 채소를 먹는 것은 건강에 좋다.

to부정사가 주어로 오는 경우 그 자리에 It을 쓰고 to부정사를 문장 뒤로 보낼 수 있다. 이때, It을 '가주어', to부정사를 '진주어'라고 한다.

To eat vegetables is healthy. = **It** is healthy **to eat vegetables**.
가주어 진주어

Answers - p.33

Check-up 1 다음 괄호 안에서 가장 알맞은 것을 고르시오.

1 (To build / Build) things with toy blocks is fun.

2 (Become / To become) a cartoonist is her dream.

3 (Travel / To travel) by bicycle is good for your body.

4 (To read / To reading) detective novels is fun.

5 (To writing / To write) poetry requires literary skill.

Voca
block 블록
cartoonist 만화가
detective novel 추리소설
poetry 시
require 필요하다
literary 문학적인

Check-up 2 다음 보기와 같이 to부정사를 찾아 밑줄을 치고 해석하시오.

보기 To eat vegetables is healthy. 채소를 먹는 것은 건강에 좋다.

1 To learn history is useful. ______________ 유익하다.

2 To give up smoking is difficult. ______________ 어렵다.

3 It is dangerous to fly in this weather. ______________ 위험하다.

4 It is impossible to live without air. ______________ 불가능하다.

5 It is exciting to meet new people. ______________ 신난다.

STEP 1 다음 우리말과 같은 뜻이 되도록 괄호에 주어진 말을 이용하여 문장을 완성하시오.

1 유용한 것을 발명하는 것은 끈기가 필요하다. (invent)

→ ______________ useful things needs patience.

2 11시 전에 그곳에 도착하는 것은 불가능하다. (arrive)

→ ______________ there before 11 is impossible.

3 그 과제를 한 달 안에 끝마치기는 쉽지 않다. (finish)

→ ______________ the project in a month is not easy.

4 숲 속을 운전하는 것은 매우 즐겁다. (drive)

→ ______________ through the forest is very pleasant.

STEP 2 다음 밑줄 친 부분을 어법에 맞게 고쳐 쓰시오.

1 <u>To becoming</u> a good artist is his dream. → ______________

2 <u>Travel</u> to other countries is a lot of fun. → ______________

3 <u>That</u> is dangerous to swim with sharks. → ______________

4 It is exciting <u>to visiting</u> an aquarium. → ______________

Voca
dangerous 위험한
shark 상어
aquarium 수족관

STEP 3 다음 문장을 주어진 조건에 맞게 다시 쓰시오.

조건 가주어 it과 동사를 갖춘 완전한 문장으로 쓸 것

1 To use earphones is harmful to your ears.

→ ______________

2 To keep your promises is important.

→ ______________

3 To learn new things is fun.

→ ______________

4 To boil water is necessary.

→ ______________

Voca
harmful 해로운
promise 약속
boil 끓이다
necessary 필요한

STEP 4 다음 우리말과 같은 뜻이 되도록 주어진 단어를 배열하여 문장을 완성하시오.

1 이 오래된 자전거를 타는 것은 위험하다. (to, is, this old bike, ride, dangerous)

→ ______________________________

2 외국에서 사는 것은 신나는 일이다. (to, is, a foreign country, live in, exciting)

→ ______________________________

3 일찍 잠드는 것은 중요하다. (important, to, is, go to bed, early).

→ ______________________________

4 애완견을 키우는 것은 쉽지 않다. (to, it, have, easy, is, not, a pet dog)

→ ______________________________

5 어떤 나라에서는 누군가의 나이를 묻는 것은 실례이다. (ask, someone's age, is, it, to, impolite)

→ ______________________________ in some countries.

6 발표에서 사진과 차트를 이용하는 것은 유용하다. (use, photos and charts, is, to, useful, it)

→ ______________________________ in your presentation.

STEP 5 다음 우리말과 같은 뜻이 되도록 주어진 말을 이용하여 문장을 완성하시오.

조건	가주어 it과 동사를 갖춘 완전한 문장으로 쓸 것

1 날생선을 먹는 것은 위험하다. (dangerous, eat, raw fish)

→ ______________________________

2 롤러블레이드를 타러 가는 것은 신이 난다. (exciting, go rollerblading)

→ ______________________________

3 이 소프트웨어를 업그레이드 하는 것은 필요하다. (necessary, upgrade, this software)

→ ______________________________

4 아기를 목욕시키는 것은 쉽지 않다. (not, easy, bathe, babies)

→ ______________________________

5 치즈를 먹는 것은 당신의 치아에 좋다. (good, for your teeth, eat, cheese)

→ ______________________________

6 정크푸드를 먹는 것은 건강에 나쁘다. (bad, for your health, eat, junk food)

→ ______________________________

Unit 02 to부정사의 명사적 쓰임: 보어

문장에서 주어나 목적어를 보충 설명하며 '~하는 것(이다)'이라는 의미를 갖는다.

역할	예문
주격보어	My job is to take **care of patients**. 내 직업은 환자들을 돌보는 것이다.
목적격보어	His parents tell him to be **honest**. 그의 부모님은 그에게 정직하라고 말한다.

Tips

「주어+동사+목적어+목적격보어」의 구조를 갖는 동사는 아래와 같다.
want, would like, expect, tell, teach, allow 등

I want her **to be happy**.
나는 그녀가 행복하기를 원한다.

Answers - p.34

Check-up 1 다음 문장에서 보어를 찾아 밑줄을 긋고, 주격보어인지 목적격보어인지 고르시오.

1 To see is to believe. (주격보어, 목적격보어)

2 His plan is to master English grammar. (주격보어, 목적격보어)

3 My homework is to write an essay. (주격보어, 목적격보어)

4 He allowed them to climb Mount Everest. (주격보어, 목적격보어)

5 She would like him to finish the work. (주격보어, 목적격보어)

6 I want you to meet my sister. (주격보어, 목적격보어)

Voca

master 통달하다
essay 에세이, 리포트
allow 허락하다
climb 오르다

Check-up 2 다음 우리말과 같은 뜻이 되도록 주어진 말을 이용하여 문장을 완성하시오.

1 우리의 목표는 트로피를 타는 것이다. (win)

→ Our goal is ____________ ____________ the trophy.

2 내 꿈은 그 마라톤에서 뛰는 것이다. (run)

→ My dream is ____________ ____________ in the marathon.

3 그의 일은 대통령을 경호하는 것이다. (protect)

→ His job is ____________ ____________ the President.

4 그녀는 내가 그녀의 새 소설을 읽어보기를 원했다. (read)

→ She wanted me ____________ ____________ her new novel.

5 우리 부모님은 내게 일찍 일어나라고 말씀하신다. (get up)

→ My parents tell me ____________ ____________ ____________ early.

STEP 1 다음 문장에서 to를 알맞은 위치에 넣어 문장을 완성하고 우리말로 해석하시오.

Voca
build
짓다
look after
~을 돌보다

1 Their dream is build a hotel on the moon.

→ ______

→ ______

2 She asked me look after her children.

→ ______

→ ______

STEP 2 다음 우리말과 같은 뜻이 되도록 주어진 단어를 배열하여 문장을 완성하시오.

1 위가 하는 일은 음식을 소화시키는 것이다. (to, is, the stomach's job, digest, food)

→ ______

2 우리 아버지의 계획은 낚시하러 가는 것이다. (my father's, plan, go fishing, is, to)

→ ______

3 그의 꿈은 노벨상을 타는 것이다. (is, his dream, become, a Nobel Prize winner, to)

→ ______

4 선생님은 우리에게 수학 문제를 풀라고 말씀하셨다. (to, us, told, the teacher, solve, the math questions)

→ ______

STEP 3 다음 우리말과 같은 뜻이 되도록 주어진 말을 이용하여 문장을 완성하시오.

조건	to부정사를 쓸 것

1 그의 계획은 내년에 독일로 이민 가는 것이다. (move, to Germany)

→ His plan is ______ next year.

2 우리 부모님은 내가 대학 학위를 받기를 바란다. (want, me, get, a college degree)

→ My parents ______.

3 우리는 그들이 여기에 오래 머물 거라고 생각하지 않았다. (expect, them, stay, here, so long)

→ We didn't ______.

4 그들은 우리가 파티에 가기를 원한다. (would like, us, go, to the party)

→ They ______.

Unit 03 to부정사의 명사적 쓰임: 목적어

to부정사는 명사처럼 목적어로 쓰일 수 있으며 '~하는 것을'이라는 의미를 갖는다.

역할	예문
목적어	They decided **to buy a new house.** 그들은 새집을 사기로 결정했다. I hope **to make many friends** this year. 나는 올해 많은 친구를 사귀길 바란다.

Tips
to부정사를 목적어로 취하는 동사:
want, decide, plan, promise, hope, wish, expect, learn, refuse 등

Answers - p.35

Check-up 1 다음 문장에서 목적어를 찾아 밑줄 치시오.

1 She refused to listen to me.

2 I need to buy a pair of boots.

3 The kids didn't want to be late for school.

4 They agreed to meet at the airport.

5 He chose to study biology in college.

6 The couple has decided to get married next year.

Voca
refuse 거절하다
biology 생물학
college 대학
get married 결혼하다

Check-up 2 다음 괄호에 주어진 말을 이용하여 문장을 완성하시오.

1 그들은 성공하기를 희망한다. (succeed)

→ They hope ________ ________.

2 그녀는 테니스 클럽에 가입하기로 동의했다. (join)

→ She agreed ________ ________ the tennis club.

3 그는 그 질문에 대답하는 것을 거절했다. (answer)

→ He refused ________ ________ the question.

4 개에게 먹이 주는 것을 잊지 마라. (feed)

→ Don't forget ________ ________ the dog.

STEP 1 다음 우리말과 일치하도록 보기에서 주어진 말을 골라 알맞은 형태로 문장을 완성하시오.

보기	be careful	drive	help

1 그들은 나를 도와주기를 거절했다.

→ They refused ______________________ me.

2 나는 조심하기로 약속했다.

→ I promised ______________________.

3 그는 그들을 집까지 차로 데려다 주기로 결정했다.

→ He decided ______________________ them home.

STEP 2 다음 우리말과 같은 뜻이 되도록 주어진 단어를 배열하여 문장을 완성하시오.

1 우리 아버지는 60세에 퇴임할 계획이었다. (to, planned, my father, retire, at 60)

→ ______________________

2 그는 그 문제에 대해 논의하기를 거절했다. (the problem, he, to, refused, discuss)

→ ______________________

3 그녀는 그 TV쇼에 출연하기로 동의했다. (agreed, she, appear, on the TV show, to)

→ ______________________

STEP 3 다음 우리말과 같은 뜻이 되도록 주어진 말을 이용하여 문장을 완성하시오.

조건	1. to부정사를 쓸 것	2. 동사의 시제에 유의할 것

1 그는 열아홉 살 때 운전을 배웠다. (he, learn, drive)

→ ______________________ when he was 19.

2 학교에 체육복을 가지고 가는 것을 잊지 마라. (forget, take your P.E. clothes)

→ Don't ______________________ to school.

3 그녀는 마라톤 완주에 실패했다. (fail, finish)

→ ______________________ the marathon race.

4 그에게 이메일 보내는 것을 기억해라. (remember, email)

→ Please ______________________.

Unit 04 의문사+to부정사

「의문사+to부정사」는 문장에서 명사처럼 쓰여 주어, 보어, 목적어 역할을 한다.

what+to부정사 무엇을 ~할지	I didn't know **what to say.** 나는 뭐라고 해야 할지 알지 못했다.
how+to부정사 어떻게 ~할지	Can you explain **how to use** the copy machine? 복사기를 어떻게 사용하는지 설명해 줄래?
where+to부정사 어디서 ~할지	A man asked me **where to buy** postcards. 한 남자가 나에게 어디서 엽서를 살 수 있는지 물었다.
when+to부정사 언제 ~할지	Please tell me **when to stop.** 언제 멈추어야 하는지 얘기해 주세요.
who(m)+to부정사 누구를 ~할지	I haven't decided **whom to invite.** 나는 누구를 초대할지 결정하지 않았다.
which+to부정사 어느 것을 ~할지	I'm not sure **which to choose.** 나는 어떤 것을 선택해야 할지 모르겠다.

Tips

「의문사+to부정사」
=「의문사+주어+ should+동사원형」

We don't know **what to eat.**
= We don't know **what we should eat.**
우리는 무엇을 먹어야 할지 모르겠다.

Answers - p.36

Check-up 1 다음 문장의 밑줄 친 부분을 해석하시오.

1 She explained how to use this camera. → __________

2 I wonder where to get off. → __________

3 We are not sure who to vote for. → __________

4 He can't decide which to buy. → __________

Voca
explain 설명하다
get off 내리다
vote for ~에 투표하다
decide 결정하다

Check-up 2 다음 주어진 말을 이용하여 문장을 완성하시오.

1 그는 무엇을 선택해야 할지 몰랐다. (what, choose)

→ He didn't know __________.

2 그들은 그 단어를 어떻게 발음해야 하는지 설명했다. (how, pronounce)

→ They explained __________ the word.

3 그녀는 나에게 그들은 언제 만나야 할지 말했다. (when, meet)

→ She told me __________.

4 우리는 어떤 게임을 할지 결정해야 한다. (which game, play)

→ We have to decide __________.

STEP 1 다음 우리말과 같은 뜻이 되도록 주어진 말을 이용하여 문장을 완성하시오.

조건 「의문사+to부정사」를 이용할 것

1 그는 어디서 내려야 할지 기억했다. (get off)

→ He remembered ______________________.

2 나는 할머니의 생신 때 무엇을 드려야 할지 결정해야 한다. (give)

→ I have to decide ______________________ my grandmother for her birthday.

3 공항에 가려면 어떤 버스를 타야 하는지 알려주시겠어요? (take)

→ Can you tell me ______________________ to the airport?

STEP 2 다음 두 문장이 같은 뜻이 되도록 주어진 조건에 맞게 문장을 완성하시오.

조건 「의문사+주어+should+동사원형」의 형태로 쓸 것

Voca
solve 해결하다
stay 머무르다
press 누르다

1 Mrs. Cooper knows how to solve this problem.

= Mrs. Cooper knows ______________________________________.

2 They are not sure where to stay.

= They are not sure ______________________________________.

3 Please tell me when to press the button.

= Please tell me ______________________________________.

STEP 3 다음 두 문장이 같은 뜻이 되도록 주어진 조건에 맞게 문장을 완성하시오.

조건 「의문사+to부정사」의 형태로 쓸 것

Voca
festival 축제
stop by ~에 잠시 들르다

1 Mom explained how I should boil eggs.

= Mom explained ______________________ eggs.

2 I don't know what I should wear to the festival.

= I don't know ______________________ to the festival.

3 Please tell me when I should stop by.

= Please tell me ______________________.

STEP 4 다음 우리말과 같은 뜻이 되도록 주어진 단어를 배열하여 문장을 완성하시오.

1 우리는 언제 가야 하는지 궁금했다. (to, we, when, wondered, go)

→ ______________________________

2 그 어린 소년은 글을 읽는 법을 배웠다. (how, learned, to, the little boy, read)

→ ______________________________

3 그들은 브라질에서 어디서 머무를지 결정할 수 없었다. (where, couldn't, choose, they, to, stay)

→ ______________________________ in Brazil.

4 나는 너의 생일 선물로 무엇을 사야 할지 결정할 수 없었다. (what, I, buy, decide, couldn't, to)

→ ______________________________ for your birthday.

5 이 테이블을 어디에 놓아야 하는지 알아요? (you, do, where, know, put, this table, to)

→ ______________________________

6 그녀는 그의 이름을 어떻게 쓰는지 기억한다. (to, his name, she, how, remembers, spell)

→ ______________________________

STEP 5 다음 우리말과 같은 뜻이 되도록 주어진 말을 이용하여 문장을 완성하시오.

조건 「의문사+to부정사」를 쓸 것

1 지금 무엇을 해야 하는지 말해 주세요. (tell, me, do)

→ Please ______________________________ now.

2 아버지는 물고기 잡는 법을 아신다. (know, catch, fish)

→ My father ______________________________.

3 나는 다이빙 하는 법을 배웠다. (learn, dive)

→ I ______________________________.

조건 should를 쓸 것

4 그들은 어디서 행사를 열어야 할지 궁금해했다. (hold the event)

→ They wondered ______________________________.

5 선생님은 우리가 콜론(:)을 언제 사용하는지 설명하셨다. (use a colon)

→ The teacher ______________________________.

6 우리는 어떤 도시를 방문해야 할지 잘 모르겠다. (which city, visit)

→ We don't know ______________________________.

Unit 05 to부정사의 형용사적 쓰임

명사+to부정사(+전치사)	
명사 수식	I have many books **to read**. 나는 읽을 책이 많다. The hiker bought a sleeping bag **to sleep in**. 그 도보여행자는 들어가서 잘 침낭을 샀다.
be+to부정사	
가능	Nobody was to **be** seen in the building. 건물에서는 아무도 볼 수 없었다.
운명	He was to **become** a famous actor. 그는 유명한 배우가 될 운명이었다.
의무	We are to **follow** traffic rules. 우리는 교통규칙을 따라야 한다.
예정	She is to **leave** for Toronto tomorrow. 그녀는 내일 토론토로 떠날 예정이다.
의도	If you are to **catch** the train, you have to hurry. 그 기차를 타려면 너는 서둘러야 한다.

Tips

수식 받는 명사가 전치사의 목적어인 경우 전치사를 to부정사 뒤에 쓴다.

I have a house **to live in.** (O)

I have a house to live. (X)

나는 살 집이 있다.

Answers - p.37

Check-up 1 다음 밑줄 친 부분이 수식하는 명사(구)에 동그라미 하시오.

1 He got me chairs to sit on.

2 We have some laundry to do.

3 You'll need warm clothes to wear.

4 They have many topics to discuss.

5 I have a picture to hang on the wall.

6 She has a lot of friends to play with.

Voca

laundry 세탁물, 빨래

topic 주제

discuss 의논하다

hang 매달다

Check-up 2 다음 밑줄 친 부분의 쓰임을 보기에서 찾아 쓰시오.

보기	예정	의무	운명	가능	의도

1 Nothing was to be seen there. ______________

2 You are to be quiet in the library. ______________

3 You are to respect your teachers. ______________

4 The train is to leave for Paris at 6. ______________

5 If we are to win, we should practice hard. ______________

6 They were never to meet each other again. ______________

Voca

respect 존경하다, 존중하다

leave for ~로 떠나다

practice 연습하다

STEP 1 다음 우리말과 같은 뜻이 되도록 주어진 말을 이용하여 문장을 완성하시오.

1 제주도에는 볼 것들이 많나요? (see)

→ Are there many things ________ ________ in Jeju?

2 그 잡지에는 볼 만한 사진들이 많이 있다. (look)

→ The magazine has so many photos ________ ________ ________.

3 시내에는 머물 수 있는 호텔이 많다. (stay)

→ There are many hotels ________ ________ ________ downtown.

4 그녀는 쓸 펜이 없었다. (write)

→ She didn't have a pen ________ ________ ________.

STEP 2 다음 밑줄 친 부분을 어법에 맞게 고쳐 쓰시오.

1 Please give me some paper to write. → ________________

2 She needs a book to read it. → ________________

3 I have five kids to take care. → ________________

4 Jason has many friends to play. → ________________

Voca
take care of
~을 돌보다

STEP 3 다음 우리말과 같은 뜻이 되도록 괄호에 주어진 말을 이용하여 문장을 완성하시오.

조건 「be+to부정사」를 쓸 것

1 여러분은 이곳에서 휴대폰을 사용하면 안 됩니다. (never, use)

→ You ________________ cell phones here.

2 그들은 기후 변화에 대해 의논할 예정이다. (discuss)

→ They ________________ climate change.

3 그 예술가는 겨우 50세에 죽을 운명이었다. (die)

→ The artist ________________ at only 50.

4 지하실에서는 아무것도 보이지 않았다. (be seen)

→ Nothing ________________ in the basement.

5 자동차를 사려면 충분한 돈을 모아야 한다. (buy)

→ If you ________________ a car, you should save enough money.

STEP 4 다음 우리말과 같은 뜻이 되도록 주어진 단어를 배열하여 문장을 완성하시오.

1 서울에는 가 볼 장소가 많다. (visit, to, many places, in Seoul)

→ There are ________________________________.

2 여러분은 5시까지 교실을 나가면 안됩니다. (the classroom, leave, not, to, until 5)

→ You are ________________________________.

3 그 테마파크는 다음 주에 개장할 예정이다. (open, the theme park, to, is, next week)

→ ________________________________

4 그들은 4시까지 시험을 끝내야 한다. (finish the test, they, to, are, by 4)

→ ________________________________

5 그는 평생 동안 혼자서 살 운명이었다. (he, live, alone, was, for his whole life, to)

→ ________________________________

6 그녀는 바를 로션이 필요하다. (to, she, some lotion, on, needs, put)

→ ________________________________

STEP 5 다음 우리말과 같은 뜻이 되도록 주어진 말을 이용하여 문장을 완성하시오.

조건	4~6번은 「be동사+to부정사」로 쓸 것

1 나는 먹을 것을 원한다. (would like, something, eat)

→ ________________________________

2 그는 아늑한 살 집을 디자인했다. (design, a cozy house, live)

→ ________________________________

3 우리 아들을 데리러 올 시간이 있나요? (have, time, pick up, my son)

→ ________________________________

4 여러분이 그곳에 시간에 맞춰 가려면 택시를 타세요. (be there, on time)

→ ________________________________, please take a taxi.

5 그녀는 자신의 남동생을 다시는 볼 수 없었다. (never, see, her brother, again)

→ ________________________________

6 그 배에서는 아무도 찾을 수 없었다. (no one, be found, on the ship)

→ ________________________________

Unit 06 to부정사의 부사적 쓰임

to부정사의 부사적 쓰임: 문장에서 부사처럼 동사, 형용사, 다른 부사 등을 수식한다.

목적 ~하기 위해서, ~하러	He went to the market **to buy** some fruit. = **so as to[in order to] buy** 그는 과일을 사러 시장에 갔다.
감정의 원인 ~하니, ~해서	I'm sorry **to hurt** your feelings. 너의 기분을 상하게 해서 미안해.
결과 …하다, 결국 ~하다	She grew up **to be** a millionaire. 그녀는 자라서 백만장자가 되었다.
판단의 근거 ~하다니, ~하는 것을 보니	He must be careless **to make** such a mistake. 그런 실수를 저지르다니 그는 부주의한 게 틀림없어.
형용사 수식 ~하기에, ~하는 데	His poems are easy **to understand**. 그의 시들은 이해하기 쉽다.

Tips

'목적'을 나타내는 to부정사는 'so[in order] that+주어+can/could +동사원형'으로도 바꿔 쓸 수 있다.

Kate studied hard **to pass** the test.

= Kate studied hard **so[in order] that she could pass** the test.

Answers - p.38

Check-up 1 다음 괄호 안에서 가장 알맞은 것을 고르시오.

1 He used the computer (email / to email) his friends.

2 We are very (glad to win / glad win) the medal.

3 My great-grandfather (lived be / lived to be) 100.

4 You are (rude to say / rude say) things like that!

5 The weather is (perfect have / perfect to have) a picnic.

Voca

email 이메일을 보내다

great-grandfather 증조할아버지

rude 무례한

have a picnic 야외식사를 하다

Check-up 2 다음 밑줄 친 부분에 유의하여 해석을 완성하시오.

1 I'm going to Canada to learn English.

→ 나는 영어를 ______________________ 캐나다로 갈 것이다.

2 They were very excited to visit Hawaii.

→ 그들은 하와이를 ______________________ 매우 신이 났었다.

3 The girl grew up to be a movie director.

→ 그 소녀는 자라서 영화감독이 ______________________.

4 This event is difficult to explain.

→ 이 사건은 ______________________.

STEP 1 다음 우리말에 맞게 주어진 말을 바르게 배열하시오.

1 그들은 가장 좋아하는 가수를 보게 되어 신이 났다. (to, excited, see)

→ They were ________________ their favorite singer.

2 그녀는 열심히 일했지만 실패했다. (fail, to, only)

→ She worked hard, ________________.

3 그는 도둑들을 쫓아낸 것을 보니 용감한 사람이었다. (to, brave, chase away)

→ He was ________________ the thieves.

STEP 2 다음 주어진 말을 활용하여 주어진 문장과 같은 의미의 문장을 완성하시오.

1 Mom turned on the radio to listen to music. (so as to)

= Mom turned on the radio ________________.

2 She uses the Internet to book movie tickets. (so that)

= She uses the Internet ________________.

3 His family gathered to celebrate Thanksgiving. (in order that)

= His family gathered ________________.

Voca

turn on ~을 켜다

gather 모이다

celebrate 축하하다

thanksgiving 추수감사절

STEP 3 다음 우리말과 같은 뜻이 되도록 주어진 말을 이용하여 문장을 완성하시오.

조건	1. to부정사를 쓸 것	2. 시제에 유의할 것

1 중국어는 배우기 어렵다. (Chinese, difficult, learn)

→ ________________

2 그들은 상을 받게 되어서 기뻤다. (pleased, win an award)

→ ________________

3 이 모든 것을 생각해내다니 너는 놀랍구나! (incredible, think of all this)

→ ________________

4 그는 올림픽에서 메달을 따기 위해 열심히 훈련했다. (train, hard, win a medal, in the Olympics)

→ ________________

Unit 07 to부정사의 부정

to부정사의 부정형은 「not/never+to+동사원형」의 형태이다.

She told us not **to go** out tonight. 그녀는 우리에게 오늘 밤 나가지 말라고 했다.

Be careful not **to touch** the wall. 벽을 건드리지 않도록 조심해라.

My daughter promised never **to lie** again. 내 딸은 절대로 다시는 거짓말하지 않기로 약속했다.

to부정사의 부정과 일반 부정에는 의미 차이가 있으므로 유의한다.

I promised not **to meet** him again. 나는 그를 다시는 만나지 않겠다고 약속했다.

I **didn't promise** to meet him again. 나는 그를 다시 만나겠다고 약속하지 않았다.

Answers - p.39

Check-up 1 다음 각 문장의 밑줄 친 부분에 유의하여 알맞은 의미를 고르시오.

1 I told her not to go out alone.

a. 나는 그녀에게 혼자 밖에 나가지 말라고 말했다.

b. 나는 그녀에게 혼자 밖에 나가라고 말하지 않았다.

2 The kid promised never to hit his little brother.

a. 그 아이는 자신의 남동생을 때릴 것을 절대 약속하지 않았다.

b. 그 아이는 자신의 남동생을 절대 때리지 않기로 약속했다.

3 You were wise not to tell them the truth.

a. 당신이 그들에게 진실을 말하지 않은 것은 현명했다.

b. 당신이 그들에게 진실을 말한 것은 현명하지 않았다.

Check-up 2 다음 괄호에 주어진 말을 이용하여 문장을 완성하시오.

1 당신은 체중이 늘지 않기 위해 운동을 해야 한다.

→ You should exercise ______ ______ ______ weight. (gain)

2 그는 그녀에게 전화하지 않겠다고 약속했다.

→ He promised ______ ______ ______ her. (call)

3 우리는 그에게 너무 많이 말을 걸지 않도록 노력했다.

→ We tried ______ ______ ______ to him too much. (talk)

STEP 1 다음 우리말과 같은 뜻이 되도록 주어진 단어를 배열하여 문장을 완성하시오.

1 그녀는 감기에 걸리지 않으려고 따뜻한 옷을 입었다. (warm clothes, wore, she, to, catch a cold, not)

→ ______________________________

2 그의 말을 믿지 않기란 어렵다. (not, believe his story, to, hard, it is)

→ ______________________________

3 여러분이 제 질문에 대답을 할 때 교과서를 보지 마세요. (look at, try, to, not, your textbooks)

→ ______________________ when you answer my questions.

4 그는 우리에게 너무 시끄럽게 하지 말라고 말했다. (he, us, told, to, not, make so much noise)

→ ______________________________

5 그들은 대회에 참가하지 않기로 결정했다. (to, they, not, decided, participate)

→ ______________________ in the contest.

6 우리는 공연을 놓치지 않기 위해 서둘렀다. (to, hurried, we, not, miss the performance)

→ ______________________________

STEP 2 다음 우리말과 같은 뜻이 되도록 주어진 말을 이용하여 문장을 완성하시오.

조건	부정어의 위치에 유의할 것

1 나는 언제나 늦지 않으려고 노력한다. (always, try, be, late)

→ ______________________________

2 우리는 그 차를 사지 않기로 결정했다. (decide, buy, the car)

→ ______________________________

3 Brown 선생님은 그들에게 절대로 희망을 잃지 말라고 가르치셨다. (Mrs. Brown, teach, lose hope)

→ ______________________________

4 그는 내 이름을 잊어버리지 않기 위해 적어 놓았다. (write down, my name, forget, it)

→ ______________________________

5 엄마는 나에게 너무 늦게까지 깨어있지 말라고 말했다. (Mom, tell, me, stay up, too late)

→ ______________________________

6 외국에서 무례한 손짓을 하지 않도록 주의하세요. (be careful, use, rude gestures)

→ ______________________ in foreign countries.

Unit 08 to부정사의 의미상 주어

to부정사의 의미상 주어

문장의 주어	They planned **to travel** by car. 그들은 자동차로 여행할 계획이었다.
문장의 목적어	I told her **to stop** watching TV late at night. 나는 그녀에게 밤에 TV를 그만 보라고 말했다.
특정인	It isn't easy **for** me **to finish** it in one day. 내가 그것을 하루 만에 끝내는 것은 쉽지 않다. It is nice **of** him **to help** your brother. 당신의 남동생을 도와주다니 그는 좋은 사람이다.
일반인	It is enjoyable (for people) **to listen** to pop music. (사람들이) 대중음악을 듣는 것은 즐겁다. It is not desirable (for people) **to jaywalk.** (사람들이) 무단횡단을 하는 것은 바람직하지 않다.

Tips

사람의 성격을 나타내는 형용사가 나올 때에는 「of+목적격」을 써서 의미상의 주어를 표시한다. 사람의 성격을 나타내는 형용사는 아래와 같다.

kind, nice, silly, wise, smart, polite, rude, foolish, stupid, wrong, selfish, generous …

Answers - p.39

Check-up 1 다음 밑줄 친 부분의 의미상의 주어를 찾아 쓰시오. (단, 의미상의 주어가 일반인이면 '일반인'이라고 쓸 것)

1 He wants to be healthy again. ____________

2 I want you to be more punctual. ____________

3 It is necessary for all drivers to follow traffic rules. ____________

4 It was careless of me to make such a mistake. ____________

5 It is necessary to own a car in America. ____________

Voca
- punctual 시간을 지키는
- traffic rule 교통 법규
- careless 부주의한
- own 소유하다

Check-up 2 다음 괄호 안에서 가장 알맞은 것을 고르시오. (단, ø는 필요 없음을 나타냄)

1 They decided (for them / of them / ø) to take a taxi home.

2 We expect (for / of / ø) them to be late.

3 It was rude (for / of / ø) him to leave without saying goodbye.

4 It was brave (for / of / ø) her to fly across the Pacific Ocean.

5 It is dangerous (for / of / ø) children to approach that dog.

Voca
- brave 용감한
- fly across 횡단 비행하다
- the Pacific Ocean 태평양
- approach 접근하다

STEP 1 다음 각 문장에 의미상의 주어를 넣어 문장을 완성하시오.

조건	1. 괄호에 주어진 단어를 이용할 것	2. 필요한 경우 적절한 전치사를 쓸 것

1 Her mother taught ________________ to swim. (she)

2 I would like ________________ to go now. (you)

3 It was wise ________________ to tell the truth. (he)

4 It was careless ________________ to take the wrong train. (I)

5 It was easy ________________ to find the art museum. (they)

Voca

wise 현명한

truth 진실

wrong 잘못된

art museum 미술관

STEP 2 다음 우리말과 같은 뜻이 되도록 주어진 단어를 배열하여 문장을 완성하시오.

1 우리 모두를 위해 돈을 지불해 주다니, 당신은 인심이 넉넉합니다. (you, it, pay, generous, of, is, to, for us all)

→ ________________

2 내가 그 모든 단어를 외우는 것은 어려웠다. (to, for, it, hard, was, me, all the words, memorize)

→ ________________

3 그가 까다로운 수수께끼를 풀다니, 그는 영리했다. (of, it, to, smart, was, him, the tricky riddles, solve)

→ ________________

4 그가 직장에서 넥타이를 매는 것은 불필요하다. (for, not, necessary, is, it, to, him, a tie, wear, at work)

→ ________________

STEP 3 다음 우리말과 같은 뜻이 되도록 주어진 말을 이용하여 문장을 완성하시오.

조건	필요한 경우 적절한 전치사를 쓸 것

1 나의 개를 돌봐주다니, 당신은 좋은 사람입니다. (it, nice, take care of, my dog)

→ ________________

2 우리가 그렇게 말한 것은 매우 어리석었다. (it, silly, talk, like that)

→ ________________

3 당신이 매일 2km를 뛰는 것은 불가능하다. (it, impossible, run 2 km, every day)

→ ________________

4 이 집은 그들이 사기에는 비싸다. (this house, expensive, buy)

→ ________________

Unit 09 to부정사의 관용 표현

❶ 「too+형용사/부사+to+동사원형」 너무 ~해서 …할 수 없다, …하기엔 너무 ~하다
(= so+형용사/부사+that+주어+can't/couldn't+동사원형)

He was **too** tired **to drive** home. 그는 너무 피곤해서 집까지 운전할 수 없었다.
= He was **so** tired **that** he **couldn't drive** home.

❷ 「형용사/부사+enough+to+동사원형」 ~할 만큼 충분히 …하다
(= so+형용사/부사+that+주어+can/could+동사원형)

She ran fast **enough to win** the race. 그녀는 경기에서 이길 만큼 충분히 빨리 달렸다.
= She ran **so** fast **that** she **could win** the race.

Tips

enough가 명사를 수식할 때에는 명사 앞에 놓인다.

I have **enough** paper to use.
나는 사용할 종이가 충분히 있다.

❸ 「seem to+동사원형」 ~처럼 보인다, ~인 것 같다

They **seem to** know each other. 그들은 서로 아는 것처럼 보인다.
Brian **seems to** be interested in space. Brian은 우주에 관심이 있는 것처럼 보인다.

Answers - p.40

Check-up 1 다음 괄호 안에서 가장 알맞은 것을 고르시오.

1 This tea is (hot too / too hot) to drink.

2 These pants are (big enough / enough big) to fit that huge man.

3 The meeting room was (enough large / large enough) to hold 20 people.

4 He seems (to like / like) soccer very much.

Voca
fit ~에 맞다
huge 거대한
hold 수용하다

Check-up 2 다음 두 문장의 의미가 같도록 빈칸을 알맞게 채우시오.

1 I was too tired to walk home.
= I was ________ tired that I ________ walk home.

2 He is rich enough to buy a yacht.
= He is ________ rich that he ________ buy a yacht.

3 She was brave enough to try skydiving
= She was ________ brave that she ________ try skydiving.

STEP 1 다음 우리말과 같은 뜻이 되도록 주어진 단어를 배열하여 문장을 완성하시오.

1 우리는 너무 바빠서 오늘 점심을 먹을 수 없었다. (too, to, busy, have, lunch)

→ We were ______________________________ today.

2 그는 천장의 전구를 바꿀 정도로 충분히 키가 크다. (to, enough, tall, change, the light bulb)

→ He is ______________________________ on the ceiling.

3 당신의 아들은 너무 어려서 앞 좌석에 앉을 수 없습니다. (young, too, to, sit)

→ Your son is ______________________________ in the front seat.

4 Richard는 친구가 많은 것처럼 보인다. (to, seems, a lot of, friends, have)

→ Richard ______________________________.

STEP 2 다음 괄호에 주어진 말을 활용하여 주어진 문장과 같은 의미의 문장을 완성하시오.

1 He is so angry that he can't calm down. (too ~ to ~)

= ______________________________

2 The girl was so smart that she could study in college. (enough to ~)

= ______________________________

3 The little boys were too excited to sleep. (so ~ that ~ can't ~)

= ______________________________

4 They are foolish enough to believe the story. (so ~ that ~ can)

= ______________________________

Voca

calm down 침착하다

foolish 어리석은

believe 믿다

STEP 3 다음 우리말과 같은 뜻이 되도록 주어진 말을 이용하여 문장을 완성하시오.

조건	동사의 시제에 유의할 것

1 감자 수프는 너무 뜨거워서 먹을 수 없다. (too, hot, eat)

→ ______________________________

2 나눠 먹을 만큼 충분한 쿠키가 있다. (there, cookies, share)

→ ______________________________

3 그는 좋은 지도자가 될 만큼 충분히 자신감이 있다. (confident, enough, be a good leader)

→ ______________________________

4 나의 아버지는 그를 존경하는 것처럼 보였다. (seem, respect)

→ ______________________________

Unit 10 원형부정사: 지각동사

원형부정사는 'to가 없는 부정사'로 동사원형을 말한다. 원형부정사는 「주어+지각동사+목적어+목적격보어」의 5형식 문장에서 목적격보어로 쓰인다.

지각동사는 보고, 듣고, 느끼는 감각을 나타내는 동사를 말한다.

see, notice, watch, look at, hear, listen to, feel 등의 지각동사와 쓰여 '(목적어가) ~하는 것을 보다/듣다/느끼다'라는 의미가 된다.

We **watched** her **swim** in the lake. 우리는 그녀가 호수에서 수영을 하는 것을 보았다.

I **listened to** him **play** the cello. 나는 그가 첼로를 연주하는 것을 들었다.

Tips

목적어와 목적격보어의 관계가 수동일 때는 과거분사를 쓴다.

I heard someone **call** my name.
나는 누군가 내 이름을 부르는 것을 들었다.

I heard my name **called**.
나는 내 이름이 불리는 것을 들었다.

동작이 진행 중임을 강조하고 싶으면 원형부정사 대신 현재분사를 사용한다.

I **saw** him **crossing** the street. (현재분사: 진행되는 동작에 초점을 맞춘 경우)
나는 그가 길을 건너고 있는 것을 보았다.

I **saw** him **cross** the street. (원형부정사: 동작의 시작부터 끝까지 지켜 본 경우)
나는 그가 길을 건너는 것을 보았다.

Answers - p.41

Check-up 1 다음 괄호 안에서 알맞은 것을 모두 고르시오.

1 She felt the wind (touch / touching / touched) her face.

2 I watched the Sun (to rise / rising / risen) over the horizon.

3 The students felt the ground (shook / shake / shaking) during the earthquake.

4 We heard a police car (to come / came / coming).

5 He saw a mouse (eat / eating / eaten) by a snake.

Voca
horizon 지평선, 수평선
ground 땅
earthquake 지진

Check-up 2 다음 주어진 말을 이용하여 문장을 완성하시오.

1 The mother noticed her child ________________ out. (go)

2 They saw her ________________ a few minutes ago. (leave)

3 He could hear some people ________________ outside. (argue)

4 We watched the children ________________ on the swings. (play)

5 I could feel my hair ________________ by someone. (pull)

Voca
notice 알아차리다
argue 말다툼하다
swing 그네
pull 당기다

STEP 1 다음 밑줄 친 부분을 어법에 맞게 고쳐 쓰시오.

1 He heard his brother to go downstairs. → ____________________

2 I could feel myself to blushing. → ____________________

3 She didn't notice he leaving. → ____________________

4 Did you listen to I giving a speech? → ____________________

5 They saw a tree strike by lightning. → ____________________

Voca
downstairs
아래층으로
blush
얼굴을 붉히다
give a speech
연설하다
strike
때리다

STEP 2 다음 우리말과 같은 뜻이 되도록 주어진 단어를 배열하여 문장을 완성하시오.

1 그녀는 땀이 얼굴 아래로 흘러내리는 것을 느꼈다. (felt, she, her face, running down, the sweat)

→ ____________________

2 나는 고래들이 물 밖으로 점프하는 것을 봤다. (whales, saw, jumping, out of the water, I)

→ ____________________

3 그는 아들들이 술래잡기 하는 것을 보았다. (his sons, watched, he, play, hide and seek)

→ ____________________

4 그 농부는 벌 한 마리가 자신의 어깨를 쏘는 것을 느꼈다. (his shoulder, felt, stung, the farmer)

→ ____________________ by a bee.

STEP 3 다음 우리말과 같은 뜻이 되도록 주어진 말을 이용하여 문장을 완성하시오.

조건	목적격보어의 형태에 유의할 것

1 너는 그가 회의를 나가는 것을 알아챘니? (notice, him, leave, the meeting)

→ Did ____________________?

2 그는 누군가 위층에서 걷는 소리를 들었다. (hear, someone, walk)

→ ____________________ upstairs.

3 우리는 축구선수들이 준비운동 하는 것을 보았다. (watch, the soccer players, warm up)

→ ____________________

4 그녀는 딸의 이름이 크게 불리는 소리를 들었다. (hear, her daughter's name, call)

→ ____________________ loudly.

Unit 11 원형부정사: 사역동사

「사역동사+목적어+원형부정사」

make, let, have 등의 사역동사와 쓰여 '(목적어가) ~하도록 시키다'라는 의미로 해석한다.

She **had** me **close** my eyes. 그녀는 나의 눈을 감게 하였다.

Dad doesn't **let** me **touch** his paintings. 아버지는 내가 아버지의 그림을 만지지 못하게 하신다.

사역의 의미이지만, 목적격보어로 to부정사나 과거분사를 사용하는 경우

❶ 「get+목적어+to부정사」: (목적어에게) ~하도록 시키다

I'll **get** her **to clean** her room. 나는 그녀에게 자신의 방을 청소하라고 시킬 것이다.

❷ 「help+목적어+to부정사/원형부정사」: (목적어가) ~하는 것을 돕다

She **helped** me (**to**) **do** my work. 그녀는 내가 일하는 것을 도와주었다.

❸ 「have/get+목적어(대상)+과거분사(상태)」: 목적어와 목적격보어의 관계가 수동일 때

He **had** his car **washed**. 그는 자신의 자동차 세차를 맡겼다.

Answers - p.42

Check-up 1 다음 괄호 안에서 가장 알맞은 것을 고르시오.

1 Let me (introduce / introducing / to introduce) myself.

2 This shirt makes me (look / looking / to look) fat.

3 He helped me (book / to book / booking) train tickets.

4 They got her (to write / writing / write) a report.

5 We helped her (finding / to find / find) her cat.

6 I had my car (to steal / stealing / stolen).

Voca
- introduce ~을 소개하다
- book 예매하다
- write a report 보고서를 작성하다
- steal 훔치다

Check-up 2 다음 주어진 말을 이용하여 빈칸을 완성하시오.

1 Let me ________________ the scars. (see)

2 She had her son ________________ the dog. (walk)

3 Come and help me ________________ this box. (lift)

4 I got my dad ________________ me up from the station. (pick)

5 She can make herself ________________ in Japanese. (understand)

6 I'm going to have my hair ________________ today. (do)

Voca
- scar 흉터
- walk 산책시키다
- lift 들어 올리다
- pick up ~을 태우러 가다

STEP 1 다음 밑줄 친 부분을 어법에 맞게 고쳐 쓰시오.

1 Let your body to relax. → ____________________

2 She helped me choosing a new jacket. → ____________________

3 I'll get him give you a call. → ____________________

4 This movie always makes me to cry. → ____________________

5 He had his shirt iron. → ____________________

Voca
relax
휴식을 취하다
give somebody a call
~에게 전화를 걸다
always
항상
iron
다림질하다

STEP 2 다음 문장을 주어진 조건에 맞게 다시 쓰시오.

1 My parents allowed me to watch TV. (밑줄 친 부분을 let을 이용해서 다시 쓰기)

→ ____________________

2 He had them bring the table. (밑줄 친 부분을 get을 이용해서 다시 쓰기)

→ ____________________

3 They got me to mail a letter to her. (밑줄 친 부분을 have를 이용해서 다시 쓰기)

→ ____________________

4 We had them paint our car. (밑줄 친 부분이 목적격보어인 문장으로 다시 쓰기)

→ ____________________

STEP 3 다음 우리말과 같은 뜻이 되도록 주어진 말을 이용하여 문장을 완성하시오.

조건	1. 목적격보어의 형태에 유의할 것	2. 시제에 유의할 것

1 따뜻한 목욕은 당신이 잠자는 것을 돕는다. (a warm bath, help, you, sleep)

→ ____________________

2 그녀는 미용사가 자신의 머리를 자르게 했다. (have, the hairdresser, cut, her hair)

→ ____________________

3 어떤 것도 그녀의 결심을 바꾸지 않을 것이다. (nothing, will make, change, her mind)

→ ____________________

4 나는 집을 다시 꾸몄다. (have, the house, redecorate)

→ ____________________

단답형 & 서술형

Answers - p.43

[1-2] 다음 주어진 문장과 같은 뜻이 되도록 빈칸에 알맞은 말을 쓰시오.

1 To play table tennis is fun.

= It is fun ________ ________ table tennis.

2 I was so tired that I couldn't vacuum the floor.

= I was ________ tired ________ vacuum the floor.

3 다음 두 문장을 한 문장으로 만들 때 빈칸에 알맞은 말을 쓰시오.

· They went to Africa.
· They wanted to help poor people.

→ They went to Africa ________ ________ poor people.

[4-5] 다음 우리말과 같은 뜻이 되도록 주어진 말을 이용하여 문장을 완성하시오.

4 삼촌은 나에게 야구를 어떻게 하는지 가르쳐 주었다. (play)

→ My uncle taught me ________________ baseball.

5 선생님은 우리에게 시험에서 부정행위를 하지 말라고 말씀하셨다. (cheat)

→ The teacher told us ________________ on the test.

[6-8] 다음 우리말과 같은 뜻이 되도록 문장을 완성하시오.

조건 각 빈칸에 단어 하나씩 쓸 것

6 그는 어머니날에 무엇을 해야 할지 몰랐다.

→ He didn't know ________ ________ ________ for Mother's Day.

7 그 소년은 자라서 위대한 과학자가 되었다.

→ The boy grew up ________ ________ a great scientist.

8 그녀는 뒤에서 자신의 이름이 불리는 것을 들었다.

→ She heard her name ________ behind her.

[9-10] 다음 문장 중 어법상 어색한 부분을 찾아 바르게 고쳐 쓰시오.

9 My parents want me becoming a lawyer.

________ → ________

10 I had my wallet to steal yesterday.

________ → ________

[11-12] 다음 주어진 문장을 주어진 조건에 따라 다시 고쳐 쓰시오.

조건 1. 가주어 it을 쓸 것
2. 주어와 동사를 갖춘 완전한 문장으로 쓸 것

11 To travel by air is expensive.

= ______________________

12 To read books is a good habit.

= ______________________

[13-15] 다음 우리말과 같은 뜻이 되도록 주어진 단어를 배열하여 문장을 완성하시오.

13 나는 자동차가 다가오는 소리를 들었다.
(a car, heard, approaching, I)

→ ______________________

14 그는 농구 선수가 될 만큼 충분히 키가 크다.
(is, tall, to, a basketball player, enough, he, be)

→ ______________________

15 그녀는 떠나지 않기로 했다.
(to, she, not, decided, leave)

→ ______________________

16 다음 빈칸에 주어진 단어의 알맞은 형태를 쓰시오.

- It is easy for her __________ the problem. (solve)
- My teacher watched me __________ the math questions. (solve)

17 다음 두 문장의 의미가 통하도록 빈칸에 알맞은 말을 쓰시오.

It seems that he is interested in writing novels.

= He __________ __________ be interested in writing novels.

[18-20] 다음 우리말과 같은 뜻이 되도록 주어진 말을 이용하여 문장을 완성하시오

조건 주어와 동사를 갖춘 완전한 문장으로 쓸 것

18 나는 여권을 가져가는 것을 기억했다.
(remember, take my passport)

→ ______________________

19 그는 그들이 경찰에 잡히는 것을 보았다.
(see, they, catch, by the police)

→ ______________________

20 그런 바보 같은 실수를 저지르다니, 나는 어리석구나.
(it, silly, make a stupid mistake)

→ ______________________

1 동명사의 역할: 주어

2 동명사의 역할: 보어

3 동명사의 역할: 목적어

4 동명사 vs. to부정사

5 동명사와 to부정사를 목적어로 취하는 동사

6 꼭 암기해야 할 동명사의 관용 표현

도전만점! 중등내신 단답형 & 서술형

Unit 01 동명사의 역할: 주어

동명사는 「동사원형+ing」의 형태로 문장에서 명사의 역할을 한다.
동명사는 '~하기는', '~하는 것은'이라는 의미로 주어 역할을 할 수 있다.

Meeting new people is exciting. 새로운 사람을 만나는 것은 재미있다.
(= **It** is exciting **to meet** new people.)

Laughing makes us healthy. 웃는 것은 우리를 건강하게 해준다.

Tips

주어 역할을 하는 동명사는 단수 취급한다.

Reading books **is** very important for children.
책을 읽는 것은 아이들에게 중요하다.

Making paper dolls **is** fun.
종이 인형을 만드는 것은 재미있다.

Answers - p.44

Check-up 1 다음 괄호 안에서 가장 알맞은 것을 고르시오.

1 (Taking / To taking) a walk will refresh you.

2 (Have / Having) a pet is good for our health.

3 Becoming a ballerina (was / were) my childhood dream.

4 Using plastic bags (is / are) bad for the environment.

5 Listening to classical music (make / makes) me calm.

Voca

refresh 생기를 되찾게 하다
ballerina 발레리나
childhood 어릴 적
plastic bag 비닐봉투
calm 침착한, 차분한

Check-up 2 다음 보기와 같이 동명사구를 찾아 밑줄을 치고 해석하시오.

보기 Singing is her favorite hobby.
→ 노래를 부르는 것은 그녀가 좋아하는 취미이다.

1 Writing essays is difficult.

→ ______________________ 어렵다.

2 Drinking a lot of water is good for health.

→ ______________________ 건강에 좋다.

3 Speaking in front of people makes me nervous.

→ ______________________ 나를 초조하게 만든다.

4 Living without a smartphone is impossible for me.

→ ______________________ 나에게 불가능하다.

5 Eating too many sweets is not good for your teeth.

→ ______________________ 당신의 치아에 좋지 않다.

Voca

nervous 초조해 하는
impossible 불가능한
sweet 단것

STEP 1 다음 우리말과 같은 뜻이 되도록 주어진 단어를 동명사로 바꿔 문장을 완성하시오.

Voca
dangerous 위험한
regularly 규칙적으로

1 밤늦게 외출하는 것은 위험하다. (go)

→ ______________ out late at night is dangerous.

2 외국으로 여행하는 것은 재미있다. (travel)

→ ______________ abroad is exciting.

3 규칙적으로 운동하는 것은 우리는 건강하게 만든다. (exercise)

→ ______________ regularly makes us healthy.

STEP 2 다음 보기에서 알맞은 동사를 골라 동명사로 바꿔 문장을 완성하시오.

Voca
wait in line 줄을 서서 기다리다
build 쌓다
vocabulary 어휘

보기	sell	wait	be	read

1 ______________ in line is boring.

2 ______________ good parents is not easy.

3 ______________ used cars is my uncle's job.

4 ______________ books helps build our vocabulary.

STEP 3 다음 밑줄 친 부분에 유의하여 두 문장의 의미가 통하도록 보기와 같이 바꿔 쓰시오.

Voca
cartoon 만화
invent 발명하다
meal 식사, 끼니
habit 습관
keep a diary 일기를 쓰다

> 보기 I ride a bicycle with my friends. It's my favorite activity.
> → Riding a bicycle with my friends is my favorite activity.

1 I draw cartoons when I have free time. It's my hobby.

→ ______________ is my hobby.

2 He wants to invent a flying car. It's his dream.

→ ______________ is his dream.

3 Brush your teeth after meals. It's a good habit.

→ ______________ is a good habit.

4 Keep a diary every day. It's a good way to practice writing.

→ ______________ is a good way to practice writing.

STEP 4 다음 우리말과 같은 뜻이 되도록 주어진 단어를 배열하여 문장을 완성하시오.

Voca
scare
겁주다, 겁먹게 하다

1 공기 없는 사는 것은 불가능하다. (without, impossible, living, air, is)

→ ______________________________

2 일찍 일어나는 것은 나에게 쉽지 않다. (getting up, not, is, early, easy, for me)

→ ______________________________

3 채소를 재배하는 것은 정말 재미있다. (great fun, vegetables, is, growing)

→ ______________________________

4 비행기를 타는 것은 나를 무섭게 만든다. (flying in, me, an airplane, scares)

→ ______________________________

5 일기를 쓰는 것은 하루를 마치는 좋은 방법이다. (a diary, a good way, is, writing, to end, a day)

→ ______________________________

6 인터넷으로 물건을 사는 것은 많은 시간을 아껴준다. (buying, on the Internet, saves, lots of time, things)

→ ______________________________

STEP 5 다음 우리말과 같은 뜻이 되도록 주어진 말을 이용하여 문장을 완성하시오.

Voca
excellent
훌륭한
goal
목표
relax
휴식을 취하다, 긴장을 풀다
crossword puzzle
십자말풀이

조건	동명사를 쓸 것

1 달리기는 좋은 운동이다. (run, excellent, exercise)

→ ______________________________

2 너를 보는 것은 나를 행복하게 만든다. (see, make)

→ ______________________________

3 연을 날리는 것은 정말 재미있다. (fly, a kite, a lot of fun)

→ ______________________________

4 운전하는 법을 배우는 것이 올해 내 목표이다. (how to drive, goal)

→ ______________________________

5 요가를 하는 것은 긴장을 푸는 좋은 방법이다. (do yoga, great, relax)

→ ______________________________

6 이 십자말풀이를 푸는 것은 나에게 어렵다. (solve, crossword puzzle)

→ ______________________________

Unit 02 동명사의 역할 : 보어

동명사는 '~하는 것(이다)'이라는 의미로 보어 역할을 할 수 있다.

Her dream is **being** a great cellist. 그녀의 꿈은 훌륭한 첼리스트가 되는 것이다.

One of my hobbies is **writing** poems. 내 취미 중 하나는 시를 쓰는 것이다.

Answers - p.45

Check-up 1 다음 밑줄 친 부분을 우리말로 해석하시오.

1 Her wish is having her own room.

→ 그녀의 소원은 ______________________ 이다.

2 My mom's hobby is painting pictures.

→ 우리 엄마의 취미는 ______________________ 이다.

3 Mary's dream is becoming a popular singer.

→ Mary의 꿈은 ______________________ 이다.

4 Ted's goal is reading all the books in the library.

→ Ted의 목표는 그 도서관에 있는 ______________________ 이다.

5 My New Year's plan is learning a foreign language.

→ 내 새해 계획은 ______________________ 이다.

6 His favorite thing is playing with his pet dogs.

→ 그가 좋아하는 것은 ______________________ 이다.

Voca
- own ~자신의
- popular 인기 있는
- foreign 외국의

Check-up 2 다음 괄호 안에서 가장 알맞은 것을 고르시오.

1 Harry's worst habit is (be / being) late.

2 The key to success is (work / working) hard.

3 My dream is (become / becoming) a math teacher.

4 Her favorite pastime is (watching / to watching) TV.

5 Our homework is (writing / to writing) a book report.

6 My job at home is (cleaning / to cleaning) the bathroom every day.

Voca
- worst 가장 나쁜
- key 열쇠; 비결
- pastime 취미
- book report 독후감

STEP 1 다음 주어진 단어를 동명사로 바꿔 문장을 완성하시오.

1 My greatest joy is ______________ my children grow. (see)

2 Ben's aim in life is ______________ a lot of money. (make)

3 One of my favorite activities is ______________ robots. (build)

4 My brother's hobby is ______________ action figures. (collect)

5 Their goal is ______________ a gold medal in the Olympics. (win)

Voca
aim 목적, 목표
activity 활동
action figure 액션 피겨(모형 장난감)

STEP 2 다음 우리말과 같은 뜻이 되도록 주어진 단어를 배열하여 문장을 완성하시오.

1 나의 목표는 이번 학기에 전 과목 A학점을 받는 것이다. (my goal, straight A's, getting, is)

→ ______________ this semester.

2 그녀의 어릴 적 꿈은 영화배우가 되는 것이었다. (being, was, dream, a movie star, her childhood)

→ ______________

3 그들의 주된 관심사는 다른 행성에서 생명체를 찾는 것이다. (their main interest, finding, is, life)

→ ______________ on other planets.

4 나의 취미 중 하나는 패션잡지를 읽는 것이다. (one of, is, reading, my hobbies, fashion magazines)

→ ______________

Voca
straight 똑바로, 곧장; 내리
main 가장 큰, 주된
interest 관심, 흥미
planet 행성

STEP 3 다음 우리말과 같은 뜻이 되도록 주어진 말을 이용하여 문장을 완성하시오.

조건 동명사를 쓸 것

1 그의 꿈은 대학에서 법을 공부하는 것이다. (dream, law)

→ ______________ at university.

2 내 여름 방학 계획은 스페인을 여행하는 것이다. (travel to Spain)

→ ______________

3 Annie의 꿈은 타임머신을 발명하는 것이다. (invent, a time machine)

→ ______________

4 그녀의 특별한 능력은 사람들을 웃게 만드는 것이다. (special talent, laugh)

→ ______________

Unit 03 동명사의 역할 : 목적어

동명사는 '~하는 것을'이라는 의미로 동사 또는 전치사의 목적어 역할을 할 수 있다.

❶ 동사의 목적어 역할

I enjoy **surfing** in summer time. 나는 여름에 서핑을 즐긴다.
She finished **writing** the report on time. 그녀는 제시간에 보고서 쓰는 것을 마쳤다.

❷ 전치사의 목적어 역할

Kate is very good at **cooking**. Kate는 요리를 매우 잘한다.
He left without **saying** goodbye. 그는 작별인사도 하지 않고 떠났다.

Answers - p.46

Check-up 1 다음 문장에서 목적어를 찾아 밑줄 치시오.

Voca
be famous for ~로 유명하다
go on a trip to ~로 여행가다

1 Kids like playing outside.

2 Thank you for coming.

3 I don't mind working at night.

4 Dolphins are famous for being clever.

5 She is interested in learning languages.

6 I'm so excited about going on a trip to Turkey.

Check-up 2 다음 우리말과 같은 뜻이 되도록 주어진 말을 이용하여 문장을 완성하시오.

Voca
fail 실패하다
be interested in ~에 관심이 있다

1 실패하는 것을 두려워하지 마. (fail)

→ Don't be afraid of ______________________.

2 Jacob은 아직 저녁을 다 먹지 않았다. (eat)

→ Jacob hasn't finished ______________________ his dinner yet.

3 나는 요리 수업을 받는 것을 생각하고 있다. (take)

→ I'm thinking about ______________________ a cooking class.

4 Ann은 새로운 것을 공부하는 것에 흥미가 있다. (study)

→ Ann is interested in ______________________ new things.

STEP 1 다음 보기에서 알맞은 말을 골라 빈칸에 적절한 형태로 써 넣으시오.

조건	play	smoke	lose	become

1 I never give up ____________ weight.

2 Sarah is good at ____________ golf.

3 Fred quit ____________ for his health.

4 She always dreams about ____________ a fashion model.

Voca
give up 포기하다
lose weight 살을 빼다
quit 그만두다
smoke (담배를) 피우다

STEP 2 다음 우리말과 같은 뜻이 되도록 주어진 단어를 배열하여 문장을 완성하시오.

1 Ben은 늦은 것에 대해 사과했다. (for, Ben, late, being, apologized)

→ ____________

2 아무것도 아닌 일로 너를 방해해서 미안해. (for, you, sorry, I'm, bothering)

→ ____________ for nothing.

3 우리 조부모님께서는 대도시에 사는 걸 싫어하신다. (my grandparents, a big city, living in, dislike)

→ ____________

4 그들은 자신들의 직업을 잃는 것에 대해 걱정하고 있다. (are, losing, they, worried about, their jobs)

→ ____________

Voca
apologize 사과하다
bother 신경 쓰이게 하다
dislike 싫어하다

STEP 3 다음 우리말과 같은 뜻이 되도록 주어진 말을 이용하여 문장을 완성하시오.

조건	1. 동명사를 쓸 것	2. 주어와 동사를 갖춘 완전한 문장으로 쓸 것

1 Christine은 망원경으로 별을 보는 것을 즐긴다. (look at)

→ ____________ through her telescope.

2 그들은 방과 후에 팀 프로젝트 하는 것을 끝냈다. (do, a team project)

→ ____________

3 그는 외국인 친구들을 사귀는 것에 관심이 있다. (interested in, making, foreign)

→ ____________

4 우리는 사적인 질문에 대답하는 것을 꺼리지 않는다. (answer, personal questions)

→ ____________

Voca
through ~을 통해
telescope 망원경
foreign 외국(인)의
personal 개인의, 개인적인

Unit 04 동명사 vs. to부정사

동사에 따라 동명사만을 목적어로 취하거나, to부정사만을 목적어로 취하는 경우가 있다.

동명사를 목적어로 취하는 동사	avoid, delay, deny, enjoy, finish, give up, keep, practice, put off, mind, quit, stop, suggest ...
to부정사를 목적어로 취하는 동사	agree, ask, choose, decide, expect, hope, learn, plan, promise, refuse, want, wish ...

She avoids **going** out when it rains. 그녀는 비가 내릴 때 외출하는 것을 피한다.
We delayed **telling** him the news. 우리는 그에게 진실을 전하는 것을 미뤘다.
Steve decided **to change** his job. Steve는 직업을 바꾸기로 결심했다.
I want **to buy** a brand-new smartphone. 나는 새 스마트폰을 사고 싶다.

Answers - p.47

Check-up 1 다음 괄호 안에서 가장 알맞은 것을 고르시오.

1 I want (to ask / asking) you something.

2 They gave up (to solve / solving) a Rubik's Cube.

3 Dad suggested (to go / going) on a picnic.

4 He agreed (to pay / paying) for the repairs.

5 You've avoided (to tell / telling) me your plan.

6 We've promised (to meet / meeting) each other again soon.

Voca
suggest 제안하다
picnic 소풍
agree 동의하다
avoid 피하다
promise 약속하다

Check-up 2 다음 주어진 말을 이용하여 문장을 완성하시오. (단, 동사에 유의할 것)

1 Jefferson chose ____________________ abroad. (work)

2 The boy denied ____________________ the money. (steal)

3 Tina kept ____________________ to me during the class. (talk)

4 The city has planned ____________________ a new school. (build)

5 Clare has decided ____________________ her own business. (start)

6 We hope ____________________ the British Museum someday. (visit)

Voca
choose 선택하다
deny 부정[부인]한다
business 사업, 장사
someday 언젠가

STEP 1 다음 보기에서 문맥에 맞는 알맞은 것을 골라 알맞은 형태로 바꿔 문장을 완성하시오.

보기	arrive	express	be	take

1 I wish ________________ my special thanks.

2 He expects ________________ here at about five.

3 We've just finished ________________ our final test.

4 Kelly enjoys ________________ alone. She never feels lonely.

Voca
express 표현하다
thanks 감사, 고마움
expect 기대하다, 예상하다

STEP 2 다음 문장에서 어법상 어색한 부분을 찾아 바르게 고치시오.

1 Will you stop stare at me? ____________ → ____________

2 He denied to break the window. ____________ → ____________

3 She asked speaking with the manager. ____________ → ____________

4 We put off to leave until tomorrow afternoon. ____________ → ____________

Voca
stare 응시하다, 노려보다
manager 관리인, 매니저
put off 미루다, 연기하다
until ~(할 때)까지

STEP 3 다음 밑줄 친 부분을 동명사 또는 to부정사로 바꾸어 문장을 완성하시오.

1 Brian didn't take my advice.

→ Brian refused ________________ my advice.

2 He hardly talks about his family.

→ He minds ________________ about his family.

3 The kids go to the zoo very often.

→ The kids enjoy ________________ to the zoo.

4 I have something to discuss with you.

→ I want ________________ something with you.

5 He always complains about everything.

→ He keeps ________________ about everything.

Voca
refuse 거절하다, 거부하다
hardly 거의 ~않는다
complain 불평하다

STEP 4 우리말과 같은 뜻이 되도록 주어진 단어를 배열하여 문장을 완성하시오.

1 Sarah는 중고차 사는 것을 선택했다. (chose, a used car, Sarah, to buy)

→ ______________________________

2 소금 좀 저에게 건네주시겠어요? (you, the salt, mind, would, me, passing)

→ ______________________________

3 Kevin은 그 녹색 완두콩들을 먹는 것을 끝냈다. (Kevin, eating, the green peas, finished)

→ ______________________________

4 Patty는 내 생일 파티에 오기로 약속했다. (promised, Patty, to my birthday party, to come)

→ ______________________________

5 그들은 자신들의 개를 찾는 것을 포기했다. (their dog, gave up, they, looking for)

→ ______________________________

6 우리는 다음 달에 다른 도시로 이사할 계획이다. (plan, to another city, we, to move, next month)

→ ______________________________

Voca
pea
완두콩

STEP 5 다음 우리말과 같은 뜻이 되도록 주어진 말을 이용하여 문장을 완성하시오.

조건	1. to부정사 또는 동명사를 쓸 것	2. 주어와 동사를 갖춘 완전한 문장으로 쓸 것

1 그는 자신의 나쁜 습관을 바꾸기로 결심했다. (decide, change)

→ ______________________________ his bad habit.

2 나는 여섯 살 때 자전거 타는 것을 배웠다. (learn, ride a bike)

→ ______________________________ at the age of six.

3 나는 잠을 자기 전에 커피 마시는 것을 피한다. (avoid, drink coffee)

→ ______________________________ before I go to bed.

4 그녀는 유럽을 두루 여행하길 희망한다. (hope, travel all over Europe)

→ ______________________________

5 Jess는 고등학교에서 역사를 가르치는 것을 그만두었다. (quit, teach, history)

→ ______________________________ in high school.

6 Barney는 자신의 과거에 대해 생각하는 것을 멈췄다. (stop, think about, his past)

→ ______________________________

Voca
decide
결심하다, 결정하다
age
나이, 연령
all over
곳곳에
quit
그만두다
past
과거

Unit 05 동명사와 to부정사를 목적어로 취하는 동사

동명사와 to부정사를 모두 목적어로 취하지만 의미 차이가 없는 동사가 있다.

begin, start, like, love, hate 등

My sister <u>loves</u> **watching[to watch]** old movies.
우리 언니는 고전 영화를 보는 것을 좋아한다.

The girls on the stage <u>started</u> **singing[to sing]**.
무대의 소녀들이 노래를 부르기 시작했다.

Tips

「stop+동명사(목적어)」는 '~하는 것을 멈추다'라는 의미이고, 「stop+to부정사」는 '~하기 위해서 멈추다'라는 의미이다. 이때, to부정사는 목적을 나타내는 부사적 용법이다.

Suddenly, she **stopped singing**.
갑자기 그녀는 노래하는 것을 멈췄다.

I **stopped to buy** some bread.
나는 빵을 좀 사려고 멈췄다.

동명사와 to부정사를 모두 목적어로 취하지만 의미 차이가 있는 동사가 있다.

remember+to부정사 ~(앞으로 해야 할 일을) 기억하다	remember+동명사 ~한 것을 기억하다(이미 했음)
forget+to부정사 ~할 것을 잊다(아직 하지 않음)	forget+동명사 ~한 것을 잊다(이미 했음)
try+to부정사 ~하려고 노력하다[애쓰다]	try+동명사 시험 삼아 (한번) ~하다

I **remember** <u>**living**</u> in Sydney when I was young. 나는 어렸을 때 시드니에 살았던 것을 기억한다.
Please **remember to** <u>**feed**</u> the dog. 개에게 먹이 줄 것을 기억해라.

Answers - p.48

Check-up 1 다음 밑줄 친 부분을 우리말로 옮기시오.

1 Please <u>remember to post</u> this letter.

→ 이 편지를 ______________________.

2 Nancy <u>forgot leaving</u> her purse at home.

→ Nancy는 집에 지갑을 ______________________.

3 They <u>tried to find</u> a solution to the problem.

→ 그들은 문제의 해결책을 ______________________.

Voca
post (우편물을) 발송하다
solution 해결책

Check-up 2 다음 괄호 안에 알맞은 것을 <u>모두</u> 고르시오.

1 We love (watching / to watch) comedy movies.

2 Stop (making / to make) noises. It's annoying.

3 My little sister began (learning / to learn) how to read.

4 Oh, it's beautiful here. Let's stop (taking / to take) some photos.

Voca
comedy 코미디, 희극
noise 소음
annoying 짜증나는, 성가신

STEP 1 다음 우리말과 같은 뜻이 되도록 주어진 말을 이용하여 문장을 완성하시오.

1 나는 너의 책을 갖다 주는 것을 잊어버렸어. (bring)

→ I forgot ________________ your book back.

2 그는 전에 이 박물관을 방문했던 것을 기억한다. (visit)

→ He remembers ________________ this museum before.

3 내 남동생은 초콜릿 먹는 것을 정말 좋아한다. (eat)

→ My little brother really likes ________________ chocolate.

Voca
visit 방문하다
museum 박물관

STEP 2 다음 두 문장이 같은 뜻이 되도록 빈칸에 알맞은 말을 쓰시오.

1 She hates getting up early in the morning.

= She hates ________________ up early in the morning.

2 He began to work as a cook three years ago.

= He began ________________ as a cook three years ago.

3 The girl started to cry when she saw her mother.

= The girl started ________________ when she saw her mother.

STEP 3 다음 두 문장의 의미가 통하도록 밑줄 친 말을 이용하여 빈칸에 알맞은 말을 쓰시오.

1 Don't bother me any more.

→ Stop ________________ me.

2 I forgot that I read that book before.

→ I forgot ________________ that book before.

3 We wanted to take a rest, so we stopped.

→ We stopped ________________ a rest.

4 I attempted to catch the bus, but I couldn't.

→ I tried ________________ the bus, but I couldn't.

5 Remember that you should pick up Jess from school.

→ Remember ________________ Jess from school.

Voca
bother 귀찮게 하다
any more 더 이상, 이제
take a rest 휴식을 취하다
attempt 시도하다, 애써 해보다
pick up (차에) 태우러 가다

STEP 4 다음 우리말과 같은 뜻이 되도록 주어진 단어를 배열하여 문장을 완성하시오.

Voca
painkiller 진통제

1 도착하면 나에게 전화하는 거 기억해. (to, call, remember, me)

→ ______________________________ when you arrive.

2 기차가 천천히 움직이기 시작했다. (began, slowly, to, move, the train)

→ ______________________________

3 나는 시험 삼아 진통제를 먹어 보았지만, 소용없었다. (a painkiller, I, taking, tried)

→ ______________________________, but it didn't help.

4 그들은 스포츠에 대해 이야기하는 것을 좋아한다. (love, about, they, talking, sports)

→ ______________________________

5 나는 작년에 그녀에게 돈을 빌렸던 것을 잊어버렸다. (forgot, money, I, borrowing, from her)

→ ______________________________ last year.

6 비가 내리기 시작하자 아이들은 축구를 하는 것을 멈췄다. (the kids, soccer, it, playing, stopped, to rain, started)

→ ______________________________ when ______________________________.

STEP 5 다음 우리말과 같은 뜻이 되도록 주어진 말을 이용하여 문장을 완성하시오.

Voca
pick up 사다
say hello (to) 인사하다

조건	1. to부정사/동명사를 쓸 것	2. 주어와 동사를 갖춘 완전한 문장으로 쓸 것

1 집에 오면서 우유 좀 사오는 걸 잊지 마. (forget, pick up)

→ ______________________________ on your way home.

2 Emily는 친구들에게 인사를 하려고 멈췄다. (stop, say hello)

→ ______________________________ to her friends.

3 내 남동생은 주말에 늦잠 자는 것을 좋아한다. (like, sleep late)

→ ______________________________ on weekends.

4 나는 여덟 살 때 하와이에 갔던 것을 기억한다. (remember, go to Hawaii)

→ ______________________________ when I was eight.

5 그녀는 공포 영화 보는 것을 싫어한다. (hate, watch, horror movies)

→ ______________________________

6 아빠가 그 컴퓨터를 고치려고 노력했지만, 고칠 수 없었다. (try, fix the computer)

→ ______________________________, but he couldn't.

Unit 06 꼭 암기해야 할 동명사의 관용 표현

동명사의 관용 표현

be busy -ing ~하느라 바쁘다	It is no use -ing ~해도 소용없다
feel like -ing ~하고 싶다	on -ing ~하자마자
how[what] about -ing ~하는 게 어때?	go -ing ~하러 가다
look forward to -ing ~을 기대하다	spend+시간[돈]+-ing ~하는 데 …을 소비하다
be worth -ing ~할 가치가 있다	be used to -ing ~에 익숙하다
cannot help -ing[cannot but 동사원형] ~하지 않을 수 없다	have difficulty[trouble/a hard time] (in) -ing ~하는 데 어려움을 겪다

She **is busy preparing** food for the guests. 그녀는 손님들을 위해 음식을 준비하느라 바쁘다.
I **feel like having** some ice cream. 나는 아이스크림을 먹고 싶다.
Would you like to **go camping** this Saturday? 이번 토요일에 캠핑갈래?
It's no use worrying about the exam results. 시험 결과 대해 걱정해도 소용없다.

Answers - p.50

Check-up 1 다음 밑줄 친 부분을 우리말로 해석하시오.

Voca
often 자주
amusement 재미, 놀이

1 I often go swimming in summer.
→ 나는 여름에 자주 ______________.

2 It's no use taking a taxi. We'll be too late.
→ 택시를 ______________. 우리는 너무 늦을 것이다.

3 I'm looking forward to visiting my uncle in London.
→ 나는 런던에 계신 삼촌을 ______________.

4 How about going to the amusement park tomorrow?
→ 내일 놀이공원에 ______________?

Check-up 2 다음 주어진 동사를 이용하여 문장을 완성하시오.

Voca
fall asleep 잠이 들다
whole 전부, 전체

1 On ______________ in her bed, she fell asleep. (lie)

2 Patrick often goes ______________ with his sons. (fish)

3 We are busy ______________ a birthday cake for Mom. (make)

4 They spent the whole day ______________ up the house. (clean)

STEP 1 다음 우리말과 같은 뜻이 되도록 주어진 말을 이용하여 문장을 완성하시오.

조건	동명사 관용 표현을 쓸 것

Voca
take a walk 산책하다
science report 과학 보고서
author 작가

1 그 새로운 미술관은 방문할 가치가 있다. (visit)

→ The new art gallery is ______________________.

2 나는 지금 누구와도 말하고 싶지 않다. (talk)

→ I don't ______________________ to anyone now.

3 저녁을 먹고 나서 산책을 가는 게 어때? (take)

→ ______________________ a walk after dinner?

4 그는 과학 보고서를 쓰는 데 어려움을 겪고 있다. (write)

→ He ______________________ his science report.

5 독자들은 그 작가의 새 책을 읽는 것을 기대한다. (read)

→ Readers ______________________ the author's new book.

STEP 2 다음 우리말과 같은 뜻이 되도록 주어진 단어를 배열하여 문장을 완성하시오.

1 Ed는 혼자 사는 것에 익숙하다. (Ed, living, alone, used to, is)

→ ______________________

2 그것을 숨기려고 해봐야 소용없다. (no use, to hide, it's, it, trying)

→ ______________________

3 방과 후에 축구를 하는 것이 어때? (playing, after school, what about, soccer)

→ ______________________

4 우리는 너를 다시 보기를 기대한다. (look forward to, you, we, again, seeing)

→ ______________________

5 나는 이름을 기억하는 데 어려움을 겪는다. (I, names, difficulty, remembering, have)

→ ______________________

6 그 학생들은 시험공부를 하느라 바쁘다. (the students, for the exam, busy, are, studying)

→ ______________________

단답형 & 서술형

Answers - p.50

[1-2] 다음 주어진 말을 이용하여 빈칸에 공통으로 들어갈 말을 쓰시오.

1
- ___________ breakfast every day is a good habit. (eat)
- People enjoy ___________ Italian food. (eat)

→ ___________________

2
- My dream is ___________ a fashion designer. (be)
- The girl is afraid of ___________ alone at home. (be)

→ ___________________

[3-5] 다음 주어진 말을 이용하여 빈칸에 알맞은 말을 쓰시오.

3
- We agreed ___________ at the train station. (meet)
- He is interested in ___________ foreign cultures. (learn)

4
- I want ___________ music at college. (study)
- Susan is busy ___________ her science project. (do)

5
- It's no use ___________ for him. He won't come here. (wait)
- I'm used to ___________ up late at night. (stay)

[6-7] 다음 우리말과 같은 뜻이 되도록 주어진 말을 이용하여 문장을 완성하시오.

6 나는 먹을 것을 좀 사려고 멈췄다. (buy)

→ I stopped ___________ something to eat.

7 그는 지난달에 그녀에게 돈을 빌려준 것을 잊고 있었다. (lend)

→ He forgot ___________ her money last month.

[8-10] 다음 대화에서 어법상 어색한 부분을 찾아 바르게 고치시오.

8
A Wow, your mother has lots of books.
B Yeah. Reading books are one of her hobbies.

___________ → ___________

9
A Do you mind to close the window?
B No. I don't mind at all.

___________ → ___________

10
A The weather is really nice. How about going on a picnic?
B Sorry. I don't feel like go out today.

___________ → ___________

[11-12] 다음 두 문장이 의미가 통하도록 빈칸에 알맞은 말을 쓰시오.

11 I paid a lot of money to buy a new computer.

→ I spent a lot of money ________________.

12 Remember that you should call me tomorrow.

→ Remember ________________ tomorrow.

[13-15] 다음 우리말과 같은 뜻이 되도록 주어진 말을 이용하여 문장을 완성하시오.

조건	1. 동명사를 이용할 것 2. 주어와 동사를 갖춘 완전한 문장으로 쓸 것

13 그녀의 직업은 아동 도서를 쓰는 것이다. (write, children's books)

→ ________________

14 우리는 주말에 도보여행 가는 것을 좋아한다. (like, go, hike)

→ ________________ on weekends.

15 경찰관을 보자마자, 그녀는 그에게서 도망가기 시작했다. (see, a police officer, start, run away)

→ ________________, ________________ from him.

[16-18] 다음 우리말과 같은 뜻이 되도록 주어진 단어를 배열하여 문장을 완성하시오.

16 보드 게임을 하는 것은 정말 재미있다. (is, playing, great fun, board games)

→ ________________

17 Peter는 치과에 가는 것을 싫어한다. (hates, to the dentist, Peter, going)

→ ________________

18 이 영화는 두 번 볼만한 가치가 있다. (twice, this movie, worth, is, watching)

→ ________________

[19-20] 다음 대화를 읽고, 물음에 답하시오.

A The copy machine has stopped ⓐ work. I don't know how ⓑ fix it.
B (A) 시험 삼아 전원 버튼을 한번 눌러봐.
A I already did it several times. It didn't help.
B Then, how about ⓒ ask Jim for help? He is pretty good at ⓓ fix things.
A I heard that he is busy ⓔ prepare for the exam these days.
B Then, let's just call a repairman.

19 윗글의 ⓐ ~ ⓔ를 어법에 맞게 고쳐 쓰시오.

ⓐ ________ ⓑ ________
ⓒ ________ ⓓ ________
ⓔ ________

20 밑줄 친 (A)를 주어진 말을 이용하여 영작하시오. (push, the power button)

→ ________________

Chapter 7

분사

Unit 01 현재분사

분사는 동사 본래의 의미를 가지면서 명사를 수식하거나 보어 역할을 하며, 동사구에서 쓰이기도 한다.

현재분사는 「동사원형+-ing」의 형태로 능동과 진행의 의미를 나타낸다.

It is a really **boring** movie. (능동) 그것은 정말 지루한 영화이다.

Do you know that **crying** boy? (진행) 너는 울고 있는 저 소년을 아니?

현재분사의 역할

명사 수식	※ 현재분사는 단독으로 쓸 때 명사 앞에서, 수식어와 함께 쓸 때는 명사 뒤에서 명사를 수식한다. I heard an **interesting** story from Miranda. 나는 Miranda에게 재미있는 이야기를 들었다. The boy **sitting on the bench** is my twin brother. 벤치에 앉아 있는 소년이 내 쌍둥이 오빠이다.
보어 역할	Dad was sitting **watching** the TV news. 아빠는 TV를 보면서 앉아 있었다. (주격보어: Dad → Watching) I saw her **playing** the piano. 나는 그녀가 피아노를 연주하는 것을 보았다. (목적격보어: her → playing)
진행형	They are **dancing** to the music. 그들은 음악에 맞춰 춤을 추고 있다. (현재진행: am/are/is+-ing) He was **having** dinner at that time. 그는 그때 저녁을 먹고 있었다. (과거진행: was/were+-ing)

Answers - p.52

Check-up 1 다음 문장에서 분사를 찾아 밑줄 치시오.

1 He looked at the sleeping baby.

2 Look at the girls dancing on the stage.

3 Brian saw her singing a song.

4 Ben is reading a comic book.

Voca
stage 무대

Check-up 2 다음 밑줄 친 부분을 우리말로 옮기시오.

1 The barking dog looks scary.

→ ______________________ 개가 무서워 보인다.

2 He took some pictures of flying birds.

→ 그는 ______________________ 새들의 사진을 찍었다.

3 Who is the boy talking to the teacher?

→ 선생님과 ______________________ 소년은 누구니?

4 I heard someone calling my name.

→ 나는 누군가가 내 이름을 ______________________ 것을 들었다.

Voca
bark 짖다
take a picture 사진을 찍다

STEP 1 다음 주어진 단어를 알맞은 현재분사 형태로 바꿔 문장을 완성하시오.

1 He watched Mary ____________ at me. (smile)

2 Rachel is a very ____________ woman. (charm)

3 The little boy ____________ on the swing is Jacob. (play)

4 She kept him ____________ for thirty minutes. (wait)

5 James was ____________ the grass in the garden. (cut)

Voca
charm 매혹하다
swing 그네
grass 풀, 잔디

STEP 2 다음 밑줄 친 부분을 어법에 맞게 고쳐 쓰시오.

1 She was lying <u>look</u> up at the clouds. → ____________

2 I can smell something <u>to burning</u>. → ____________

3 What is the title of the <u>bored</u> movie? → ____________

4 My brother was scared of the <u>roar</u> lion. → ____________

5 Dan is next to the boy <u>worn</u> the black T-shirt. → ____________

Voca
lie 눕다
burn 타다
title 제목
be scared of ~을 두려워하다
roar 으르렁거리다

STEP 3 다음 보기와 같이 두 문장을 현재분사를 이용하여 한 문장으로 연결하시오.

보기 This is a <u>story</u>. It is interesting.
→This is <u>an interesting story</u>.

1 The lake is full of <u>fish</u>. The fish are <u>swimming</u>.

→ The lake is full of ________________________.

2 My neighbor saw <u>Andrew</u>. He was <u>running for the bus</u>.

→ My neighbor saw Andrew ________________________.

3 We were looking at <u>the lights of the city</u>. The lights were <u>twinkling</u>.

→ We were looking at ________________________.

4 I took some pictures of <u>the people</u>. They were <u>wearing Halloween costumes</u>.

→ I took some pictures of ________________________.

Voca
twinkle 반짝이다
costume 의상, 의복

STEP 4 다음 우리말과 같은 뜻이 되도록 주어진 단어를 배열하여 문장을 완성하시오.

Voca
rise
뜨다
leave for
~로 떠나다

1 우리는 오늘 아침 해가 뜨는 것을 보았다. (saw, rising, Sun, we, the)

→ ______________________________ this morning.

2 자고 있는 아기를 깨우지 마라. (the, wake, sleeping, don't, baby)

→ ______________________________

3 그가 집으로 뛰어 들어왔다. (came, he, into, running, the house)

→ ______________________________

4 Ted는 공원에서 자전거를 타고 있다. (is, in the park, riding, Ted, a bike)

→ ______________________________

5 10시에 런던으로 떠나는 열차가 있다. (a train, leaving for, is, London, there)

→ ______________________________ at ten.

6 나는 그가 바닥에 누워 있는 것을 발견했다. (on the floor, lying, I, him, found)

→ ______________________________

STEP 5 다음 우리말과 같은 뜻이 되도록 주어진 말을 이용하여 문장을 완성하시오.

Voca
wave
(손, 팔을) 흔들다
tulip
튤립
daughter
딸
cousin
사촌

보기	1. 현재분사를 쓸 것	2. 주어와 동사를 갖춘 완전한 문장으로 쓸 것

1 그 이야기는 흥미로웠다. (interest)

→ ______________________________

2 Kate는 빗속을 걷고 있다. (walk, in the rain)

→ ______________________________

3 그들은 손을 흔들며 서 있었다. (stand, wave, their hands)

→ ______________________________

4 튤립을 사고 있는 남자가 Max이다. (the man, buy, tulips)

→ ______________________________

5 그녀는 자신의 딸이 크게 우는 것을 들었다. (hear, cry, loudly)

→ ______________________________

6 수영장에서 수영하고 있는 아이들이 내 사촌들이다. (the kids, swim, in the pool)

→ ______________________________

Unit 02 과거분사

과거분사는 「동사원형+-ed」의 형태로 수동과 완료의 의미를 나타낸다.

Be careful with the **broken** vase. (수동) 깨진 꽃병을 조심해.

He is lying on the **fallen** leaves. (완료) 그는 낙엽 위에 누워 있다.

과거분사의 역할

명사 수식	※ 과거분사는 단독으로 쓸 때 명사 앞에서, 수식어와 함께 쓸 때는 명사 뒤에서 명사를 수식한다. They found the **hidden** treasure. 그들은 숨겨진 보물을 찾았다. She has a cat **called** Kiki. 그녀는 Kiki라고 불리는 고양이가 한 마리 있다.
보어 역할	They remained **seated** in silence. 그들은 아무 말도 하지 않고 앉아 있었다. (주격보어: They → seated) I had my hair **cut** yesterday. 나는 어제 내 머리를 잘랐다. (목적격보어: my hair → cut)
현재완료	They have just **painted** the house. 그들은 이제 막 그 집을 페인트칠했다. (have/has + p.p.)
수동태	The bridge was **built** in 2010. 그 다리는 2010년에 건설되었다. (be + p.p.)

Answers - p.53

Check-up 1 다음 밑줄 친 부분의 의미로 알맞은 것을 고르시오.

1 The language spoken in Chile is Spanish. (말해지는 / 말하고 있는)

→ The man speaking with her is not her teacher. (말해지는 / 말하고 있는)

2 He stared at his burnt house. (불타버린 / 불타고 있는)

→ He saved a boy from the burning house. (불타버린 / 불타고 있는)

3 I was sitting listening to the falling rain. (떨어진 / 떨어지는)

→ The rock fallen from the cliff blocked the road. (떨어진 / 떨어지는)

Voca
language 언어
Chile 칠레
burn 불타다
rock 바위
cliff 절벽
block 막다, 차단하다

Check-up 2 다음 우리말과 같은 뜻이 되도록 주어진 말을 이용하여 문장을 완성하시오.

1 그 서점은 영어로 쓰인 책만을 판매한다. (write)

→ The store only sells books ________________ in English.

2 그녀는 그 사고에서 부상을 입었다. (injure)

→ She got ________________ in the accident.

3 그는 수리공이 자신의 차를 수리하도록 했다. (fix)

→ He had his car ________________ by the mechanic.

Voca
injure 부상을 입히다[입다]
accident 사고
mechanic 수리공

STEP 1 다음 괄호 안에서 가장 알맞은 것을 고르시오.

1 Charlie got his hair (perming / permed).

2 The girl is (loving / loved) by everyone.

3 I was standing (looked / looking) at my children.

4 He saw the picture (drawing / drawn) by his son.

5 There are students (running / run) in the classroom.

STEP 2 다음 밑줄 친 부분을 어법에 맞게 고쳐 쓰시오.

1 The books are lying cover in dust. → ____________

2 It's not easy for me to peel boil eggs. → ____________

3 She felt something touched her hand. → ____________

4 I found the street crowding with people. → ____________

5 The story is about a boy naming Jacob and his dog. → ____________

Voca
lie 놓여 있다
dust 먼지
peel 껍질을 벗기다
boil 삶다
touch 만지다, 건드리다
crowd (장소를) 가득 메우다
name 이름을 지어주다

STEP 3 다음 주어진 분사(구)가 밑줄 친 단어를 수식하도록 문장을 다시 쓰시오.

조건 주어와 동사를 갖춘 완전한 문장으로 쓸 것

1 They live in the house. (painted white)

→ ____________

2 We stayed at a hotel. (built by the sea)

→ ____________

3 The police found the car. (stolen)

→ ____________

4 I cut my finger with the mirror. (broken)

→ ____________

5 Sue bought a leather bag. (made in Italy)

→ ____________

Voca
stolen 도난당한
mirror 거울
leather 가죽

STEP 4 다음 우리말과 같은 뜻이 되도록 주어진 단어를 배열하여 문장을 완성하시오.

1 그 문은 일 년 동안 잠겨 있었다. (locked, the door, remained)

→ ______________________________ for a year.

2 내 컴퓨터는 Mike에 의해 수리되었다. (was, my computer, Mike, by, repaired)

→ ______________________________

3 Walter는 그 일을 하지 않은 채 내버려두었다. (the work, left, Walter, undone)

→ ______________________________

4 나는 점심으로 햄버거와 튀긴 감자를 먹었다. (I, fried, and, a hamburger, potatoes, ate)

→ ______________________________ for lunch.

5 그녀는 나무로 만들어진 장난감 자동차를 샀다. (a toy car, bought, made of, she, wood)

→ ______________________________

6 부상을 당한 사람들이 병원으로 이송되었다. (carried, to the hospital, people, were, injured, the)

→ ______________________________

Voca

remain
계속 ~이다, 남다

leave
(어떤 상태, 장소에) 그대로 두다

undone
(일이) 끝나지 않은

wood
나무

STEP 5 다음 우리말과 같은 뜻이 되도록 주어진 말을 이용하여 문장을 완성하시오.

조건	1. 과거분사를 쓸 것	2. 주어와 동사를 갖춘 완전한 문장으로 쓸 것

1 Mary는 그 안경을 2년째 쓰고 있다. (wear, the glasses)

→ ______________________________

2 나는 할머니의 건강이 걱정되었다. (become, worry about, health)

→ ______________________________

3 과테말라에서 재배된 커피가 맛이 좋다. (grow, in Guatemala, taste)

→ ______________________________

4 그 소녀는 책으로 가득 찬 가방을 들고 메고 있다. (carry, fill with)

→ ______________________________

5 나의 부모님은 Jamie가 보낸 편지를 아직 열어보지 않았다. (open, the letter, send)

→ ______________________________ yet.

6 Sandra가 나에게 발리에서 찍은 사진을 몇 장 보여주었다. (some photos, take)

→ ______________________________ in Bali.

Unit 03 감정을 나타내는 분사

명사가 감정을 느끼게 할 때는 현재분사를, 명사가 감정을 느낄 때는 과거분사를 쓴다.

amazing 놀라운	amazed 놀란	pleasing 기쁘게 하는	pleased 기쁜
boring 지루하게 하는	bored 지루해하는	surprising 놀라운	surprised 놀란
exciting 신나게 하는, 흥분되게 하는	excited 신난, 흥분한	shocking 충격적인	shocked 충격 받은
interesting 흥미로운	interested 흥미를 느낀	satisfying 만족을 주는	satisfied 만족한
disappointing 실망시키는	disappointed 실망한	tiring 지치게 하는	tired 지친

I heard the **surprising** news from Peter. 나는 Peter에게 그 놀라운 소식을 들었다.

She was **surprised** to see him there. 그녀는 거기에서 그를 봐서 놀랐다.

Answers - p.54

Check-up 1 다음 우리말과 같은 뜻이 되도록 괄호 안에서 가장 알맞은 것을 고르시오.

Voca
pay well 후하게 지불하다
skill 실력, 기술

1 롤러코스터를 타는 것은 언제나 흥미진진하다.

→ Riding a roller coaster is always (exciting / excited).

2 내 시험 결과가 실망스러웠다.

→ My test result was (disappointing / disappointed).

3 그 일은 힘들지만, 보수가 후하다.

→ The job is (tiring / tired), but it pays well.

4 그녀는 내 영어 실력에 놀랐다.

→ She was (amazed / amazing) at my English skills.

Check-up 2 다음 우리말과 같은 뜻이 되도록 주어진 말을 이용하여 문장을 완성하시오.

Voca
gift 선물
all day 온종일

1 우리 엄마는 종종 우리에게 재미있는 이야기를 해준다. (interest)

→ My mom often tells ______________ stories to us.

2 아이들은 크리스마스 선물로 기뻐하고 있다. (please)

→ The kids are very ______________ with their Christmas gifts.

3 어젯밤 우리에게 놀라운 일이 일어났다. (surprise)

→ ______________ things happened to us last night.

4 나는 온종일 일했더니 정말 피곤하다. (tire)

→ I'm very ______________ from working all day.

STEP 1 다음 주어진 말을 이용하여 문장을 완성하시오.

1 It was a long and ____________ flight. (bore)

2 I'm ____________ to see you again. (please)

3 We got a ____________ answer from the manager. (satisfy)

4 The audience was ____________ at their performance. (disappoint)

Voca
bore 지루하게 하다
flight 비행
manager 매니저
audience 관객
performance 공연
disappoint 실망시키다

STEP 2 다음 우리말과 같은 뜻이 되도록 주어진 단어를 배열하여 문장을 완성하시오.

1 그의 노래들은 듣기에 즐겁다. (songs, to the ear, his, pleasing, are)

→ ____________________

2 모두가 그 결과에 놀랐다. (was, at, surprised, everybody, the results)

→ ____________________

3 나는 사고 현장을 보고 충격을 받았다. (was, to, see, shocked, I, the accident scene)

→ ____________________

4 그 학생들은 그의 긴 설교에 지루해졌다. (became, with, his long lecture, the students, bored)

→ ____________________

Voca
scene 현장; 장면
lecture 설교, 강의

STEP 3 다음 우리말과 같은 뜻이 되도록 주어진 말을 이용하여 문장을 완성하시오.

조건	1. 동사의 형태에 유의할 것	2. 주어와 동사를 갖춘 완전한 문장으로 쓸 것

1 그 식당의 음식은 실망스러웠다. (the food, at, disappoint)

→ ____________________

2 나는 Smith 씨에 대한 놀라운 이야기를 들었다. (hear, surprise, Mr. Smith)

→ ____________________

3 Jennifer는 교사로서의 자기 직업에 만족한다. (satisfy, with)

→ ____________________

4 Jean은 이야기를 나누기에 흥미로운 사람이다. (interest, person, talk to)

→ ____________________

Voca
talk to ~와 이야기하다

Unit 04 현재분사 vs. 동명사

「동사원형+-ing」로 형태가 같지만, 현재분사는 명사를 수식하거나 진행의 의미를 나타내고, 동명사는 문장에서 보어로 쓰이거나 용도·목적을 나타낸다.

	현재분사	동명사
「-ing+명사」	※ '~하고 있는'이라는 의미로 명사를 수식해서 명사의 상태나 동작을 나타냄 a **swimming** boy 수영하는 소년 (a boy who is swimming) a **sleeping** baby 잠을 자고 있는 아기 (a baby who is sleeping)	※ '~하기 위한'이라는 의미로 뒤에 나오는 명사의 용도나 목적을 나타냄 a **swimming** pool 수영장 (a pool for swimming) a **sleeping** bag 침낭 (a bag for sleeping)
「be동사+-ing」	※ 현재진행형 He is **playing** baseball with his friends. 그는 친구들과 야구를 하고 있다.	※ 주격보어 역할 His hobby is **playing** baseball. 그의 취미는 야구를 하는 것이다.
주어	—	**Getting** up early is a good habit. 아침 일찍 일어나는 것은 좋은 습관이다.
목적어	—	We like **dancing** to the music. 우리는 음악에 맞춰 춤추는 것을 좋아한다. I'm interested in **learning** ballet. 나는 발레를 배우는 것에 관심이 있다.
목적격보어	We heard children **singing** carols. 우리는 아이들이 캐럴을 부르고 있는 것을 들었다.	—

Answers - p.55

Check-up 1 다음 밑줄 친 부분의 쓰임으로 알맞은 것을 고르시오.

1 Greg put dirty clothes into the washing machine. (동명사 / 현재분사)

The boy washing his hands is my nephew. (동명사 / 현재분사)

2 The kids are selling homemade cupcakes. (동명사 / 현재분사)

Her job is selling women's accessories. (동명사 / 현재분사)

Voca
nephew (남자)조카
homemade 집에서 만든
cupcake 컵케이크
accessory 액세서리

Check-up 2 다음 밑줄 친 부분의 의미로 알맞은 것을 고르시오.

1 There is a man waiting for you. (기다리고 있는 / 기다리기 위한)

2 Is there a smoking room in this building? (흡연하고 있는 / 흡연하기 위한)

3 Children swimming in the lake are having fun. (수영하고 있는 / 수영하기 위한)

4 They need to buy new sleeping bags for camping. (잠을 자고 있는 / 잠을 자기 위한)

STEP 1 다음 우리말과 같은 뜻이 되도록 주어진 말을 이용하여 문장을 완성하시오.

1 그 소녀는 무용화를 신고 있다. (dance)

→ The girl is wearing ________________ shoes.

2 그들은 거실에서 TV를 보고 있다. (live)

→ They are watching TV in the ________________ room.

3 너는 흐르는 물에 손을 씻어야 한다. (run)

→ You should wash your hands under ________________ water.

STEP 2 다음 우리말과 같은 뜻이 되도록 주어진 단어를 배열하여 문장을 완성하시오.

Voca
fitting room 탈의실
right 바로
pack 꾸리다, 챙기다
the Arctic 북극

1 탈의실은 바로 저쪽에 있습니다. (the, right, is, room, fitting, over there)

→ ____

2 그들은 캠핑을 가려고 짐을 싸고 있다. (packing, their, they, camping trip, are, for)

→ ____

3 북극곰은 북극에 사는 동물이다. (an animal, is, living, a polar bear, in the Arctic)

→ ____

4 내가 가장 좋아하는 활동은 바다에서 수영하는 것이다. (swimming, is, my, activity, favorite, in the sea)

→ ____

STEP 3 다음 우리말과 같은 뜻이 되도록 주어진 말을 이용하여 문장을 완성하시오.

Voca
smoke 흡연하다
change into ~로 갈아입다

조건	1. 현재분사나 동명사를 쓸 것	2. 주어와 동사를 갖춘 완전한 문장으로 쓸 것

1 저기 너에게 미소 짓고 있는 남자가 누구니? (smile at, over there)

→ ____

2 나는 건물 안에서 담배를 피우는 한 남자를 봤다. (smoke, inside)

→ ____

3 우리는 우리의 수영복으로 갈아입어야 한다. (should, change into, swim, suits)

→ ____

4 우리 할아버지께서는 지팡이 없이는 걸으실 수 없다. (a, walk, stick)

→ ____

Unit 05 분사구문

분사구문은 「접속사+주어+동사」 형태의 부사절을 분사를 이용하여 줄여 쓴 구문이다.

분사구문은 ① 접속사를 없애고, ② 주절과 부사절의 주어가 같은 경우 부사절의 주어를 없앤 뒤, ③ 부사절의 동사를 -ing 형태로 바꾼다.

①When ②she ③saw me, she said hello to me. 그녀가 나를 보았을 때 나에게 인사했다.
→ **Seeing me**, she said hello to me. (때)

Because I was sick, I didn't go to school. 나는 아파서 학교에 가지 않았다.
→ **(Being) Sick**, I didn't go to school. (이유)
※ 분사구문에서 being은 생략할 수 있다.

If you turn right, you'll see the post office. 오른쪽으로 돌아가면 우체국이 보일 겁니다.
→ **Turning** right, you'll see the post office. (조건)

Tips

부사절을 이끄는 접속사

시간, 때	when, as, after, while
이유, 원인	because, as, since
조건, 양보	if, though, although
동시동작	as, and

Answers - p.56

Check-up 1 다음 문장의 밑줄 친 부분을 우리말로 해석하시오.

Voca
exercise 운동하다
regularly 규칙적으로
fall asleep 잠들다

1 Walking on the street, I saw Irene.

→ ______________________ 나는 Irene를 보았다.

2 Having no money, he couldn't buy anything.

→ ______________________, 그는 어떤 것도 살 수 없었다.

3 Exercising regularly, you will be healthy.

→ ______________________ 너는 건강해질 것이다.

4 Watching the movie, I fell asleep.

→ ______________________ 나는 잠이 들었다.

Check-up 2 다음 괄호 안에서 가장 알맞은 것을 고르시오.

Voca
shout 소리치다, 외치다
thick 두꺼운, 두툼한

1 (Hear / Hearing) the news, he shouted with joy.

2 (Wore / Wearing) a thick coat, she still feels cold.

3 (Be busy / Being busy), I couldn't go to the party.

4 (Taking / Taken) a taxi, you can get there in 10 minutes.

STEP 1 다음 우리말과 같은 뜻이 되도록 주어진 말을 이용하여 분사구문을 완성하시오.

1 최선을 다했지만, 나는 상을 타지 못했다. (try)

→ ____________________ my best, I couldn't win the prize.

2 일찍 일어나면 해돋이를 볼 수 있을 것이다. (get up)

→ ____________________ early, you can see the sunrise.

3 그는 배가 매우 고파서 두 개의 햄버거를 주문했다. (be hungry)

→ ____________________ very hungry, he ordered two burgers.

Voca
try one's best 최선을 다하다
sunrise 해돋이

STEP 2 다음 밑줄 친 부분을 분사구문으로 고쳐 쓰시오.

1 Even though he eats a lot, he is slim.

→ ____________________, he is slim.

2 Because I had a stomachache, I didn't eat anything.

→ ____________________, I didn't eat anything.

3 While I was waiting for her, I did a crossword puzzle.

→ ____________________, I did a crossword puzzle.

Voca
slim 날씬한
stomachache 복통
wait for ~을 기다리다
crossword puzzle 십자말풀이

STEP 3 두 문장의 의미가 통하도록 접속사와 주어진 말을 이용하여 문장을 완성하시오.

조건 「접속사+주어+동사」의 형태로 쓸 것

1 Being very old, she is still very healthy. (although)

→ ____________________, she is still very healthy.

2 Feeling depressed, I stayed at home all day. (because)

→ ____________________, I stayed at home all day.

3 Having an early dinner, we went out for a walk. (after)

→ ____________________, we went out for a walk.

4 Taking this bus, you will get to the National Museum. (if)

→ ____________________, you will get to the National Museum.

Voca
depressed 우울한
get to ~에 도착하다

STEP 4 다음 우리말과 같은 뜻이 되도록 분사구문과 주어진 말을 이용하여 문장을 완성하시오.

1 그녀는 가족이 보고 싶어서 눈물을 흘렸다. (miss her family)

→ ____________________, she shed tears.

2 돈이 없어서 나는 쇼핑하러 갈 수 없었다. (have no money)

→ ____________________, I couldn't go shopping.

3 공항에 도착했을 때 나는 부모님께 전화를 드렸다. (arrive at the airport)

→ ____________________, I called my parents.

4 그는 가난하지만, 항상 어려운 사람들을 돕는다. (be poor)

→ ____________________, he always helps people in need.

5 잔디에 누워서 그녀는 하늘을 바라보았다. (lie on the grass)

→ ____________________, she was looking at the sky.

6 열심히 공부하면 너는 그 시험에 통과할 수 있을 것이다. (study hard)

→ ____________________, you will be able to pass the test.

Voca
shed (눈물을) 흘리다
tear 눈물
in need 어려움에 처한

STEP 5 다음 우리말과 같은 뜻이 되도록 주어진 단어를 바르게 배열하여 문장을 완성하시오.

조건 분사구문으로 시작할 것

1 할 일이 없어서 우리는 심심했다. (felt, to do, we, nothing, bored, having)

→ ____________________

2 그는 내 이름을 부르면서 문을 열었다. (the door, he, my name, calling, opened)

→ ____________________

3 길을 건널 때 그는 양쪽을 살폈다. (both, he, the street, ways, looked, crossing)

→ ____________________

4 혼자 살지만, 그녀는 외로움을 느끼지 않는다. (alone, she, lonely, living, feel, doesn't)

→ ____________________

5 그 소식에 충격을 받고, 그는 말문이 막혔다. (being, at the news, speechless, shocked, became, he)

→ ____________________

6 모퉁이에서 왼쪽으로 돌면 버스정류장이 보일 것이다. (the bus stop, left, you, turning, can, at the corner, see)

→ ____________________

Voca
cross 건너다
both 둘 다(의)
speechless 말을 못하는
corner 모퉁이, 구석

단답형 & 서술형

Answers - p.57

[1-3] 다음 주어진 말을 이용하여 빈칸에 알맞은 말을 쓰시오.

1
- She was sitting ________ to her teacher. (talk)
- They became ________ with the result. (satisfy)

2
- Silvia picked up a ________ leaf on the ground. (fall)
- I saw a strange man ________ at the door. (stand)

3
- We were ________ to see something in the dark. (shock)
- Paris is an ________ city to visit. (amaze)

[4-5] 다음 빈칸에 공통으로 들어갈 말을 쓰시오.

4
- 그는 어항에서 헤엄치고 있는 물고기를 보고 있다.
  → He is watching a(n) ________ fish in the fishbowl.
- 근처에 수영장이 하나 있다.
  → There is a(n) ________ pool nearby.

→ ________

5
- 나는 내 양말들을 세탁기 안에 넣었다.
  → I put my socks into the ________ machine.
- 그의 직업은 식당에서 설거지를 하는 것이다.
  → His job is ________ dishes at the restaurant.

→ ________

[6-7] 다음 주어진 말을 이용하여 대화를 완성하시오.

6
A What happened to your hand?

B I got a cut from the ________ glass. (break)

7
A You look very ________. (excite) What's up?

B I'm going on a trip to Guam tomorrow.

[8-10] 다음 밑줄 친 부분을 바르게 고치시오.

8
It was a long and ⓐ tire day for her. ⓑ Got home, she went straight to bed.

ⓐ ________ ⓑ ________

9
ⓐ Be so popular, he is always ⓑ surrounding by his fans.

ⓐ ________ ⓑ ________

10
Tony is a very ⓐ interested man to talk to. I'm always ⓑ pleasing to see him.

ⓐ ________ ⓑ ________

[11-12] 다음 밑줄 부분을 분사구문으로 바꿔 쓰시오.

11 As I was walking down the stairs, I slipped and fell.

→ ______________________________

12 Though he is short, he is an excellent basketball player.

→ ______________________________

[13-14] 다음 문장의 의미가 통하도록 빈칸에 알맞은 말을 쓰시오.

조건 1. 주어진 접속사를 이용할 것
2. 「접속사+주어+동사」의 형태로 쓸 것

13 Feeling sick, I left work early.

→ ______________________, I left work early.

14 Taking the subway, you will get there sooner.

→ ______________________, you will get there sooner.

[15-17] 다음 우리말과 같은 뜻이 되도록 주어진 말을 이용하여 문장을 완성하시오.

조건 1. 현재분사 또는 과거분사를 이용할 것
2. 주어와 동사를 갖춘 완전한 문장으로 쓸 것

15 나는 그 아이들이 무대에서 춤을 추는 것을 보았다.
(see, dance)

→ ______________________ on the stage.

16 나는 나의 선생님으로부터 그 놀라운 소식을 들었다.
(hear, surprise)

→ ______________________ from my teacher.

17 그들은 금화가 가득한 상자를 찾았다.
(fill, with gold coins)

→ They found a box ______________.

[18-20] 다음 우리말과 같은 뜻이 되도록 주어진 단어를 배열하여 문장을 완성하시오.

18 긴 원피스를 입고 있는 숙녀가 우리 이모다.
(the, lady, a long dress, is, wearing, aunt, my)

→ ______________________________

19 파란색으로 칠해진 집이 Alex의 집이다.
(the house, is, in blue, Alex's, house, painted)

→ ______________________________

20 그녀는 친절해서 모든 사람들에게 사랑을 받는다.
(friendly, loved, she, being, everybody, by, is)

→ ______________________________

통문장
암기 훈련
워크북

Chapter 1

Unit 01 현재시제

※ 다음 우리말을 주어진 말을 이용하여 조건에 맞춰 영어로 옮기시오.

조건	1. 현재시제를 쓸 것	2. 주어의 인칭과 수에 유의할 것

1 그들은 귀여운 새끼 고양이 한 마리를 기른다. (have)

→ ______________________________

2 너의 계획은 완벽한 것처럼 들린다. (sound)

→ ______________________________

3 나는 지금 정말 피곤하다. (feel, very)

→ ______________________________

4 그는 매일 아침 한 잔의 우유를 마신다. (drink, in, every)

→ ______________________________

5 우리는 한 달에 한 번 영화를 보러 간다. (go to the movies)

→ ______________________________

6 템스 강은 런던을 통해 흐른다. (the River Thames, run)

→ ______________________________

7 물은 섭씨 0도에서 언다. (freeze, degrees, Centigrade)

→ ______________________________

8 크리스마스 연휴가 12월 24일에 시작된다. (Christmas holidays, start)

→ ______________________________

9 우리는 내일 아침 시애틀로 떠난다. (leave for, Seattle)

→ ______________________________

10 George는 가족과 많은 시간을 보낸다. (spend, lots of)

→ ______________________________

동사의 현재형 변화

※ 다음 우리말을 주어진 말을 이용하여 조건에 맞춰 영어로 옮기시오.

조건	1. 현재시제를 쓸 것	2. 주어의 인칭과 수에 유의할 것

1 나는 딸기 아이스크림을 좋아한다. (like)

→ ______________________________

2 우리는 정원이 있는 큰 집에 산다. (live, big)

→ ______________________________

3 그녀는 장난감 회사에서 근무한다. (work for)

→ ______________________________

4 Harry는 매일 농구를 연습한다. (practice)

→ ______________________________

5 그는 매주 일요일마다 세차를 한다. (wash, every)

→ ______________________________

6 Dave는 저녁 식사 후 한 시간 동안 TV를 본다. (watch)

→ ______________________________

7 Kevin은 하루에 세 번 이를 닦는다. (brush, time)

→ ______________________________

8 그는 대학에서 음악을 공부한다. (study, college)

→ ______________________________

9 그 아기는 늘 운다. (cry, all)

→ ______________________________

10 그녀는 친구가 많이 있다. (have, a lot of)

→ ______________________________

Chapter 1

Unit 03 과거시제

※ 다음 우리말을 주어진 말을 이용하여 조건에 맞춰 영어로 옮기시오.

조건	1. 과거시제를 쓸 것	2. 불규칙 동사에 유의할 것

1 비가 한 시간 전에 멈췄다. (stop)

→ ______________________________

2 Susan은 작년에 대학에 들어갔다. (enter, a university)

→ ______________________________

3 Sam은 어렸을 때 시골에서 살았다. (live, country, young)

→ ______________________________

4 Irene이 파티에 쿠키를 좀 가져왔다. (bring, some)

→ ______________________________

5 그는 작년에 한 시간에 8달러씩 벌었다. (earn, $8)

→ ______________________________

6 타이타닉 호는 1912년에 가라앉았다. (the Titanic, sink)

→ ______________________________

7 Edison이 전구를 발명했다. (invent, bulb)

→ ______________________________

8 Leonardo da Vinci는 1506년에 모나리자를 그렸다. (paint, the *Mona Lisa*)

→ ______________________________

9 Shakespeare는 많은 훌륭한 희곡을 썼다. (write, many, play)

→ ______________________________

10 한국은 2002년에 월드컵을 개최했다. (hold, the World Cup)

→ ______________________________

Unit 04 동사의 과거형 변화

※ 다음 우리말을 주어진 말을 이용하여 조건에 맞춰 영어로 옮기시오.

조건	1. 과거시제를 쓸 것	2. 불규칙 동사에 유의할 것

1 경찰이 그에게 몇 가지 질문을 했다. (ask, some, of)

→ ______________________________

2 나는 네 가방을 소파 아래에서 찾았다. (find, bag)

→ ______________________________

3 엄마는 지난밤에 우리에게 이야기책을 읽어줬다. (read)

→ ______________________________

4 그는 2년 전에 자신의 이름을 바꿨다. (change)

→ ______________________________

5 늦어서 나는 집에 서둘러 왔다. (be, and, hurry)

→ ______________________________

6 그들은 열심히 노력했고 대회에서 우승했다. (try, win)

→ ______________________________

7 나는 바닥에 포크 한 개를 떨어뜨렸다. (drop, floor)

→ ______________________________

8 눈이 30분 전에 멈췄어요. (stop, half)

→ ______________________________

9 새 한 마리가 교실로 날아 들어왔다. (fly)

→ ______________________________

10 Mike는 그녀에게 빨간 장미 몇 송이를 사줬다. (buy, some)

→ ______________________________

Unit 05 진행시제

※ 다음 우리말을 주어진 말을 이용하여 조건에 맞춰 영어로 옮기시오.

조건	1. 진행시제를 쓸 수 없는 경우가 아니면 진행시제를 쓸 것 2. 진행시제는 현재진행형이나 과거진행형으로 쓸 것

1 그녀는 진실을 알고 있다. (know)

→ ______________________________

2 나는 TV드라마를 무척 좋아한다. (like, very)

→ ______________________________

3 Ian은 정장과 넥타이를 착용하고 있었다. (wear, a suit and tie)

→ ______________________________

4 나는 지금 북극곰을 그리고 있다. (draw, a polar bear)

→ ______________________________

5 엄마는 그때 저녁을 준비하고 계셨다. (prepare, that)

→ ______________________________

6 그들은 지금 강을 따라서 자전거를 타고 가는 중이다. (ride)

→ ______________________________

7 Nancy는 지금 침대에 누워 있다. (lie)

→ ______________________________

8 그녀는 리본으로 머리를 뒤로 묶고 있었다. (tie)

→ ______________________________

9 우리는 시카고 여행을 계획하고 있다. (plan, trip, Chicago)

→ ______________________________

10 그 소년들은 하늘에 연을 날리고 있었다. (fly, kites)

→ ______________________________

미래시제(will / be going to)

※ 다음 우리말을 주어진 말을 이용하여 조건에 맞춰 영어로 옮기시오.

조건	1~5번은 will을 쓸 것	6~10번은 be going to를 쓸 것

1 그녀는 오늘 저녁 우리를 찾아올 것이다. (visit, this)

→ ______________________________

2 Jeff가 나를 공항에 태워다 줄 것이다. (give a ride)

→ ______________________________

3 나는 너의 친절을 잊지 않을 것이다. (forget, kindness)

→ ______________________________

4 내 부탁 좀 들어줄래? (do, favor)

→ ______________________________

5 그녀는 여기 오래 머무를 건가요? (stay)

→ ______________________________

6 Sam이 나를 도와줄 것이다. (help)

→ ______________________________

7 우리는 우리 부모님에게 케이크를 만들어줄 예정이다. (make)

→ ______________________________

8 그는 그 파티에 오지 않을 것이다. (come)

→ ______________________________

9 Ann은 그 회의에 참석할 거니? (attend)

→ ______________________________

10 Paul은 내일 치과에 갈 예정이니? (go to the dentist)

→ ______________________________

현재완료: 계속

※ 다음 우리말을 주어진 말을 이용하여 조건에 맞춰 영어로 옮기시오.

조건	1. 현재완료를 쓸 것 3. 주어의 인칭과 수에 유의할 것	2. 각 문장에 since나 for를 쓸 것

1 Jones는 대학에 입학한 이후로 물리학을 공부하고 있다. (physics, enter college)

→ ______________________________

2 나는 1주일째 감기를 앓고 있다. (have)

→ ______________________________

3 우리는 2010년부터 친구로 지냈다. (be)

→ ______________________________

4 Peter는 Kelly를 10년 동안 사랑해 왔다. (love)

→ ______________________________

5 Jacob은 어렸을 때부터 바이올린을 연주해 왔다. (play, young)

→ ______________________________

6 그녀는 30년째 안경을 쓰고 있다. (wear)

→ ______________________________

7 James는 자신의 변호사를 그들의 첫 만남 이래로 계속 신뢰해왔다. (trust, lawyer)

→ ______________________________

8 한 달 동안 강추위가 계속되고 있다. (very, month)

→ ______________________________

9 그들은 지난 3년 동안 내 인기를 부러워해 왔다. (envy, popularity, last)

→ ______________________________

10 사람들은 수천 년 전부터 각종 신을 믿어왔다. (believe in, all kinds of gods, thousands)

→ ______________________________

Unit 02 현재완료: 경험

※ 다음 우리말을 주어진 말을 이용하여 조건에 맞춰 영어로 옮기시오.

조건	1. 현재완료를 쓸 것	2. 주어의 인칭과 수에 유의할 것

1 너는 이 영화를 두 번 본 적이 있다. (see, twice)

→ ______________________________

2 그녀는 전에 그 박물관을 방문한 적이 있다. (visit)

→ ______________________________

3 우리는 태국 음식을 한 번 먹어 본 적이 있다. (eat)

→ ______________________________

4 나는 포켓몬 고를 몇 번 해 본 적 있다. (play, a few)

→ ______________________________

5 그는 여러 번 해외에 간 적이 있다. (be, abroad, many)

→ ______________________________

6 그들은 런던에 가 본 적이 있다. (be, London)

→ ______________________________

7 그녀는 롤러코스터를 한 번 타 본 적이 있다. (ride, roller coaster)

→ ______________________________

8 우리는 전에 일본어를 배운 적이 있다. (learn, Japanese)

→ ______________________________

9 그는 전에 이것과 같은 문제를 겪은 적이 있다. (have, like)

→ ______________________________

10 나는 북극곰을 한 번 본 적이 있다. (see, polar bears)

→ ______________________________

현재완료: 결과

※ 다음 우리말을 주어진 말을 이용하여 조건에 맞춰 영어로 옮기시오.

조건	1. 현재완료를 쓸 것	2. 주어의 인칭과 수에 유의할 것

1 John이 일본으로 가버렸다. (go)

→ ______________________________

2 Carl은 지갑을 버스에 놓고 내려버렸다. (leave)

→ ______________________________

3 내 딸은 가위에 손가락을 베었다. (cut, finger, scissors)

→ ______________________________

4 나는 내 배낭을 잃어버렸다. (lose, backpack)

→ ______________________________

5 Stephen은 무릎을 다쳤다. (hurt, knee)

→ ______________________________

6 누군가 내 자동차를 훔쳐갔다. (someone, steal)

→ ______________________________

7 내 부모님은 내 생일을 잊어버렸다. (forget)

→ ______________________________

8 우리는 마지막 열차를 놓쳤다. (miss)

→ ______________________________

9 내 애완 새가 날아 가버렸다. (pet, fly away)

→ ______________________________

10 우리는 돈을 다 써버렸다. (spend, all)

→ ______________________________

Unit 04 현재완료: 완료

※ 다음 우리말을 주어진 말을 이용하여 조건에 맞춰 영어로 옮기시오.

조건	1. 현재완료를 쓸 것	2. 주어의 인칭과 수에 유의할 것

1 봄이 벌써 왔다. (already, come)

→ ____________________

2 우리는 방금 이 집으로 이사를 왔다. (just, move to)

→ ____________________

3 그들은 모든 가구를 옮겼다. (move, all)

→ ____________________

4 당신은 이미 모든 질문에 대답했다. (answer, already)

→ ____________________

5 Walter는 방금 자신의 자전거를 수리했다. (just, repair)

→ ____________________

6 Tom과 Alice는 이미 그 집을 페인트칠했다. (already, paint)

→ ____________________

7 나는 이미 그 요리 수업에 등록했다. (already, sign up for, class)

→ ____________________

8 기차는 이제 방금 역에 도착했다. (just, arrive at)

→ ____________________

9 Bella가 막 집에 돌아왔다. (just, come)

→ ____________________

10 나는 방금 가족에게 줄 크리스마스 선물을 샀다. (just, buy)

→ ____________________

Chapter2

Unit 05 현재완료 부정문

※ 다음 우리말을 주어진 말을 이용하여 조건에 맞춰 영어로 옮기시오.

조건 1. 현재완료의 부정문을 쓸 것 2. 4~7번은 축약형으로 쓸 것
3. 8~10번은 never를 쓸 것

1 나는 이틀 동안 잠을 자지 못했다. (sleep, for)

→ ______________________

2 아직 새 학기가 시작되지 않았다. (start, yet)

→ ______________________

3 Sophie는 새 직장을 못 찾았다. (find, new job)

→ ______________________

4 그녀는 아직 결정을 내리지 않았다. (make up, yet)

→ ______________________

5 너는 아직 저녁을 다 먹지 않았다. (finish, yet)

→ ______________________

6 그녀는 아직 결혼하지 않았다. (get married, yet)

→ ______________________

7 우리는 한 달 동안 서로 말을 하고 있지 않고 있다. (talk, for)

→ ______________________

8 나는 전에 스카이다이빙을 해 본 적이 전혀 없다. (try, before)

→ ______________________

9 그는 에베레스트 산을 오른 적이 전혀 없다. (climb)

→ ______________________

10 Ian은 고래를 전에 본 적이 전혀 없다. (see, a whale)

→ ______________________

현재완료 의문문

※ 다음 우리말을 주어진 말을 이용하여 조건에 맞춰 영어로 옮기시오.

조건 1. 현재완료의 의문문을 쓸 것 2. 필요한 곳에 적절한 의문사를 넣을 것
3. 주어의 인칭과 수에 유의할 것

1 그녀는 토론토에 가 본 적 있니? (ever, be, Toronto)

→ ______________________________

2 우리 전에 만난 적이 있나요? (meet)

→ ______________________________

3 너는 전에 초밥을 먹어본 적이 있니? (ever, try, Sushi)

→ ______________________________

4 눈이 그쳤니? (stop, snow)

→ ______________________________

5 너 벌써 이를 닦았니? (brush)

→ ______________________________

6 그들은 얼마나 오랫동안 같이 살았니? (live)

→ ______________________________

7 너는 지난 10년 동안 어디에 있었니? (be, last)

→ ______________________________

8 그녀는 얼마 동안 아팠니? (be)

→ ______________________________

9 너는 여기서 얼마나 오랫동안 일했니? (work)

→ ______________________________

10 너는 내 차에 무슨 짓을 한 거니? (do)

→ ______________________________

Chapter 2

Unit 07 과거 vs. 현재완료

※ 다음 우리말을 주어진 말을 이용하여 조건에 맞춰 영어로 옮기시오.

조건	1. 현재완료나 과거시제를 쓸 것	2. 주어의 인칭과 수에 유의할 것

1 너는 언제 Carrie 처음 만났니? (meet, first)

→ ______________________________

2 나는 지난주에 에세이를 썼다. (essay, last week)

→ ______________________________

3 그들은 며칠 전 파티에서 그 여자를 보았다. (see, ago)

→ ______________________________

4 당신은 아직 내 질문에 대답하지 않았다. (answer, yet)

→ ______________________________

5 Susan은 그 미술관에 간 적이 몇 번 있다. (visit, art gallery, several)

→ ______________________________

6 그들은 전에 어디선가 그 여자를 본 적이 있다. (see, somewhere)

→ ______________________________

7 너는 '동물 농장'을 읽어 본 적이 있니? (ever, *Animal Farm*)

→ ______________________________

8 Sarah는 10년 동안 맨해튼에 살고 있다. (Manhattan, for)

→ ______________________________

9 그녀가 벌써 시험을 끝냈니? (finish, already)

→ ______________________________

10 나는 아침부터 치통이 있다. (have, since)

→ ______________________________

Unit 01 can / could

※ 다음 우리말을 주어진 말을 이용하여 조건에 맞춰 영어로 옮기시오.

조건	1~6번은 can이나 could를 쓸 것	7~10번은 be able to를 쓸 것

1 우리 오빠는 물고기처럼 수영을 잘할 수 있다. (swim, like)

→ ______

2 나는 오토바이를 탈 수 없다. (ride, motorbike)

→ ______

3 Ben은 고장 난 컴퓨터를 고칠 수 있었다. (fix, broken)

→ ______

4 그들은 마감 시간을 맞출 수 없었다. (meet, deadline)

→ ______

5 너는 한 번에 일곱 권의 책을 빌릴 수 있어. (borrow, at one time)

→ ______

6 당신의 자동차를 옮겨주시겠어요? (could, move, please)

→ ______

7 나는 매우 높이 뛸 수 있다. (jump)

→ ______

8 우리는 물에서 숨을 쉴 수 없다. (breathe, under water)

→ ______

9 너는 저 나무에 오를 수 있니? (climb)

→ ______

10 그들은 여기에 제시간에 도착할 수 있을 것이다. (will, be, on time)

→ ______

Chapter 3

Unit 02 may / might

※ 다음 우리말을 주어진 말을 이용하여 조건에 맞춰 영어로 옮기시오.

조건	1~6번은 may를 쓸 것	7~10번은 might를 쓸 것

1 그는 우리의 계획에 동의할지도 모른다. (agree with)

→ ______________________________

2 그녀는 새로 오신 선생님을 좋아하지 않을지도 모른다. (like)

→ ______________________________

3 제가 이 샌드위치를 먹어도 될까요? (eat, sandwich)

→ ______________________________

4 너는 지금 너의 선물들을 열어봐도 좋다. (open)

→ ______________________________

5 당신과 얘기를 나눌 수 있을까요? (have a word)

→ ______________________________

6 너는 내 옆에 앉아도 좋다. (next to)

→ ______________________________

7 Harry는 정직하지 않을 지도 모른다. (honest)

→ ______________________________

8 Jamie가 수업에 늦을지도 모른다. (late for)

→ ______________________________

9 Silvia는 오늘 학교에 오지 않을지도 모른다. (come)

→ ______________________________

10 그들이 그 사실을 모를지도 모른다. (know, truth)

→ ______________________________

Chapter3

Unit 03 must / have to

※ 다음 우리말을 주어진 말을 이용하여 조건에 맞춰 영어로 옮기시오.

조건	1~5번은 must를 쓸 것	6~10번은 have to, has to 또는 had to를 쓸 것

1 Tim은 지금 도서관에 있는 것이 틀림없다. (be)

→ ______

2 우리는 우리의 자연을 보호해야 한다. (protect, environment)

→ ______

3 너는 상한 우유를 마시면 안 된다. (spoiled)

→ ______

4 그는 수학을 매우 잘하는 것이 틀림없다. (good at)

→ ______

5 Max는 매우 배가 고픈 것이 틀림없다. (hungry)

→ ______

6 Mark는 이번 주말에 일해야 한다. (work)

→ ______

7 제가 모든 질문에 답해야 하나요? (answer, all)

→ ______

8 너는 아무것도 할 필요 없다. (do)

→ ______

9 그는 오늘 이 일을 끝낼 필요가 없다. (finish)

→ ______

10 나는 내 숙제를 다시 해야 했다. (do)

→ ______

should / had better

※ 다음 우리말을 주어진 말을 이용하여 조건에 맞춰 영어로 옮기시오.

조건	1. 축약 가능한 경우, 축약형으로 쓸 것 3. 7~10번은 had better를 쓸 것	2. 1~6번은 should를 쓸 것

1 화장실을 쓰고 난 후에는 손을 씻어야 한다. (wash, using, bathroom)

→ ______________________________

2 너는 내 충고를 받아 들여야 한다. (take, advice)

→ ______________________________

3 우리가 다른 방법을 시도해야 할까요? (another)

→ ______________________________

4 제가 Joanna에게 사과를 해야 할까요? (apologize)

→ ______________________________

5 그들은 초콜릿을 너무 많이 먹으면 안 된다. (too much)

→ ______________________________

6 우리는 이 기회를 놓치면 안 된다. (miss, chance)

→ ______________________________

7 우리는 지금 잠을 자는 게 좋겠다. (go to sleep)

→ ______________________________

8 너는 Brandon에게 솔직해지는 것이 좋겠다. (honest)

→ ______________________________

9 나는 이런 나쁜 날씨에는 외출하지 않는 게 좋겠다. (go out, in)

→ ______________________________

10 너는 Jessica에게 돈을 빌려주지 않는 것이 좋겠다. (lend)

→ ______________________________

Unit 05 used to / would like to

※ 다음 우리말을 주어진 말을 이용하여 조건에 맞춰 영어로 옮기시오.

조건	1~6번은 used to를 쓸 것	7~10번은 would나 would like를 쓸 것

1 Sarah는 매일 아침 테니스를 치곤 했다. (play)

→ ______________________________

2 그녀는 영화사에서 일했었다. (work, film company)

→ ______________________________

3 Brian은 패스트푸드를 많이 먹곤 했다. (a lot of)

→ ______________________________

4 이곳은 미술관이었다. (art gallery)

→ ______________________________

5 여기에 낡은 극장이 있었다. (theater)

→ ______________________________

6 Beth는 매우 수줍음이 많았지만, 지금은 활달하다. (shy, outgoing)

→ ______________________________

7 제 친구를 소개하고 싶어요. (introduce)

→ ______________________________

8 오늘 밤 영화 보러 가실래요? (go to the moves)

→ ______________________________

9 우리 체스 클럽에 가입하실래요? (join, chess club)

→ ______________________________

10 내가 아이였을 때 나는 내 인형을 어디든 가져가곤 했다. (kid, take, everywhere)

→ ______________________________

조동사+have+p.p.

※ 다음 우리말을 주어진 말을 이용하여 조건에 맞춰 영어로 옮기시오.

조건	1. 알맞은 조동사를 쓸 것	2. 형태에 유의하여 동사를 알맞게 쓸 것

1 그는 서울로 떠난 것이 틀림없다. (leave for, Seoul)

→ ______________________________

2 그녀는 집에 갔을 지도 모른다. (go home)

→ ______________________________

3 당신은 나에게 전화할 수 있었는데 하지 않았다. (call)

→ ______________________________

4 그들은 거기서 너를 봐서 놀랐던 게 틀림없어. (surprised, there)

→ ______________________________

5 그가 영어 시험을 못 봤을 리 없어. (do, poorly, in the English test)

→ ______________________________

6 그녀는 그들에게 그것에 대해 말하지 말았어야 했다. (tell, about)

→ ______________________________

7 당신이 다칠 뻔 했잖아요. (be, hurt)

→ ______________________________

8 그가 TV를 끄는 것을 잊어버렸음에 틀림없어. (turn off, the TV)

→ ______________________________

9 우리는 미리 방을 예약했어야 했다. (reserve, a room, in advance)

→ ______________________________

10 내가 자고 있을 때 Tony가 전화했을 수도 있다 (call, while, be sleeping)

→ ______________________________

Unit 01 능동태 vs. 수동태

※ 다음 우리말을 주어진 말을 이용하여 조건에 맞춰 영어로 옮기시오.

조건	1. 동사의 태에 유의할 것	2. 시제에 유의하여 동사를 알맞게 변형할 것

1 그 우편집배원이 우편물을 배달한다. (mail carrier, deliver)

→ ______

2 Keats가 이 시를 썼다. (write)

→ ______

3 사람들은 크리스마스 날에 캐럴을 부른다. (sing, Christmas Day)

→ ______

4 많은 학생들이 Brown 선생님을 존경한다. (many, respect, Mr. Brown)

→ ______

5 그녀는 앞문을 잠갔다. (lock, front)

→ ______

6 길이 눈으로 막혀 있다. (block)

→ ______

7 그 거울은 내 여동생에 의해 깨졌다. (break)

→ ______

8 그 기계는 태양력에 의해 작동된다. (work, solar power)

→ ______

9 그 창문들은 매주 청소된다. (clean)

→ ______

10 축구는 전 세계에서 경기된다. (play, all over)

→ ______

Unit 02 수동태의 시제

※ 다음 우리말을 주어진 말을 이용하여 조건에 맞춰 영어로 옮기시오.

조건	1. 수동태의 시제에 유의할 것	2. be동사의 단수, 복수형에 유의할 것

1 로봇은 요즘 다방면에서 사용된다. (use, many)

→ ______

2 호랑이들은 우리에 갇혀 있다. (keep, cage)

→ ______

3 오렌지는 파운드 단위로 팔린다. (sell, by the pound)

→ ______

4 교황은 많은 사람들로부터 존경받는다. (the Pope, admire, a lot of)

→ ______

5 그 숲은 화재로 인해 파괴되었다. (destroy)

→ ______

6 모든 방이 예약되었다. (all, book)

→ ______

7 미키 마우스는 Walt Disney에 의해 만들어졌다. (Mickey Mouse, create)

→ ______

8 그 결승전은 이번 일요일에 열릴 것이다. (final match, hold)

→ ______

9 그 새 다리는 내년에 건설될 것이다. (build)

→ ______

10 당신의 제품은 내일 배송될 것입니다. (product, send)

→ ______

Unit 03 수동태의 부정문

※ 다음 우리말을 주어진 말을 이용하여 조건에 맞춰 영어로 옮기시오.

조건	1. not의 위치에 유의할 것	2. 8~10번은 축약형으로 쓸 것
	3. be동사의 단수, 복수형에 유의할 것	

1 그 약은 슈퍼마켓에서 판매되지 않는다. (medicine, sell, supermarkets)

→ ______________________________

2 양말은 중간 서랍에 보관되지 않는다. (keep, drawer)

→ ______________________________

3 그녀의 자동차는 독일에서 만들어지지 않았다. (make)

→ ______________________________

4 그 섬은 1821년까지 발견되지 않았다. (discover)

→ ______________________________

5 그 공사는 제때 끝나지 않았다. (construction, finish)

→ ______________________________

6 그들은 그 파티에 초대되지 않을 것이다. (invite, to)

→ ______________________________

7 다음 올림픽은 이스탄불에서 개최되지 않을 것이다. (Olympics, hold, Istanbul)

→ ______________________________

8 영어는 중국에서 사용되지 않는다. (speak)

→ ______________________________

9 로마는 하루아침에 지어지지 않았다. (Rome, build, in a day)

→ ______________________________

10 여러분의 성적표는 집으로 보내지지 않을 것입니다. (report cards, send)

→ ______________________________

Chapter 4

Unit 04 수동태의 의문문

※ 다음 우리말을 주어진 말을 이용하여 조건에 맞춰 영어로 옮기시오.

조건	1. 수동태 의문문을 쓸 것	2. 시제 및 주어의 인칭과 수에 유의할 것

1 네 차가 길 한 가운데 세워져 있니? (park, middle, road)

→ ______________________________

2 신선한 우유가 매일 아침 배달되나요? (fresh, deliver)

→ ______________________________

3 이 책들은 그 학생들에게만 대여되나요? (only, lend)

→ ______________________________

4 너의 정원에 토마토가 재배되니? (grow, garden)

→ ______________________________

5 그 강도들은 어제 잡혔나요? (robber, catch)

→ ______________________________

6 너는 벌에 쏘였니? (sting, bee)

→ ______________________________

7 그 집들은 폭풍우로 피해를 입었니? (damage, storm)

→ ______________________________

8 이 수학 문제가 쉽게 풀릴까? (solve, easily)

→ ______________________________

9 그 축제가 다음 주에 열리나요? (festival, hold)

→ ______________________________

10 우리 마을에 새 학교가 건설될 거니? (build, town)

→ ______________________________

by이외의 전치사를 쓰는 수동태

※ 다음 우리말을 주어진 말을 이용하여 조건에 맞춰 영어로 옮기시오.

조건	1. 수동태를 쓸 것	2. 전치사의 쓰임에 유의할 것

1 길이 낙엽으로 덮여 있다. (road, cover with, fallen)

→ ____________________

2 빵은 밀가루, 우유, 계란으로 만들어진다. (make, flour)

→ ____________________

3 우리는 영화의 결말에 실망했다. (disappoint, with, ending, film)

→ ____________________

4 그 병은 모래로 가득 차 있다. (fill, sand)

→ ____________________

5 그들은 그녀의 사고 소식에 놀란 상태다. (surprise, at, accident)

→ ____________________

6 그들은 아들의 성공에 기뻤다. (please, success)

→ ____________________

7 나는 내 새로운 머리 스타일에 만족하지 않는다. (satisfy, hair style)

→ ____________________

8 Charlie는 과학과 수학에 매우 관심이 있다. (interest)

→ ____________________

9 나는 그의 무례한 행동에 진저리가 난다. (tire, rude, behavior)

→ ____________________

10 그 학생들은 수학여행으로 들떠있다. (excite, school trip)

→ ____________________

Unit 01 to부정사의 명사적 쓰임: 주어

※ 다음 우리말을 주어진 말을 이용하여 조건에 맞춰 영어로 옮기시오.

조건	1~4번은 to부정사를 주어 자리에 위치시킬 것	5~10번은 가주어 it을 쓸 것

1 장난감 블록 쌓기는 재미있다. (build, things, toy blocks, fun)

→ ______________________________

2 역사를 배우는 것은 유익하다. (learn, useful)

→ ______________________________

3 11시 전에 그곳에 도착하는 것은 불가능하다. (arrive, impossible)

→ ______________________________

4 유용한 것을 발명하는 것은 끈기가 필요하다. (invent, patience)

→ ______________________________

5 이어폰을 이용하는 것은 당신의 귀에 해롭다. (harmful, use, earphones)

→ ______________________________

6 당신의 약속들을 지키는 것은 중요하다. (important, promise)

→ ______________________________

7 애완견을 키우는 것은 쉽지 않다. (easy, have)

→ ______________________________

8 어떤 나라에서는 누군가의 나이를 묻는 것은 실례이다. (impolite, ask, age)

→ ______________________________

9 날생선을 먹는 것은 위험하다. (dangerous, raw)

→ ______________________________

10 새로운 사람들을 만나는 것은 신난다. (exciting, meet)

→ ______________________________

to부정사의 명사적 쓰임: 보어

※ 다음 우리말을 주어진 말을 이용하여 조건에 맞춰 영어로 옮기시오.

조건	1~5번은 to부정사를 주격보어 자리에 위치시킬 것 6~10번은 5형식 문장으로 쓸 것(주어+동사+목적어+목적격보어)

1 그의 계획은 영어 문법을 숙달하는 것이다. (plan, master)

→ ____________________

2 내 숙제는 작문을 하는 것이다. (homework, essay)

→ ____________________

3 우리의 목표는 그 트로피를 타는 것이다. (goal, win)

→ ____________________

4 내 꿈은 그 마라톤에서 뛰는 것이다. (dream, in the marathon)

→ ____________________

5 그의 일은 대통령을 경호하는 것이다. (job, protect)

→ ____________________

6 그녀는 내가 그녀의 새 소설을 읽어보기를 원했다. (novel)

→ ____________________

7 선생님은 우리에게 그 수학 문제들을 풀라고 말씀하셨다. (tell, solve)

→ ____________________

8 그들은 우리가 파티에 가기를 원한다. (would like, go)

→ ____________________

9 그녀는 자신의 자녀를 돌봐달라고 나에게 부탁했다. (ask, look after)

→ ____________________

10 우리는 그들이 여기에 오래 머물 거라고 생각하지 않았다. (expect, stay, so long)

→ ____________________

Chapter 5

Unit 03 to부정사의 명사적 쓰임: 목적어

※ 다음 우리말을 주어진 말을 이용하여 조건에 맞춰 영어로 옮기시오.

조건	1. to부정사가 동사의 목적어가 되도록 쓸 것	2. 시제에 유의하여 동사를 알맞게 변형할 것

1 그들은 성공하기를 희망한다. (hope, succeed)

→ ______________________________

2 그녀는 그 테니스 클럽에 가입하기로 동의했다. (agree, join)

→ ______________________________

3 그는 그 질문에 대답하는 것을 거절했다. (refuse, answer)

→ ______________________________

4 나는 조심하기로 약속했다. (promise, careful)

→ ______________________________

5 그는 그들을 집까지 차로 데려다 주기로 결정했다. (decide, drive)

→ ______________________________

6 우리 아버지는 60세에 퇴임할 계획이었다. (plan, retire)

→ ______________________________

7 그 아이들은 학교에 지각하고 싶지 않았다. (kid, want, late for)

→ ______________________________

8 그녀는 마라톤 완주에 실패했다. (fail, finish, marathon race)

→ ______________________________

9 나는 장화 한 켤레를 사야 한다. (need, buy)

→ ______________________________

10 그는 대학에서 생물학을 공부하기로 했다. (choose, biology, college)

→ ______________________________

의문사+to부정사

※ 다음 우리말을 주어진 말을 이용하여 조건에 맞춰 영어로 옮기시오.

조건	1.「의문사+to부정사」를 활용하여 쓸 것	2. 시제에 유의하여 동사를 알맞게 변형할 것

1 그들은 브라질에서 어디서 머무를지 결정할 수 없었다. (can, choose, stay, Brazil)

→ ______________________________

2 나는 너의 생일 선물로 무엇을 사야 할지 결정할 수 없었다. (decide, buy)

→ ______________________________

3 그녀는 이 카메라를 어떻게 사용하는지 설명했다. (explain, use)

→ ______________________________

4 그들은 그 단어를 어떻게 발음해야 하는지 설명했다. (explain, pronounce)

→ ______________________________

5 그녀는 나에게 그들은 언제 만나야 할지 말했다. (tell, meet)

→ ______________________________

6 우리는 누구에게 투표할지 확실하지 않다. (sure, vote for)

→ ______________________________

7 그는 어떤 것을 사야 할지 결정할 수 없다. (decide, buy)

→ ______________________________

8 공항에 가려면 어떤 버스를 타야 하는지 알려주시겠어요? (tell, take, airport)

→ ______________________________

9 나는 축제 때 무엇을 입고 가야 할지 모르겠다. (know, wear, festival)

→ ______________________________

10 언제 버튼을 누를지 알려주세요. (please, tell, press, button)

→ ______________________________

Unit 05 to부정사의 형용사적 쓰임

※ 다음 우리말을 주어진 말을 이용하여 조건에 맞춰 영어로 옮기시오.

조건	1~3번은 필요한 경우 적절한 전치사를 쓸 것	4~10번은 「be + to부정사」를 활용하여 쓸 것

1 우리는 해야 할 빨래가 있다. (have, some, laundry, do)

→ ______________________________

2 그는 나에게 앉을 의자들을 가져왔다. (get, sit)

→ ______________________________

3 그녀는 쓸 펜이 없었다. (have, write)

→ ______________________________

4 그 배에서는 아무도 찾을 수 없었다. (no one, be found, ship)

→ ______________________________

5 그는 평생 동안 혼자서 살 운명이었다. (live, alone, whole)

→ ______________________________

6 여러분은 5시까지 교실을 나가면 안됩니다. (not, leave, until)

→ ______________________________

7 그들은 4시까지 그 시험을 끝내야 한다. (finish, test, by)

→ ______________________________

8 그들은 기후 변화에 대해 의논할 예정이다. (discuss, climate)

→ ______________________________

9 그 테마파크는 다음 주에 개장할 예정이다. (theme park, open)

→ ______________________________

10 여러분이 그곳에 시간에 맞춰 가려면 택시를 타세요. (be there, please, take)

→ ______________________________

to부정사의 부사적 쓰임

※ 다음 우리말을 주어진 말을 이용하여 조건에 맞춰 영어로 옮기시오.

조건	1. to부정사를 쓸 것	2. 시제에 유의하여 동사를 알맞게 변형할 것

1 그는 친구들에게 이메일을 보내기 위해서 그 컴퓨터를 사용했다. (use, order, email)

→ ______________________________

2 엄마는 음악을 들으려고 라디오를 키셨다. (turn on, as, listen)

→ ______________________________

3 우리는 그 메달을 따서 매우 기쁘다. (glad, win)

→ ______________________________

4 그들은 가장 좋아하는 가수를 보게 되어 신이 났었다. (excited, see, favorite)

→ ______________________________

5 그 소녀는 자라서 영화감독이 되었다. (grow up, be, movie director)

→ ______________________________

6 그녀는 열심히 일했지만 실패했다. (work, only, fail)

→ ______________________________

7 그는 도둑들을 쫓아낸 것을 보니 용감한 사람이었다. (brave, chase away)

→ ______________________________

8 이 모든 것을 생각해내다니 너는 놀랍구나! (incredible, think of)

→ ______________________________

9 날씨는 야외에서 식사하기 완벽하다. (perfect, have a picnic)

→ ______________________________

10 이 사건은 설명하기 어렵다. (event, difficult, explain)

→ ______________________________

Chapter 5

Unit 07 to부정사의 부정

※ 다음 우리말을 주어진 말을 이용하여 조건에 맞춰 영어로 옮기시오.

조건	1. 적절한 위치에 not이나 never를 쓸 것	2. 시제에 유의하여 동사를 알맞게 변형할 것

1 나는 그녀에게 혼자 밖에 나가지 말라고 말했다. (tell, go out)

→ ______________________________

2 당신은 체중이 늘지 않기 위해 운동을 해야 한다. (should, exercise, gain)

→ ______________________________

3 그는 그녀에게 전화하지 않겠다고 약속했다. (promise, call)

→ ______________________________

4 그녀는 감기에 걸리지 않으려고 따뜻한 옷을 입었다. (wear, catch)

→ ______________________________

5 그의 말을 믿지 않기란 어렵다. (it, hard, believe)

→ ______________________________

6 우리는 공연을 놓치지 않기 위해 서둘렀다. (hurry, miss, performance)

→ ______________________________

7 외국에서 무례한 손짓을 하지 않도록 주의하세요. (careful, use, rude gestures, foreign)

→ ______________________________

8 당신이 그들에게 진실을 말하지 않은 것은 현명했다. (wise, tell)

→ ______________________________

9 엄마는 나에게 너무 늦게까지 깨어있지 말라고 말했다. (tell, stay up)

→ ______________________________

10 내 딸은 절대로 다시는 거짓말하지 않기로 약속했다. (promise, lie)

→ ______________________________

Unit 08 to부정사의 의미상 주어

※ 다음 우리말을 주어진 말을 이용하여 조건에 맞춰 영어로 옮기시오.

조건	1. to부정사의 의미상 주어에 유의할 것	2. 5~10번은 가주어 it을 쓰고, 필요한 곳에 for나 of를 쓸 것

1 그는 다시 건강해지길 바란다. (want, healthy)

→ ______________________________

2 우리는 그들이 늦을 거라고 예상한다. (expect, late)

→ ______________________________

3 나는 네가 지금 갔으면 좋겠어. (would like, go)

→ ______________________________

4 그녀의 어머니는 그녀에게 수영을 가르쳤다. (teach, swim)

→ ______________________________

5 잘못된 열차를 타다니, 내가 부주의했다. (careless, take)

→ ______________________________

6 우리 모두를 위해 돈을 지불해 주다니, 당신은 인심이 넉넉합니다. (generous, pay, all)

→ ______________________________

7 그들이 미술관을 찾는 것은 쉬웠다. (easy, find, art museum)

→ ______________________________

8 내가 그 모든 단어를 외우는 것은 어려웠다. (hard, memorize)

→ ______________________________

9 대중음악을 듣는 것은 즐겁다. (enjoyable, listen, pop music)

→ ______________________________

10 무단횡단을 하는 것은 바람직하지 않다. (desirable, jaywalk)

→ ______________________________

to부정사의 관용 표현

※ 다음 우리말을 주어진 말을 이용하여 조건에 맞춰 영어로 옮기시오.

조건	1~5번은 too ~ to, enough to를 쓸 것 6~8번은 so ~ that 주어 can[could/can't/couldn't]을 쓸 것

1 우리는 너무 바빠서 오늘 점심을 먹을 수 없었다. (busy, have)

→ ____________________

2 감자 수프는 너무 뜨거워서 먹을 수 없다. (hot, eat)

→ ____________________

3 그는 천장의 전구를 바꿀 정도로 충분히 키가 크다. (tall, change, light bulb, ceiling)

→ ____________________

4 그는 좋은 지도자가 될 만큼 충분히 자신감이 있다. (confident, good)

→ ____________________

5 나눠 먹을 만큼 충분한 쿠키가 있다. (there, cookie, share)

→ ____________________

6 그는 요트를 살 만큼 충분히 부자다. (rich, buy)

→ ____________________

7 그녀는 스카이다이빙을 시도할 만큼 충분히 용감했다. (brave, try, skydive)

→ ____________________

8 그 어린 소녀들은 너무 신이 나서 잠을 잘 수 없었다. (little, excited, sleep)

→ ____________________

9 Richard는 친구가 많은 것처럼 보인다. (seem, have)

→ ____________________

10 나의 아버지는 그를 존경하는 것처럼 보였다. (seem, respect)

→ ____________________

Unit 10 원형부정사: 지각동사

※ 다음 우리말을 주어진 말을 이용하여 조건에 맞춰 영어로 옮기시오.

조건	1. 지각동사에 유의할 것	2. 시제에 유의하여 동사를 알맞게 변형할 것

1 그는 누군가 위층에서 걷는 소리를 들었다. (hear, someone, walk, upstairs)

→ ______________________________

2 우리는 그 축구선수들이 준비운동 하는 것을 보았다. (watch, warm up)

→ ______________________________

3 그 학생들은 지진 중에 땅이 흔들리는 것을 느꼈다. (feel, shake, the earthquake)

→ ______________________________

4 그들은 그녀가 몇 분 전에 떠나는 것을 보았다. (see, leave, a few)

→ ______________________________

5 너는 그가 회의를 나가는 것을 알아챘니? (notice, leave)

→ ______________________________

6 나는 그가 첼로를 연주하는 것을 들었다. (listen to, play)

→ ______________________________

7 그녀는 바람이 자신의 얼굴에 닿는 것을 느꼈다. (feel, touch)

→ ______________________________

8 나는 내 머리를 누군가 잡아당기는 것을 느낄 수 있었다. (can, feel, pull, by, someone)

→ ______________________________

9 그 농부는 벌 한 마리가 자신의 어깨를 쏘는 것을 느꼈다. (feel, sting, by)

→ ______________________________

10 그녀는 딸의 이름이 크게 불리는 소리를 들었다. (hear, call, loudly)

→ ______________________________

원형부정사: 사역동사

※ 다음 우리말을 주어진 말을 이용하여 조건에 맞춰 영어로 옮기시오.

조건	1. 사역동사에 유의할 것	2. 시제에 유의하여 동사를 알맞게 변형할 것

1 그녀는 일본어로 그녀의 의사를 이해되게끔 할 수 있다. (make, understand)

→ ______________________________

2 어떤 것도 그녀의 결심을 바꾸지 않을 것이다. (make, change)

→ ______________________________

3 저를 소개하겠습니다. (let, introduce)

→ ______________________________

4 우리 부모님은 내가 TV 시청을 하도록 허락하셨다. (let, watch)

→ ______________________________

5 그녀는 아들에게 개를 산책시키도록 했다. (have, walk)

→ ______________________________

6 그들은 그녀에게 보고서를 하나 쓰게 했다. (get, write)

→ ______________________________

7 그는 그들에게 그 테이블을 가져오도록 했다. (get, bring)

→ ______________________________

8 우리는 그녀가 고양이를 찾도록 도왔다. (help, find)

→ ______________________________

9 나는 자동차를 도둑맞았다. (have, steal)

→ ______________________________

10 그녀는 그 미용사가 자신의 머리를 자르게 했다. (have, hairdresser, cut)

→ ______________________________

동명사의 역할: 주어

※ 다음 우리말을 주어진 말을 이용하여 조건에 맞춰 영어로 옮기시오.

조건	1. 동명사를 쓸 것	2. 현재시제로 쓸 것

1 에세이를 쓰는 것은 어렵다. (essays, difficult)

→ ______________________________

2 많은 물을 마시는 것은 건강에 좋다. (a lot of, good for)

→ ______________________________

3 사람들 앞에서 말하는 것은 나를 초조하게 만든다. (speak, make, nervous)

→ ______________________________

4 좋은 부모가 되는 것은 쉽지 않다. (be, easy)

→ ______________________________

5 책을 읽는 것은 우리의 어휘력을 증진시키는 것을 도와준다. (read, help, build, vocabulary)

→ ______________________________

6 만화를 그리는 것은 내 취미이다. (draw, cartoons, hobby)

→ ______________________________

7 공기 없는 사는 것은 불가능하다. (live, impossible)

→ ______________________________

8 인터넷으로 물건을 사는 것은 많은 시간을 아껴준다. (save, lots of)

→ ______________________________

9 운전하는 법을 배우는 것이 올해 내 목표이다. (learn, drive, goal)

→ ______________________________

10 요가를 하는 것은 긴장을 푸는 좋은 방법이다. (do yoga, great, relax)

→ ______________________________

Unit 02 동명사의 역할: 보어

※ 다음 우리말을 주어진 말을 이용하여 조건에 맞춰 영어로 옮기시오.

조건	1. 동명사를 쓸 것	2. 현재시제로 쓸 것

1 우리 엄마의 취미는 그림을 그리는 것이다. (hobby, paint, picture)

→ ______________________________

2 그가 좋아하는 것은 자신의 애완견들과 노는 것이다. (favorite, play)

→ ______________________________

3 성공의 열쇠는 열심히 일하는 것이다. (key to, success, work)

→ ______________________________

4 그녀가 가장 좋아하는 취미는 TV를 보는 것이다. (pastime, watch)

→ ______________________________

5 나의 가장 큰 기쁨은 나의 아이들이 자라는 것을 보는 것이다. (greatest joy, see, grow)

→ ______________________________

6 내가 가장 좋아하는 활동 중 하나는 로봇을 만드는 것이다. (activity, build)

→ ______________________________

7 내 남동생의 취미는 액션 피겨를 수집하는 것이다. (hobby, collect, action figure)

→ ______________________________

8 그들의 주된 관심사는 다른 행성에서 생명체를 찾는 것이다. (interest, find, planet)

→ ______________________________

9 나의 취미 중 하나는 패션잡지를 읽는 것이다. (hobby, fashion magazine)

→ ______________________________

10 그녀의 특별한 능력은 사람들을 웃게 만드는 것이다. (talent, laugh)

→ ______________________________

Unit 03 동명사의 역할: 목적어

※ 다음 우리말을 주어진 말을 이용하여 조건에 맞춰 영어로 옮기시오.

조건	1. 동명사를 쓸 것	2. 시제에 유의하여 동사를 알맞게 변형할 것

1 아이들은 밖에서 나가서 노는 것을 좋아한다. (kid, play)

→ ______________________________

2 Fred는 자신의 건강을 위해서 담배를 끊었다. (quit, smoke)

→ ______________________________

3 우리 조부모님께서는 대도시에 사는 걸 싫어하신다. (dislike, live)

→ ______________________________

4 Christine은 자신의 망원경으로 별을 보는 것을 즐긴다. (enjoy, look at, through, telescope)

→ ______________________________

5 우리는 사적인 질문에 대답하는 것을 꺼리지 않는다. (mind, answer, personal)

→ ______________________________

6 와줘서 고마워. (thank, come)

→ ______________________________

7 돌고래는 똑똑한 것으로 유명하다. (famous for, clever)

→ ______________________________

8 그녀는 언어를 배우는 것에 관심이 있다. (be interested in, learn)

→ ______________________________

9 나는 요리 수업을 받는 것을 고려하고 있다. (think about, take, a cooking class)

→ ______________________________

10 Sarah는 골프를 잘한다. (be good at, play)

→ ______________________________

Chapter 6

Unit 04 동명사 vs. to부정사

※ 다음 우리말을 주어진 말을 이용하여 조건에 맞춰 영어로 옮기시오.

조건	1. to부정사나 동명사를 쓸 것	2. 시제에 유의하여 동사를 알맞게 변형할 것

1 아버지는 소풍갈 것을 제안하셨다. (suggest, go on a picnic)

→ ______________________________

2 그 어린이들은 동물원에 가는 것을 즐긴다. (kid, enjoy, go)

→ ______________________________

3 저에게 소금 좀 건네주시겠어요? (would, mind, pass)

→ ______________________________

4 Jess는 고등학교에서 역사를 가르치는 것을 그만두었다. (quit, teach)

→ ______________________________

5 Barney는 자신의 과거에 대해 생각하는 것을 멈췄다. (stop, think about, past)

→ ______________________________

6 저는 특별한 감사를 표하고 싶습니다. (wish, express, special thanks)

→ ______________________________

7 나는 당신과 어떤 것을 의논하고 싶습니다. (want, discuss)

→ ______________________________

8 Brian은 내 조언을 받아들이기를 거절했다. (refuse, take)

→ ______________________________

9 Patty는 내 생일 파티에 오기로 약속했다. (promise, come)

→ ______________________________

10 나는 여섯 살 때 자전거 타는 것을 배웠다. (learn, ride a bike, age)

→ ______________________________

동명사와 to부정사를 목적어로 취하는 동사

※ 다음 우리말을 주어진 말을 이용하여 조건에 맞춰 영어로 옮기시오.

조건	1. to부정사나 동명사를 쓸 것	2. 시제에 유의하여 동사를 알맞게 변형할 것

1 우리는 코미디 영화를 보는 것을 좋아한다. (love, watch)

→ ______________________________

2 그녀는 아침에 일찍 일어나는 것을 싫어한다. (hate, get up)

→ ______________________________

3 그는 3년 전에 요리사로 일하기 시작했다. (begin, work)

→ ______________________________

4 Emily는 친구들에게 인사를 하려고 멈췄다. (stop, say hello)

→ ______________________________

5 이 편지를 보내야 하는 것을 기억하세요. (please, remember, post)

→ ______________________________

6 그는 전에 이 박물관을 방문했던 것을 기억한다. (remember, visit)

→ ______________________________

7 나는 작년에 그녀에게 돈을 빌렸던 것을 잊어버렸다. (forget, borrow)

→ ______________________________

8 집에 오면서 우유 좀 사오는 걸 잊지 마. (forget, pick up, some, on your way)

→ ______________________________

9 그들은 문제의 해결책을 찾으려고 애썼다. (try, find, solution to)

→ ______________________________

10 나는 시험 삼아 진통제를 먹어보았지만, 소용없었다. (try, take, painkiller, help)

→ ______________________________

Chapter 6

Unit 06 꼭 암기해야 할 동명사의 관용 표현

※ 다음 우리말을 주어진 말을 이용하여 조건에 맞춰 영어로 옮기시오.

조건	1. 동명사를 쓸 것	2. 시제에 유의하여 동사를 알맞게 변형할 것

1 그 학생들은 시험 공부를 하느라 바쁘다. (be busy, study, exam)

→ ______________________________

2 나는 지금 누구와도 말하고 싶지 않다. (feel, talk)

→ ______________________________

3 내일 놀이공원에 가는 게 어때? (how, go, amusement park)

→ ______________________________

4 나는 여름에 자주 수영하러 간다. (go, swim)

→ ______________________________

5 나는 런던에 계신 삼촌을 방문하기를 기대하고 있다. (look, visit)

→ ______________________________

6 그 새로운 미술관은 방문할 가치가 있다. (art gallery, be worth, visit)

→ ______________________________

7 Ed는 혼자 사는 것에 익숙하다. (be, live)

→ ______________________________

8 나는 이름을 기억하는 데 어려움을 겪는다. (have difficulty, remember)

→ ______________________________

9 그들은 하루 종일 집을 청소하느라 시간을 보냈다. (spend, whole, clean up)

→ ______________________________

10 시험 결과 대해 걱정해도 소용없다. (no, use, worry, exam results)

→ ______________________________

Chapter7

Unit 01 현재분사

※ 다음 우리말을 주어진 말을 이용하여 조건에 맞춰 영어로 옮기시오.

조건	1. 현재분사를 쓸 것	2. 시제에 유의하여 동사를 알맞게 변형할 것

1 그는 잠자는 아이를 바라보았다. (look at, sleep)

→ ______________________________

2 짖고 있는 개가 무서워 보인다. (bark, scary)

→ ______________________________

3 벤치에 앉아 있는 소년이 내 쌍둥이 오빠이다. (sit, twin)

→ ______________________________

4 나는 그가 바닥에 누워 있는 것을 발견했다. (find, lie)

→ ______________________________

5 그 이야기는 흥미로웠다. (interest)

→ ______________________________

6 그가 집으로 뛰어 들어왔다. (come, run into)

→ ______________________________

7 그녀는 그를 30분 동안 기다리게 했다. (keep, wait)

→ ______________________________

8 James는 정원에서 잔디를 깎고 있었다. (cut, grass)

→ ______________________________

9 Ben은 만화책을 읽고 있다. (read, comic book)

→ ______________________________

10 Ted는 공원에서 자전거를 타고 있다. (ride a bike)

→ ______________________________

Chapter 7

Unit 02 과거분사

※ 다음 우리말을 주어진 말을 이용하여 조건에 맞춰 영어로 옮기시오.

조건	1. 과거분사를 쓸 것	2. 동사의 태와 시제에 유의하여 동사를 알맞게 변형할 것

1 그들은 숨겨진 보물을 찾았다. (hide, treasure)

→ ______________________________

2 부상을 당한 사람들이 병원으로 이송되었다. (injure, carry)

→ ______________________________

3 칠레에서 사용되는 언어는 스페인어이다. (speak, Chile)

→ ______________________________

4 그들은 흰색으로 칠한 집에서 살고 있다. (live, paint)

→ ______________________________

5 그 문은 일 년 동안 잠겨 있었다. (remain, lock)

→ ______________________________

6 나는 할머니의 건강이 걱정되었다. (become, worry)

→ ______________________________

7 그는 그 수리공이 자신의 차를 수리하도록 했다. (have, fix, by, mechanic)

→ ______________________________

8 그녀는 나무로 만들어진 장난감 자동차 하나를 샀다. (buy, make)

→ ______________________________

9 Mary는 그 안경을 2년째 쓰고 있다. (wear)

→ ______________________________

10 내 컴퓨터는 Mike에 의해 수리되었다. (repair)

→ ______________________________

감정을 나타내는 분사

※ 다음 우리말을 주어진 말을 이용하여 조건에 맞춰 영어로 옮기시오.

조건	1. 현재분사나 과거분사를 쓸 것	2. 시제에 유의하여 동사를 알맞게 변형할 것

1 롤러코스터를 타는 것은 언제나 흥미진진하다. (ride, roller coaster, always, excite)

→ ______________________________

2 내 시험 결과가 실망스러웠다. (test result, disappoint)

→ ______________________________

3 그것은 길고 지루한 비행이었다. (bore, flight)

→ ______________________________

4 우리는 관리자로부터 만족스러운 대답을 들었다. (get, satisfy, manager)

→ ______________________________

5 나는 Smith 씨에 대한 놀라운 이야기를 들었다. (hear, surprise, Mr. Smith)

→ ______________________________

6 너를 다시 만나 기쁘다. (please, see)

→ ______________________________

7 그 학생들은 그의 긴 설교에 지루해졌다. (become, bore, lecture)

→ ______________________________

8 Jennifer는 교사로서의 자기 직업에 만족한다. (satisfy)

→ ______________________________

9 모두가 그 결과에 놀랐다. (everybody, surprise, results)

→ ______________________________

10 나는 온종일 일했더니 정말 피곤하다. (tire, from, all day)

→ ______________________________

Chapter 7

Unit 04 현재분사 vs. 동명사

※ 다음 우리말을 주어진 말을 이용하여 조건에 맞춰 영어로 옮기시오.

조건	1. 현재분사나 동명사를 쓸 것	2. 시제에 유의하여 동사를 알맞게 변형할 것

1 북극곰은 북극에 사는 동물이다. (a polar bear, live, the Arctic)

→ ______

2 너는 흐르는 물에 손을 씻어야 한다. (should, under, run)

→ ______

3 그들은 거실에서 TV를 보고 있다. (watch, live)

→ ______

4 그들은 자신의 캠핑여행을 위해 짐을 싸고 있다. (pack, for, camp)

→ ______

5 나는 건물 안에서 담배를 피우는 한 남자를 봤다. (see, smoke, inside)

→ ______

6 우리는 어린이들이 캐럴을 부르는 것을 들었다. (hear, children, sing)

→ ______

7 아침 일찍 일어나는 것은 좋은 습관이다. (get up, habit)

→ ______

8 우리는 음악에 맞춰 춤추는 것을 좋아한다. (like, dance to)

→ ______

9 내가 가장 좋아하는 활동은 바다에서 수영하는 것이다. (activity, swim, sea)

→ ______

10 그들은 캠핑을 위해 새 침낭들을 사야 한다. (need, buy, sleep)

→ ______

Unit 05 분사구문

※ 다음 우리말을 주어진 말을 이용하여 조건에 맞춰 영어로 옮기시오.

조건	1. 분사구문을 쓸 것	2. 시제에 유의하여 동사를 알맞게 변형할 것

1 그 영화를 보면서 나는 잠이 들었다. (watch, fall)

→ ______________________________

2 길을 건널 때 그는 양쪽을 살폈다. (cross, look, both ways)

→ ______________________________

3 할 일이 없어서 우리는 심심했다. (have, do, feel)

→ ______________________________

4 그 소식에 충격을 받고 그는 말문이 막혔다. (be shocked, speechless)

→ ______________________________

5 모퉁이에서 왼쪽으로 돌면 버스정류장이 보일 것이다. (turn, can, bus stop)

→ ______________________________

6 이 버스를 타면 당신은 국립 박물관에 도착할 것이다. (take, get to, the National Museum)

→ ______________________________

7 혼자 살지만, 그녀는 외로움을 느끼지 않는다. (live, lonely)

→ ______________________________

8 그녀는 나이가 많이 들었지만 여전히 매우 건강하다. (very old, still)

→ ______________________________

9 그는 내 이름을 부르면서 문을 열었다. (call, open)

→ ______________________________

10 그녀를 기다리면서 나는 십자말풀이를 했다. (wait, do, a crossword puzzle)

→ ______________________________

MEMO

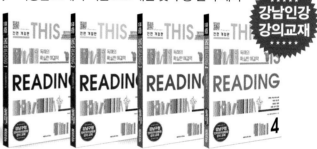

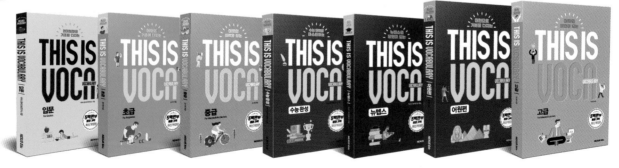

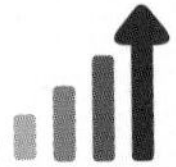

LEVEL CHART

	초1	초2	초3	초4	초5	초6	중1	중2	중3	고1	고2	고3
VOCA	초등필수 영단어 1-2 · 3-4 · 5-6학년용											
VOCA					The VOCA + (플러스) 1~7							
VOCA			THIS IS VOCABULARY 입문 · 초급 · 중급					고급 · 어원 · 수능 완성 · 뉴텝스				
VOCA							WORD FOCUS 중등 종합 5000 · 고등 필수 5000 · 고등 종합 9500					
Grammar			초등필수 영문법 + 쓰기 1~2									
Grammar			OK Grammar 1~4									
Grammar			This Is Grammar Starter 1~3									
Grammar					This Is Grammar 초급~고급 (각 2권: 총 6권)							
Grammar						Grammar 공감 1~3						
Grammar						Grammar 101 1~3						
Grammar						Grammar Bridge 1~3						
Grammar						중학영문법 뽀개기 1~3						
Grammar						The Grammar Starter, 1~3						
Grammar								구사일생 (구문독해 Basic) 1~2				
Grammar									구문독해 204 1~2			
Grammar								그래머 캡처 1~2				
Grammar									[특급 단기 특강] 어법어휘 모의고사			

절대평가 1등급, 내신 1등급을 위한 영문법 기초부터 영작까지

도전 만점 중등 내신 서술형 3

통문장 암기 훈련 워크북 포함

영문법+쓰기

넥서스영어교육연구소 지음

어휘 리스트

어휘 테스트

통문장 암기 훈련북

정답 해석 및 해설

동사형 변화표

기타 온라인 자료

정답 및 해설

6가지 학습자료 무료 제공 www.nexusbook.com

NEXUS Edu

도전 만점 중등 내신 서술형 3

통문장 암기 훈련 워크북 포함

영문법+쓰기

정답 및 해설

NEXUS Edu

Chapter 1 단순/진행 시제

Unit 1 현재시제 p.010

Check-up 1

1 want 2 goes
3 goes 4 freezes

해석

1 나는 목이 마르다. 나는 지금 차가운 물을 좀 원한다.
2 Sally는 매주 일요일 교회에 간다.
3 달은 지구 주위를 돈다.
4 물은 섭씨 0도에서 언다.

해설

1 현재의 사실이나 상태
2 반복적인 행동, 습관
3~4 변하지 않는 진리, 일반적인 사실

Check-up 2

1 sounds 2 visit
3 works 4 snows

해석

1 현재의 사실이나 상태
2~3 반복적인 행동, 습관
4 일반적인 사실

STEP 1

1 fly 2 leave 3 take
4 plays 5 drinks

해석

1 제비는 겨울을 나기 위해 남쪽으로 날아간다.
2 우리는 내일 아침에 시애틀로 떠난다.
3 나는 화요일과 목요일에 요가 수업을 받는다.
4 Brandon은 학교 관현악단에서 바이올린을 연주한다.
5 그는 매일 아침에 우유를 한 잔 마신다.

해설

1 변하지 않는 진리, 일반적인 사실
2 확정된 미래의 일
3~5 반복적인 행동, 습관

STEP 2

1 feel 2 look 3 exercises
4 do 5 celebrate

해석

1 나는 지금 배고프다.
2 너 오늘 아파 보인다. 무슨 일 있니?
3 Kate는 요즘 일주일에 세 번 운동한다.
4 우리는 대개 저녁을 먹기 전에 숙제를 한다.
5 사람들은 1월 1일에 새해를 축하한다.

해설

1~2 현재의 사실이나 상태
3~4 반복적인 행동, 습관
5 일반적인 사실

STEP 3

1 speak Spanish
2 spends lots of time
3 have a cute kitten
4 Christmas holidays start

해설

1, 4 일반적인 사실
2 반복적인 행동, 습관
3 현재의 사실이나 상태

Unit 2 동사의 현재형 변화 p.012

Check-up 1

1 like 2 studies 3 have
4 play 5 speak 6 works

해석

1 나는 딸기 아이스크림을 좋아한다.
2 그는 대학에서 음악을 공부한다.
3 너는 정말 예쁜 눈을 가지고 있다.
4 우리는 방과 후에 축구를 한다.
5 그들은 영어를 정말 잘한다.
6 그녀는 장난감 회사에서 일한다.

해설

1, 3~5 주어가 1·2인칭 단·복수, 3인칭 복수 인칭대명사로 동사원형
2, 6 주어가 3인칭 단수 인칭대명사로 3인칭 단수형 동사

Check-up 2

1 eats　2 love　3 cries
4 finishes　5 know　6 buys

해석

1 그것은 작은 곤충을 먹는다.
2 나는 동물을 아주 사랑한다.
3 그 아기는 항상 운다.
4 그녀는 세 시에 학교 수업을 마친다.
5 너는 클래식음악에 대해 많이 안다.
6 우리 엄마는 시장에서 과일과 채소를 사신다.

해설

1, 3, 4, 6 주어가 3인칭 단수 인칭대명사 또는 단수명사로 3인칭 단수형 동사
2, 5 주어가 1인칭, 2인칭 인칭대명사로 동사원형

STEP 1

1 tries　2 fixes　3 carries
4 washes　5 watches

해석

1 Sandy는 항상 일을 잘하려고 노력한다.
2 우리 삼촌은 고장 난 차를 수리한다.
3 그녀는 항상 우산을 들고 다닌다.
4 그는 일요일마다 세차한다.
5 Dave는 저녁을 먹고 1시간 동안 TV를 본다.

해설

1, 3 try, carry는 「자음+y」로 끝나는 동사로 y를 i로 고치고+-es
2, 4, 5 -x, sh, ch로 끝나는 동사는+-es

STEP 2

1 want　2 worries　3 comes
4 does　5 learn

해석

1 나는 꿀을 넣은 차를 원한다.
2 Thomas는 자신의 건강을 걱정한다.
3 그 버스는 10분마다 온다.
4 우리 오빠가 항상 설거지를 한다.
5 Ed와 나는 학교에서 역사를 배운다.

해설

1, 5 주어가 1인칭 단수 · 복수, 3인칭 복수로 동사원형
2 worry는 「자음+y」로 끝나는 동사로 y를 i로 고치고+-es
3 주어가 단수명사로 3인칭 단수 동사
4 -o로 끝나는 동사는+-es

STEP 3

1 We have a lot of friends.
2 It closes at ten o'clock.
3 He enjoys water sports in summer.
4 They practice basketball every day.

해석

1 그녀는 친구가 많다.
→ 우리는 친구가 많다.
2 그 가게들은 10시에 문을 닫는다.
→ 그곳은 10시에 문을 닫는다.
3 사람들은 여름에 수상 스포츠를 즐긴다.
→ 그는 여름에 수상 스포츠를 즐긴다.
4 Harry는 매일 농구를 연습한다.
→ 그들은 매일 농구를 연습한다.

해설

1, 4 주어진 주어가 1인칭 복수, 3인칭 복수 인칭대명사로 3인칭 단수 동사 → 동사원형
2, 3 주어진 주어가 3인칭 단수 인칭대명사로 동사원형 → 3인칭 단수

STEP 4

1 He mixes well
2 We live in a big house
3 They try very hard
4 My brother sleeps eight hours
5 Rachel sends an email
6 The teacher gives a lot of homework.

해설

1 -x로 끝나는 동사는+-es
2 주어가 1인칭 복수로 동사원형
3 주어가 3인칭 복수로 동사원형
4~5 대부분의 동사+-s
6 -e로 끝나는 동사+-s

STEP 5

1 They look like twins.
2 He always tells lies
3 She smiles sweetly
4 My cat catches mice
5 It brings good luck
6 Kevin brushes his teeth

해설

1 주어가 3인칭 복수, 2인칭, 1인칭 인칭대명사로 동사원형
2, 3, 5 대부분의 동사+-s
4 -ch로 끝나는 동사+-es
6 -sh로 끝나는 동사+-es

Unit 3 과거시제 p.015

Check-up 1

1 a. 페인트칠한다 b. 페인트칠했다
2 a. 끝난다 b. 끝났다
3 a. 얘기했다 b. 얘기한다
4 a. 청소한다 b. 청소했다

해석

1 a. 우리는 매년 집을 페인트칠한다.
b. 우리는 지난 주말에 집을 페인트칠했다.
2 a. 그 콘서트는 5시 반에 끝난다.
b. 그 콘서트는 2시간 전에 끝났다.
3 a. Ian과 나는 우리의 꿈에 대해 이야기했다.
b. Ian과 나는 종종 우리의 꿈에 대해 이야기한다.
4 a. 그녀는 매일 집을 청소한다.
b. 그녀는 집을 구석구석 청소했다.

해설

1~4 현재시제 동사인 경우 '~한다'로 해석하고, 과거시제 동사인 경우 '~했다'로 해석

Check-up 2

1 an hour ago 2 entered 3 felt
4 last month 5 walked 6 became

해석

1 비가 1시간 전에 멈췄다.
2 Susan은 작년에 대학교에 들어갔다.
3 그 소식을 듣고 우리는 슬펐다.
4 그들은 지난달에 뉴욕에서 지냈다.
5 Neil Armstrong은 1969년에 달을 걸었다.
6 Abraham Lincoln은 1861에 대통령이 되었다.

해설

1~4 과거에 이미 끝난 동작이나 상태, 습관
5~6 과거에 있었던 역사적인 사실

STEP 1

1 earned, earns 2 lived, lives
3 cooks, cooked 4 listen, listened

해석

1 그는 작년에 한 시간에 8달러를 벌었다. 그는 지금 10달러를 번다.
2 Sam은 어릴 때 시골에 살았다. 그는 지금 큰 도시에 산다.
3 엄마는 금요일마다 저녁으로 스파게티를 요리하신다. 엄마는 지난주에 소고기 스튜를 요리하셨다.
4 우리는 보통 대중음악을 듣는다. 하지만 우리는 오늘 아침에 클래식 음악을 들었다.

해설

1~4 현재의 사실, 상태, 습관을 나타내면 현재시제, 과거에 이미 끝난 동작이나, 상태, 습관을 나타내면 과거시제 사용

STEP 2

1 The winter vacation started yesterday.
2 Greg left for Sydney a few days ago.
3 Korea held the World Cup in 2002.
4 Shakespeare wrote many great plays.

해설

1~4 「주어+동사의 과거형(+목적어)」의 어순으로 배열

STEP 3

1 He sat down on the floor.
2 The audience laughed at
3 Irene brought some cookies
4 Leonardo da Vinci painted the *Mona Lisa* in 1506.

해설

1 sit(앉다) – sat
2 laugh(웃다) – laughed
3 bring(가지고 오다) – brought
4 paint(그리다) – painted

Unit 4 동사의 과거형 변화 p.017

Check-up 1

1 dropped 2 bought
3 cut 4 ate

해석

1 내가 바닥에 포크를 떨어뜨렸다.

2 Mike는 그녀에게 빨간 장미를 사 줬다.

3 Sarah는 6조각으로 케이크를 잘랐다.

4 Brian은 점심으로 참치 샌드위치를 먹었다.

해설

1 「단모음+단자음」으로 끝나는 동사 → 자음을 한 번 더 쓰고+-ed

2~4 불규칙 변화 동사

Check-up 2

1 found 2 saw 3 sang

해설

1 불규칙 변화 동사 find – found

2 불규칙 변화 동사 see – saw

3 불규칙 변화 동사 sing – sang

STEP 1

1 gave 2 hurried 3 made

4 read 5 put 6 spent

해석

1 Ben이 나에게 조그마한 선물을 줬다.

2 늦어서 나는 서둘러 집에 갔다.

3 그 소녀가 이 종이 인형을 만들었다.

4 엄마가 어젯밤에 이야기책을 읽어줬다.

5 나는 돼지저금통에 동전 몇 개를 넣었다.

6 Kevin은 책을 사는 데 용돈을 썼다.

해설

1, 3~6 불규칙 변화 동사

2 「자음+y」로 끝나는 동사 → y를 i로 고치고+-ed

STEP 2

1 planed → planned

2 visitted → visited

3 enjoied → enjoyed

4 thinked → thought

5 swimmed → swam

해석

1 우리는 Nick을 위해 깜짝 파티를 계획했다.

2 Jacob은 며칠 전에 자신의 이모를 방문했다.

3 그들은 어젯밤 불꽃놀이가 아주 즐거웠다.

4 그녀는 오랫동안 자신의 비밀 계획을 생각했다.

5 어릴 때 나는 매일 강에서 수영을 했다.

해설

1 「단모음+단자음」으로 끝나는 동사 → 자음을 한 번 더 쓰고+-ed

2 대부분의 동사+-d

3 enjoy는 「자음+y」로 끝나는 동사가 아니므로 동사+-ed

4 불규칙 변화 동사 think – thought

5 불규칙 변화 동사 swim – swam

STEP 3

1 went to work by subway

2 slept for five hours

3 had cereal

4 came ten minutes late

5 drank a glass of milk

해석

1 우리 아버지는 보통 버스를 타고 출근하신다.
→ 그는 오늘 아침 지하철을 타고 출근하셨다.

2 Cathy는 하루에 8시간 동안 잔다.
→ 그녀는 어제 5시간을 잤다.

3 나는 아침으로 계란 프라이와 토스트를 먹는다.
→ 나는 오늘 아침으로 시리얼을 먹었다.

4 학교 버스는 정확히 제시간에 도착한다.
→ 그것은 오늘 10분 늦게 도착했다.

5 Sam은 아침마다 물을 한 잔 마신다.
→ Sam은 오늘 아침 우유를 한 잔 마셨다.

해설

1 go – went

2 sleep – slept

3 have – had

4 come – came

5 drink – drank

STEP 4

1 We lost the game

2 I broke the vase

3 A bird flew into the classroom.

4 I heard the news from James.

5 The police asked some questions

6 He changed his name two years ago.

해설

1 lose – lost

2 break – broke

3 fly – flew

4 hear – heard

5 대부분의 동사+-ed

6 -e로 끝나는 동사+-d

STEP 5

1 The snow stopped
2 Her sister became a high school student
3 My grandfather built this house
4 He hit two home runs
5 The girl wore a red raincoat
6 They tried hard and won the competition.

해설

1 「단모음+단자음」으로 끝나는 동사 → 자음을 한 번 더 쓰고+-ed
2 become – became
3 build – built
4 hit – hit
5 wear – wore
6 try는 「자음+y」로 끝나는 동사 → y를 i로 고치고+-ed, won은 불규칙 변화 동사

Unit 5 진행시제

p.020

Check-up 1

1 knows 2 is snowing 3 was
4 preparing 5 are playing

해석

1 그녀가 그 사실을 알고 있다.
2 밖에 눈이 세차게 내리고 있다.
3 네가 나에게 전화했을 때 나는 낮잠을 자고 있었다.
4 엄마는 그때 저녁을 준비하고 계셨다.
5 아이들이 운동장에서 놀고 있다.

해설

1 상태, 지각을 나타내는 동사는 진행형 불가
2, 5 현재진행으로 「am/are/is+V-ing」의 형태
3, 4 과거진행으로 「was/were+V-ing」의 형태

Check-up 2

1 coming 2 planning 3 dying
4 smiling 5 listening

해석

1 Julia는 계단을 내려오고 있었다.
2 우리는 시카고 여행 계획을 세우고 있다.
3 그 나무들은 물이 필요하다. 그것들은 죽어가고 있다.
4 봐! 아기가 정말 다정하게 웃고 있어.
5 학생들은 선생님 말씀을 주의 깊게 듣고 있었다.

해설

1, 4 -e로 끝나는 동사 → e를 빼고+-ing
2 「단모음+단자음」으로 끝나는 동사 → 자음을 한 번 더 쓰고+-ing
3 -ie로 끝나는 동사 → ie를 y로 고치고+-ing
5 대부분의 동사 → V+-ing

STEP 1

1 is lying 2 are riding
3 were going 4 was running
5 is studying

해석

1 Nancy는 지금 침대에 누워 있다. 그녀는 아프다.
2 그들은 지금 강을 따라 자전거를 타고 있다.
3 우리는 그때 영화를 보러 가고 있었다.
4 내가 Fred를 봤을 때 그는 집으로 뛰어 가고 있었다.
5 Ed는 내일 시험이 있다. 그는 지금 방에서 공부를 하고 있다.

해설

1, 2, 5 현재진행으로 「am/are/is+V-ing」의 형태
3, 4 과거진행으로 「was/were+V-ing」의 형태

STEP 2

1 waiting → are waiting
2 am liking → like
3 is → was
4 puting → putting
5 are wanting → want

해석

1 우리는 지금 버스를 기다리고 있다.
2 나는 TV 드라마를 정말 좋아한다.
3 Alex는 그때 Matt의 집에 머무르고 있었다.
4 그녀는 책을 선반에 꽂고 있다.
5 그들은 음료와 간식을 원한다.

해설

1 현재진행으로 「am/are/is+V–ing」의 형태
2, 5 상태를 나타내는 동사는 진행형 불가
3 과거진행으로 「was/were+V-ing」의 형태
4 「단모음+단자음」으로 끝나는 동사 → 자음을 한 번 더 쓰고+-ing

STEP 3

1 I am using the copy machine.
2 Ian was wearing a suit and tie.
3 The cold wind was blowing hard.
4 We are learning about Korean culture.
5 She was tying her hair back with a ribbon.

해석

1 나는 복사기를 사용한다.
→ 나는 복사기를 사용하고 있다.
2 Ian은 정장을 입었다.
→ Ian은 정장을 입고 있었다.
3 찬 바람이 세게 불었다.
→ 찬 바람이 세게 불고 있었다.
4 우리는 한국 문화에 대해 배운다.
→ 우리는 한국 문화에 대해 배우고 있다.
5 그녀는 리본으로 자신의 머리를 뒤로 묶었다.
→ 그녀는 리본으로 자신의 머리를 뒤로 묶고 있었다.

해설

1, 4 현재동사 → 「am/are/is+V-ing」
2, 3, 5 과거동사 → 「was/were+V-ing」

STEP 4

1 I am drawing a polar bear
2 Amy is having lunch
3 he was driving home
4 Mr. Brown was moving the sofa
5 A lot of people are watching the parade.
6 We were traveling across Europe

해설

1, 2, 5 현재진행으로 「am/are/is+V-ing」의 형태
3, 4, 6 과거진행으로 「was/were+V-ing」의 형태

STEP 5

1 Our dog is barking loudly.
2 The boys were flying kites
3 Some people were lying on the beach.
4 They are picking up some trash now.
5 He is writing an essay in his room now.
6 I was washing my hair

해설

1, 4, 5 현재진행으로 「am/are/is+V-ing」의 형태
2, 3, 6 과거진행으로 「was/were+V-ing」의 형태

Unit 6 미래시제(will/be going to) p.023

Check-up 1

1 be
2 visit
3 will not
4 to take
5 am not

해석

1 제시간에 여기 올 수 있니?
2 그녀가 오늘 저녁에 우리를 방문할 것이다.
3 Lisa는 내 사과를 받지 않을 것이다.
4 너는 막차를 탈 거니?
5 나는 그 약속을 어기지 않을 것이다.

해설

1 will 의문문은 「Will+주어+동사원형~?」
2 「will+동사원형」
3 will 부정문은 「will not[won't]+동사원형」
4 be going to 의문문은 「Be동사+주어+going to+동사원형~?」
5 be going to 부정문은 「be동사+not+going to+동사원형」

Check-up 2

1 Will, stay
2 will, give
3 will, not, forget

해설

1 will 의문문은 「Will+주어+동사원형~?」
2 「will+동사원형」
3 will 부정문은 「will not[won't]+동사원형」

STEP 1

1 am going to graduate
2 are not going to visit
3 Is, going to finish
4 are going to make
5 is not going to spend

해석

1 나는 다음 주에 졸업할 예정이다.
2 그들은 이번 금요일에 우리를 방문하지 않을 것이다.
3 Susan은 그 일을 내일 끝낼 건가요?
4 우리는 부모님을 위해 케이크를 만들 것이다.
5 Harry는 괌에서 휴가를 보내지 않을 예정이다.

해설

1, 4 「be going to+동사원형」

2, 5 be going to 부정문은 「be동사+not+going to+동사원형」
3 be going to 의문문은 「Be동사+주어+going to+동사원형~?」

STEP 2

1 Is Ann going to attend the meeting?
2 Will you take swimming lessons?
3 He will not follow the rule.
4 Our school team is going to win

해설

1 be going to 의문문은 「Be동사+주어+going to+동사원형~?」
2 will 의문문은 「Will+주어+동사원형~?」
3 will 부정문은 「will not[won't]+동사원형」
4 「be going to+동사원형」

STEP 3

1 Will you do me a favor?
2 I will not[won't] talk to Jason
3 We are[We're] not going to believe his story.
4 Is Paul going to go to the dentist

해석

1 너는 내 부탁을 들어줄 것이다.
→ 내 부탁을 들어줄래?
2 나는 Jason과 이야기를 한다.
→ 나는 다시는 Jason과 이야기를 하지 않을 것이다.
3 우리는 그의 이야기를 믿는다.
→ 우리는 그의 이야기를 믿지 않을 것이다.
4 Paul은 내일 치과에 간다.
→ Paul이 내일 치과에 갈 거니?

해설

1 will 의문문은 「Will+주어+동사원형~?」
2 will 부정문은 「will not[won't]+동사원형」
3 be going to 부정문은 「be동사+not+going to+동사원형」
4 be going to 의문문은 「Be동사+주어+going to+동사원형~?」

도전! 만점! 중등 내신 **단답형&서술형** p.025

1 has, had
2 are swimming, was swimming
3 will[am going to] visit, visited
4 is lying
5 taught
6 goes
7 will[is going to] stay
8 ⓐ gets up ⓑ prepares
9 ⓐ look ⓑ go
10 am not going to apologize
11 was sleeping
12 She is[She's] not going to help me with my homework.
13 Will they be here on time?
14 Fred is having a good time at the amusement park.
15 We take a walk for an hour
16 I will not tell a lie
17 Are you going to move
18 She was reading a fashion magazine
19 Sam saw me, said hello
20 Is he writing his history report

해석 & 해설

1
• Annie는 지금 머리가 정말 길다.
• 우리는 어제 수학 시험이 있었다.
now는 현재 시간 표현이고 소유의 의미를 나타내는 동사는 진행시제로 쓸 수 없으므로 has, yesterday는 과거 시간 표현으로 had

2
• 아이들은 지금 강에서 수영을 하고 있다.
• 내가 그를 보았을 때 그는 바다에서 수영을 하고 있었다.
now는 현재 시간 표현으로 현재진행, when I saw him은 과거의 한 시점을 나타내는 시간 표현으로 과거진행

3
• 나는 다음 달에 New York에 있는 삼촌을 방문할 것이다.
• Greg는 며칠 전에 우리 집을 방문했다.
next month는 미래 시간 표현, a few days ago는 과거 시간 표현

4
Jason은 벤치에 누워 있다.
now는 현재 시간 표현으로 현재진행시제 is lying

5
Green 씨는 작년에 중학교에서 과학을 가르쳤다.
last year는 과거 시간 표현으로 과거시제 taught

6
지구는 태양 주위를 돈다.
변하지 않는 진리를 나타내고 주어가 단수명사로 3인칭 단수 현재시제 goes

7
그녀는 오늘 밤에 늦게까지 안 자고 공부할 것이다.
tonight가 미래 시간 표현으로 will / is going to stay

8
매일 우리 어머니께서는 일찍 일어나신다. 그리고 그녀는 우리 가족을 위해 아침을 준비하신다.
my mother는 단수명사, she가 3인칭 단수 인칭대명사로 3인칭 단수 동사가 되어야 함

9
A: 너 아파 보여. 무슨 일 있니?
B: 감기에 걸렸어. 오늘 오후에 진찰 받으러 갈 거야.
look은 상태를 나타내는 동사로 진행형으로 쓰지 않으며, will 다음에는 동사원형이 옴

10
A: Karen이 너에게 정말 화가 났어.
B: 그건 내 잘못이 아니야. 나는 그녀에게 사과를 하지 않을 거야.
be going to 부정문은 「be동사+not+going to+동사원형」

11
A: 내가 어제 9시에 너에게 전화했는데, 너는 받지 않았어.
B: 미안해. 나는 그때 잠을 자고 있었어. 너무 피곤해서 일찍 잤어.
과거 한 시점에서 진행 중인 일로 과거진행 「was/were+V-ing」

12
그녀는 내 숙제를 도와준다.
→ 그녀는 내 숙제를 도와주지 않을 것이다.
be going to 부정문은 「be동사+not+going to+동사원형」

13
그들은 여기에 제시간에 왔다.
→ 그들이 제시간에 여기에 올까요?
will 의문문은 「Will+주어+동사원형~?」

14
Fred는 놀이공원에서 즐거운 시간을 보낸다.
→ Fred는 놀이공원에서 즐거운 시간을 보내고 있다.
현재진행으로 「am/are/is+V-ing」의 형태

15
반복적인 행동은 현재시제 사용

16
will 부정문은 「will not[won't]+동사원형」

17
be going to 의문문은 「Be동사+주어+going to+동사원형~?」

18
과거진행으로 「was/were+V-ing」

19
과거에 이미 끝난 동작으로 과거시제 사용

20
현재진행 의문문으로 「Be동사의 현재형+주어+V-ing~? 」

Chapter 2 현재완료 시제

Unit 1 현재완료: 계속 p.028

Check-up 1

1 used 2 has been
3 since 4 for

해설

1~2 현재완료 계속 용법으로 「have/has+p.p.」의 형태
3 「since+시작된 시점」
4 「for+지속 기간」

Check-up 2

1 had 2 owned 3 preferred
4 known 5 stayed

해석

1 나는 어릴 때부터 고양이를 길러오고 있다.
2 우리 아버지는 이 농장을 2010년 이후로 소유하고 계시다.
3 그들은 지난해부터 한국 음식을 선호하고 있다.
4 우리는 5년 동안 서로를 알고 지냈다.
5 그녀는 6개월 동안 뉴욕에 머물고 있다.

해설

1~5 현재완료 계속 용법으로 「have/has+p.p.」의 형태

STEP 1

1 have had 2 have been
3 has collected 4 has wanted
5 have celebrated

해석

1 나는 일주일째 감기를 앓고 있다.
2 우리는 10시부터 여기에 있었다.
3 우리 아버지께서는 오래된 동전을 모으고 계신다.
4 그는 작년부터 스마트워치를 가지고 싶어 했다.
5 사람들은 약 2000년 동안 크리스마스를 축하해 왔다.

해설

1~5 현재완료 계속 용법으로 「have/has+p.p.」의 형태

STEP 2

1 has dreamed 2 used
3 has eaten 4 since

해설

1~3 현재완료 계속 용법으로 「have/has+p.p.」의 형태
4 「since+시작된 시점」

STEP 3

1 have been friends since
2 has loved Kelly for
3 has played the violin since
4 has taken yoga classes for

해석

1 우리는 2010년에 친구가 되었다. 우리는 여전히 친구로 지낸다.
→ 우리는 2010년부터 친구로 지내고 있다.
2 Peter는 10년 전에 Kelly를 사랑했다. 그는 여전히 그녀를 사랑한다.
→ Peter는 10년째 Kelly를 사랑하고 있다.
3 Jacob은 어릴 때 바이올린을 연주했다. 그는 여전히 그것을 연주한다.
→ Jacob은 어릴 때부터 바이올린을 연주해오고 있다.
4 Silvia는 2년 전에 요가 수업을 들었다. 그녀는 여전히 수업을 듣고 있다.
→ Silvia는 2년째 요가 수업을 듣고 있다.

해설

1~4 과거에 시작된 상태나 동작이 현재까지 영향을 미치고 있으므로 현재완료 계속 용법으로 「have/has+p.p.」을 쓰며, 뒤에 기간이 오면 for, 시작된 시점이 오면 since 사용

STEP 4

1 She has worn glasses for
2 He has been afraid of dogs since
3 Mr. Cooper has run the gas station
4 James has trusted his lawyer
5 I have taught English for 10 years
6 My parents have had the same car for

해설

1~6 현재완료 계속 용법으로 「have/has+p.p.」의 형태이고, 「since+시작된 시점」, 「for+지속 기간」

STEP 5

1 Mia has liked chocolate
2 It has been very cold for a month.
3 They have envied my popularity
4 My house has smelled bad since last week.
5 People have believed in all kinds of gods
6 I have wanted to see the actor in person

해설

1~6 현재완료 계속 용법으로 「have/has+p.p.」의 형태이고, 「since+시작된 시점」, 「for+지속 기간」

Unit 2 현재완료: 경험

p.031

Check-up 1

1	have swum	2	have seen
3	has visited	4	have eaten
5	have played	6	has won

해설

1~6 현재완료 경험 용법으로 「have/has+p.p.」의 형태

Check-up 2

1	broken	2	ridden	3	called
4	read	5	been	6	driven

해석

1 나는 한 번 팔이 부러져 본 적이 있다.
2 Tim은 낙타를 두 번 타 본 적이 있다.
3 그들이 우리에게 몇 번 전화했었다.
4 Sam은 그 편지를 여러 번 읽어 본 적이 있다.
5 Sophie와 나는 그 커피숍에 한 번 가 본 적이 있다.
6 Mary는 내 차를 10번 이상 운전해 봤다.

해설

1~6 현재완료 경험 용법으로 「have/has+p.p.」의 형태

STEP 1

1	have seen	2	has been
3	has worked	4	have eaten
5	has written		

해석

1 나는 전에 너구리를 본 적이 있다.
2 그는 해외에 여러 번 가본 적이 있다.
3 Bill은 한 번 외국회사에서 일해 본 적이 있다.
4 그들은 그 식당에서 세 번 먹어본 적이 있다.
5 Linda는 그녀가 가장 좋아하는 배우에게 팬레터를 쓴 적이 있다.

해설

1~5 현재완료 경험 용법으로 「have/has+p.p.」의 형태

STEP 2

1	have met	2	lived
3	have tried	4	traveled[travelled]

해설

1~4 현재완료 경험 용법으로 「have/has+p.p.」의 형태

STEP 3

1 그들은 런던에 가 본 적이 있다.
2 우리 아빠는 전에 영화를 보시면서 우신 적이 있다.
3 그녀는 롤러코스터를 한 번 타 본 적이 있다.
4 우리는 전에 일본어를 배운 적이 있다.
5 나는 그 영화를 10번 본 적이 있다.

해설

1~5 현재완료의 경험 용법은 '~한 적 있다'로 해석

STEP 4

1 She has read the book
2 He has had a problem
3 We have talked about this
4 I have tried snowboarding once.
5 They have climbed the mountain top several times.
6 Jim has met his girlfriend's parents before.

해설

1~6 현재완료 경험 용법으로 「have/has+p.p.」의 형태

STEP 5

1 Lucy has played golf
2 We have been to Hawaii.
3 Ryan has sailed a yacht
4 They have visited your blog.
5 I have seen polar bears once.
6 Tom and I have heard the rumor

해설

1~6 현재완료 경험 용법으로 「have/has+p.p.」의 형태

Unit 3 현재완료: 결과 p.034

Check-up 1

1 taken 2 has gone
3 has left 4 has cut

해설

1~4 현재완료 결과 용법으로 「have/has+p.p.」의 형태

Check-up 2

1 lost 2 hurt 3 stolen
4 borrowed 5 drunk 6 forgotten

해석

1 나는 내 배낭을 잃어버렸다.
2 Stephen은 무릎을 다쳤다.
3 누군가가 내 차를 훔쳐가 버렸다.
4 Sarah가 내 자전거를 빌려가 버렸다.
5 그가 냉장고에 있는 우유를 다 마셔버렸다.
6 우리 부모님이 내 생일을 잊어버렸다.

해설

1~6 현재완료 결과 용법으로 「have/has+p.p.」의 형태

STEP 1

1 have taken 2 has turned on
3 have given 4 have missed

해석

1 그들은 길을 잘못 들어버렸다. 그들은 길을 잃었다.
2 그녀가 TV를 켜버렸다. 지금 TV가 켜져 있다.
3 나는 내 마지막 남은 1달러를 Steven에게 줘버렸다. 나는 돈이 없다.
4 우리는 막차를 놓쳐버렸다. 우리는 집까지 택시를 타야 한다.

해설

1~4 현재완료 결과 용법으로 「have/has+p.p.」의 형태

STEP 2

1 I have burned my hand.
2 My pet bird has flown away.
3 She has sold my car to Brian.
4 Willy has lost his grammar book.

해설

1~4 현재완료 결과 용법으로 「have/has+p.p.」의 형태

STEP 3

1 He has broken his leg.
2 Your dog has eaten my lunch.
3 We have spent all our money.
4 I have[I've] forgotten your name.
5 My children have lost their passports.

해설

1~5 현재완료 결과 용법으로 「have/has+p.p.」의 형태

Unit 4 현재완료: 완료 p.036

Check-up 1

1 돌아왔다 2 들었다
3 떠났다 4 샀다

해설

1~4 현재완료 완료 용법으로 '~했다'라는 해석

Check-up 2

1 told 2 cooked 3 moved
4 decided 5 invented 6 eaten
7 answered 8 gotten

해석

1 나는 그 사실을 Richard에게 말했다.
2 엄마가 벌써 저녁을 요리하셨다.
3 그들은 가구를 모두 옮겼다.
4 그는 자신의 직업을 바꾸기로 결심했다.
5 과학자들인 요리 로봇을 발명했다.
6 Erica는 벌써 너무 많은 사탕을 먹었다.
7 너는 벌써 모든 문제에 답했다.
8 우리 부모님께서 막 휴가에서 돌아오셨다.

해설

1~8 현재완료 완료 용법으로 「have/has+p.p.」의 형태

STEP 1

1 has just repaired
2 has just brought
3 have already signed up
4 have already painted

해설

1~4 현재완료 완료 용법으로 「have/has+p.p.」의 형태이고 just는

보통 have/has와 p.p. 사이에, already는 have/has와 p.p. 사이 또는 문장 맨 뒤에 위치

STEP 2

1 She has already forgiven you. [She has forgiven you already.]
2 I have just finished the report.
3 We have just planned our vacation.
4 The boy has already eaten five pieces of pizza.

해설

1~4 현재완료 완료 용법으로 「have/has+p.p.」의 형태이고 just는 보통 have/has와 p.p. 사이에, already는 have/has와 p.p. 사이 또는 문장 맨 뒤에 위치

STEP 3

1 Spring has already come. [Spring has come already.]
2 We have just moved to this house.
3 The police officer has just caught the thief.
4 She has booked her flight home.
5 They have already graduated from high school. [They have graduated from high school already.]

해설

1~5 현재완료 완료 용법으로 「have/has+p.p.」의 형태이고 just는 보통 have/has와 p.p. 사이에, already는 have/has와 p.p. 사이 또는 문장 맨 뒤에 위치

Unit 5 현재완료 부정문 p.038

Check-up 1

1 결혼하지 않았다
2 비가 내리지 않고 있다
3 써 본 적이 없다
4 배워 본 적이 없다
5 다 먹지 않았다
6 말을 하지 않고 있다

해설

1, 5 현재완료 완료 용법으로 '~하지 않았다'로 해석
2, 6 현재완료 계속으로 '~하고 있지 않다'로 해석
3, 4 현재완료 경험으로 '해 본 적이 없다'로 해석

Check-up 2

1 has not found
2 have not fed
3 has not started
4 has never ridden
5 has never thought

해석

1 Sophie는 새 일을 구하지 못했다.
2 나는 3일째 물고기에게 먹이를 주지 않고 있다.
3 새 학기가 아직 시작하지 않았다.
4 Cindy는 오토바이를 타 본 적이 없다.
5 그는 자신의 미래에 대해 생각해 본 적이 없다.

해설

1~5 현재완료 부정문은 「have/has+not/never+p.p.」의 형태

STEP 1

1 She has not set the table.
2 I have never tried skydiving before.
3 Carl has never told his secrets to his friends.
4 The team has not lost a lot of games so far.

해석

1 그녀는 식탁을 차리지 않았다.
2 나는 전에 스카이다이빙을 해 본 적이 없다.
3 Carl은 자신의 친구에게 자신의 비밀을 얘기해 본 적이 없다.
4 그 팀은 지금까지 많은 경기에서 지지 않았다.

해설

1~4 현재완료 부정문은 「have/has+not/never+p.p.」의 형태

STEP 2

1 I haven't received any emails from Sue.
2 Lisa hasn't cleaned the kitchen yet.
3 Susan has never won a gold medal.
4 They have never visited Rome before.

해설

1~4 현재완료 부정문은 「have/has+not/never+p.p.」의 형태

STEP 3

1 I have not[haven't] slept for two days.
2 Ian has never seen a whale before.
3 He has never climbed Mt. Everest.
4 She has not[hasn't] made up her mind yet.

해설

1~4 현재완료 부정문은 「have/has+not/never+p.p.」의 형태

Unit 6 현재완료 의문문 p.040

Check-up 1

1	Have	2	been
3	Have	4	called
5	Have	6	Has it stopped
7	you passed		

해석

1 우리 전에 만난 적이 있나요?
2 너는 밴쿠버에 가 본 적이 있니?
3 너는 초밥을 먹어 본 적이 있니?
4 Walter가 오늘 우리에게 전화했니?
5 그들이 너의 생일을 잊어버렸니?
6 눈이 아직 그치지 않았니?
7 너 운전면허 시험에 통과했니?

해설

1~7 현재완료 의문문은 「Have/Has+주어+p.p.~?」의 형태

Check-up 2

1	Have, visited	2	Has, raised
3	Have, loved	4	Have, set
5	has, read	6	Have, imagined
7	have, traveled[travelled]		

해석

1 Central Park를 방문해 본 적이 있니?
2 그녀는 전에 애완동물을 키워 본 적이 있니?
3 너는 누군가를 진심으로 사랑해 본 적이 있니?
4 그들이 회의 날짜를 잡았니?
5 Ron은 이번 달에 몇 권의 책을 읽었니?
6 10년 후의 너의 인생을 상상해 본 적이 있니?
7 그들은 지금까지 몇 개국을 여행했니?

해설

1~7 현재완료 의문문은 「Have/Has+주어+p.p.~?」 또는 「의문사+have/has+주어+p.p.~?」의 형태

STEP 1

1 I haven't
2 they have
3 has she studied
4 Has your teacher given

해석

1 A: 너는 숙제를 다 했니?
B: 아니요, 안 했어요. 저 학교에서 방금 집에 돌아왔어요.
2 A: Bill과 Mary는 코끼리를 타 본 적이 있니?
B: 응, 타봤어. 그들은 태국에서 자랐어.
3 A: 그녀는 얼마나 오랫동안 중국에서 공부해오고 있니?
B: 2년 동안.
4 A: 너의 선생님은 너에게 충고를 해 주신 적이 있니?
B: 네, 해 주셨어요. 그의 충고는 매우 유익했어요.

해설

1~2 현재완료 의문문의 대답은 긍정일 경우, 「Yes, 주어+have/has.」 부정일 경우, 「No, 주어+haven't/hasn't.」
3~4 현재완료 의문문은 「Have/Has+주어+p.p.~?」 또는 「의문사+have/has+주어+p.p.~?」의 형태

STEP 2

1 have they lived
2 she ever been
3 Where have you been
4 Has your son thought

해설

1~4 현재완료 의문문은 「Have/Has+주어+p.p.~?」 또는 「의문사+have/has+주어+p.p.~?」의 형태

STEP 3

1 Has he taken medicine?
2 Has she used this program before?
3 Have they learned French at school?
4 Have you received a letter from Brad?

해석

1 그는 약을 먹었다.
→ 그는 약을 먹었니?
2 그녀는 전에 이 프로그램을 써 본 적이 있다.
→ 그녀는 전에 이 프로그램을 써 본 적이 있니?
3 그들은 학교에서 프랑스어를 배워 왔다.
→ 그들은 학교에서 프랑스어를 배워 왔니?
4 너는 Brad에게 편지를 받았다.
→ 너는 Brad에게 편지를 받았니?

해설

1~4 현재완료 의문문은 「Have/Has+주어+p.p.~?」의 형태

STEP 4

1 Has he just finished work?
2 Where has it been
3 Have you brushed your teeth
4 How long has she been sick?
5 Have you ever written a poem?
6 Have they seen a pink dolphin

해설

1~6 현재완료 의문문은 「Have/Has+주어+p.p.~?」 또는 「의문사+have/has+주어+p.p.~?」의 형태

STEP 5

1 Has Ben packed his bags
2 Have you ever played the piano?
3 How long have you worked here?
4 Has she asked you
5 What have you done to my car?
6 Have they eaten Greek food before?

해설

1~6 현재완료 의문문은 「Have/Has+주어+p.p.~?」의 형태

Unit 7 과거 vs. 현재완료 p.043

Check-up 1

1 called 2 did you meet
3 have had 4 worked
5 haven't answered 6 haven't been

해석

1 Sam이 한 시간 전에 나에게 전화했다.
2 너는 언제 Carrie를 처음 만났니?
3 나는 오늘 아침부터 이가 아프다.
4 Bob은 1998년에 라디오 방송국에서 일했다.
5 너는 아직 내 질문에 대답하지 않았다.
6 우리는 전에 수족관에 와 본 적이 없다. 이번이 우리가 처음 방문하는 것이다.

해설

1, 2, 4 과거의 시점을 나타내는 an hour ago, when, in 1998이 있으므로 과거시제
3 현재완료 계속 용법
5 현재완료 완료 용법
6 현재완료 경험 용법

Check-up 2

1 wrote, have written
2 won, has won
3 visited, has visited
4 have seen, saw

해석

1 나는 지난주에 에세이를 썼다.
나는 이번 학기에 세 개의 에세이를 써오고 있다.
2 그는 작년에 에미 상을 받았다.
그는 지금까지 4개의 에미 상을 받았다.
3 Susan은 어제 미술관을 방문했다.
Susan은 몇 번 미술관에 방문해 본 적이 있다.
4 그들은 전에 그 여성을 어딘가에서 본 적이 있다.
그들은 그 여성을 며칠 전 파티에서 봤다.

해설

1 last week는 과거 시점 → 과거시제
현재완료 계속 용법 → 현재완료
2 last year는 과거 시점 → 과거시제
현재완료 결과 용법 → 현재완료
3 yesterday는 과거 시점 → 과거시제
현재완료 경험 용법 → 현재완료
4 현재완료 경험 용법 → 현재완료
a few days ago는 과거 시점 → 과거시제

STEP 1

1 left 2 Did you go
3 lost 4 has been
5 painted

해석

1 Sue는 어제 우산을 학교에 놓고 왔다.
2 작년에 휴가로 스페인에 갔니?
3 나는 휴대 전화를 잃어버렸는데 내 옷장에서 찾았다.
4 Peter는 침대에 있다. 그는 지난 일요일부터 병을 앓고 있다.
5 빈센트 반 고흐는 훌륭한 화가이다. 그는 900점의 그림을 그렸다.

해설

1~3, 5 yesterday, last year는 과거 시점이고, 빈센트 반 고흐가 그림을 그린 것은 과거에 의미 끝난 일로 과거시제
4 과거의 상태가 현재까지 계속되고 있으므로 현재완료 계속 용법으로 현재완료 시제

STEP 2

1 Have you ever read *Animal Farm*?
2 Mozart composed over 600 works
3 I haven't eaten anything all day
4 Sarah has lived in Manhattan for ten years.

해설

1, 3, 4 과거의 상태가 현재까지 계속되고 있으므로 현재완료
2 과거에 이미 끝난 일로 과거시제

STEP 3

1 Has she finished the test
2 Jake has broken his leg
3 He has been interested in animals
4 They moved to this apartment

해설

1~3 과거의 상태가 현재까지 계속되고 있으므로 현재완료
4 과거에 이미 끝난 일로 과거시제

도전! 만점! 중등 내신 **단답형&서술형** p.045

1 been, eaten
2 tried, answered
3 have, not, seen, has, had
4 Have, ever, traveled[travelled], has, forgotten
5 yet, since, already, for
6 have lived, lived
7 read, has read
8 have gone
9 has never had
10 saw
11 been
12 has played
13 have left my wallet
14 has been busy
15 Bob has eaten all the cookies.
16 I have tried bungee jumping twice.
17 Have they fixed the elevator?
18 Brian has not[hasn't] finished his report
19 has your father taught math
20 She has gone to Canada.

해석 & 해설

1
• 나는 그녀의 집에 한 번 가본 적이 있다.
• Sammy는 막 치즈케이크를 먹었다.
현재완료는 「have/has+p.p.」의 형태로 빈칸에는 주어진 동사의 p.p. 형태 필요

2
• 너는 멕시코 음식을 먹어 본 적이 있니?
• 그녀는 한 달째 내 편지에 답장을 하고 있지 않다.
현재완료 의문문은 「Have/Has+주어+p.p.」 형태, 현재완료 부정문은 「have/has+not/never+p.p.」 형태로 빈칸에는 주어진 동사의 p.p. 형태 필요

3
• 나는 아직 그 영화를 보지 못했다.
• Megan은 어릴 때부터 고양이를 기르고 있다.
현재완료 부정문은 「have/has+not/never+p.p.」의 형태, 긍정문은 「have/has+p.p.」의 형태

4
• 너는 해외여행을 가 본 적이 있니?
• 그녀는 너의 전화번호를 잊어버렸다.
현재완료 의문문은 「Have/Has+주어+p.p.」 형태, 긍정문은 「have/has+p.p.」의 형태

5
• 기차는 아직 도착하지 않았다.
• 그녀는 지난 토요일부터 기분이 좋지 않다.
• 나는 벌써 내 모든 숙제를 다 했다.
• 우리는 10년째 친구로 지내고 있다.
부정문이고 문맥상 '아직'이라는 의미가 되어야 하므로 yet, 뒤에 시작된 시점이 있으므로 since, 문맥상 '벌써'라는 의미가 되어야 하므로 already, 뒤에 기간을 나타내는 말이 있으므로 for

6
• 나는 태어난 때부터 이 마을에 살고 있다.
• 나는 어릴 때 이 마을에서 살았다.
과거에 시작된 동작이나 상태가 현재까지 영향을 미치므로 현재완료(계속 용법), 과거에 이미 끝난 일을 나타내므로 과거시제(when I was a child는 과거 시간 표현)

7
• 그는 지난달에 이 책을 읽었다.
• 그는 이 책을 여러 번 읽어본 적이 있다.
과거에 이미 끝난 일을 나타내므로 과거시제(last month는 과거 시간 표현), 과거에서부터 현재까지의 경험을 나타내므로 현재완료(경험 용법)

8
David와 Bella는 영화를 보러 가버렸다. 그들은 8시 전까지 돌아오지 않을 것이다.
주어가 복수이므로 3인칭 단수 현재형인 has를 have로 바꿔야 함

9
Vicky는 자기 방을 가져 본 적이 없다.
현재완료 부정문은 「have/has+not/never+p.p.」의 형태

10
A: 너 오늘 Jessica를 본 적이 있니?
B: 응, 본 적 있어. 나는 그녀를 한 시간 전에 봤어.
an hour hour는 과거 시간 표현으로 과거에 이미 끝난 일을 나타내므로 과거 시제 saw가 되어야 함

11
A: 너 캐나다에 가 본 적이 있니?
B: 응, 나는 거기에 세 번 가 본 적이 있어.
문맥상 '가 본 적이 있다'라는 의미가 되어야 하므로 been이 되어야 함

12
James는 10년 전에 테니스를 시작했다. 그는 여전히 지금도 테니스를 한다.
→ James는 10년 동안 테니스를 하고 있다.
과거에 일어난 일이 현재까지 영향을 미치므로 현재완료

13
나는 집에 지갑을 놓고 왔다. 그래서 나는 지금 그것이 없다.
→ 집에 내 지갑을 놓고 와 버렸다.
과거에 일어난 일이 현재까지 영향을 미치므로 현재완료

14
Dave는 지난주에 바빴다. 그는 지금도 여전히 바쁘다.
→ Dave는 지난주부터 바빴다.

15
현재완료는 「have/has+p.p.」의 형태

16
현재완료는 「have/has+p.p.」의 형태

17
현재완료 의문문은 「Have/Has+주어+p.p.~?」의 형태

18
현재완료 부정문은 「have/has+not/never+p.p.」의 형태

19
의문사가 있는 현재완료 의문문은 「의문사 have/has+주어+p.p.~?」의 형태

20
현재완료는 「have/has+p.p.」의 형태

Chapter 3 조동사

Unit 1 can / could p.048

Check-up 1

1 풀 수 있다
2 떠나도 좋다
3 얘기해 줄래

해설
1 능력 · 가능을 나타내므로 '~할 수 있다'로 해석
2 허가를 나타내므로 '~해도 좋다'로 해석
3 요청을 나타내므로 '~해 줄래?'로 해석

Check-up 2

1 run
2 cannot
3 fix
4 couldn't
5 Can I
6 move

해석
1 Greg는 매우 빨리 달릴 수 있다.
2 나는 오토바이를 탈 수 없다.
3 Ben은 고장 난 컴퓨터를 고칠 수 있었다.
4 그녀는 어젯밤에 잠을 제대로 잘 수 없었다.
5 너와 잠깐 얘기할 수 있을까?
6 차 좀 옮겨주시겠어요?

해설
1 can 다음에는 동사원형
2 can의 부정문은 「주어+cannot[can't]+동사원형」의 형태
3 can의 과거형 could 다음에는 동사원형
4 last night는 과거 시간 표현으로 couldn't
5, 6 can[could]의 의문문은 「Can[Could]+주어+동사원형~?」의 형태

STEP 1

1 can't, hear
2 can't, go, out
3 can, draw
4 can, speak
5 Can, lend

해석
1 음악이 너무 시끄럽다. 네 말을 들을 수가 없다.
2 너무 늦었다. 너는 혼자 외출할 수 없다.
3 Kate는 훌륭한 예술가이다. 그녀는 그림을 정말로 잘 그린다.
4 Ron은 독일 출신이다. 그는 독일어를 정말 잘한다.

5 나는 지갑을 잃어버렸어. 나에게 돈을 좀 빌려줄래?

해설

1, 2 문맥상 '들을 수 없다', '외출할 수 없다'라는 의미가 되어야 하므로 불가능을 나타내는 can't 사용

3, 4 문맥상 '잘 그릴 수 있다', '말할 수 있다'라는 의미가 되어야 하므로 능력을 나타내는 can 사용

5 문맥상 '빌려줄래?'라는 의미가 되어야 하므로 요청을 나타내는 can 사용

STEP 2

1 have
2 be able to
3 lift
4 couldn't
5 cannot[can't]

해석

1 우리 잠깐 쉬어도 될까?
2 그들은 제시간에 여기에 도착할 수 있을 것이다.
3 나는 혼자서 그 상자를 들을 수 없다.
4 내 여동생은 작년에 글을 읽을 수 없었다.
5 펭귄들은 새지만, 그것들은 날지 못한다.

해설

1 can의 의문문은 「Can+주어+동사원형~?」의 형태
2 can 미래형은 「will be able to동사원형」으로 나타냄
3 can 다음에는 동사원형
4 last year는 과거이므로 couldn't
5 can의 부정문은 「주어+cannot[can't]+동사원형」의 형태

STEP 3

1 am able to jump
2 Are, able to climb
3 is not[isn't] able to join
4 were not[weren't] able to see
5 was able to play

해석

1 나는 높이 뛸 수 있다.
2 너는 저 나무를 오를 수 있니?
3 Steve는 바쁘다. 그는 우리와 저녁 식사를 같이 할 수 없다.
4 어젯밤은 흐렸다. 우리는 별을 볼 수 없었다.
5 Fred는 십대였을 때 테니스를 칠 수 있었다.

해설

1 현재시제이고 주어 I로 am able to jump
2 현재시제이고 주어가 you로 Are, able to climb
3 현재시제 부정문이고 주어가 He로 is not able to join
4 과거시제 부정문이고 주어가 We로 were not able to see
5 과거시제이고 주어가 Fred로 was able to play

STEP 4

1 Can you pass me the salt?
2 I can't remember his name.
3 He was able to ride a horse
4 They couldn't meet the deadline.
5 My brother can swim well
6 You can borrow seven books

해설

1 can의 의문문은 「Can+주어+동사원형~?」의 형태
2 can의 부정문은 「주어+cannot[can't]+동사원형」의 형태
3 「be동사+able to+동사원형」의 형태
4 could의 부정문은 「주어+could not[couldn't]+동사원형」
5, 6 can 다음에는 동사원형

STEP 5

1 Can you give him a ride
2 We are not[aren't] able to breathe
3 Can I see the menu
4 He can handle this machine
5 Jones will be able to buy a new house
6 they could save the boy

해설

1, 3 can의 의문문은 「Can+주어+동사원형~?」 의 형태
2 be able to의 부정문은 「be동사+not+able to+동사원형」의 형태
4 can 다음에는 동사원형
5 can의 미래형은 「will+be able to+동사원형」 의 형태
6 can의 과거형은 「could+동사원형」 의 형태

Unit 2 may / might

p.051

Check-up 1

1 동의할지도 모른다
2 오지 않을지도 모른다
3 먹어도 될까요
4 열어봐도 좋다

해설

1 불확실한 추측을 나타내므로 '~일지도 모른다'로 해석
2 불확실한 부정적 추측으로 '~하지 않을지도 모른다' 로 해석

3~4 허가를 나타내므로 '~해도 될까?/~해도 좋다'로 해석

Check-up 2

1 be	2 love	3 not be
4 may	5 take	6 may take

해석

1 Sue는 힙합음악에 관심이 있을지도 모른다.
2 Brad와 Sally가 서로 사랑하는지도 모른다.
3 Harry는 정직하지 않을지도 모른다.
4 Tommy가 파티에 오지 않을지도 모른다.
5 주문을 받아도 될까요?
6 네가 원하면 이 책을 가져도 좋다.

해설

1, 2, 6 may 다음에는 동사원형
3~4 may[might]의 부정문은 「주어+may[might] not+동사원형」의 형태
5 may의 의문문은 「May+주어+동사원형~?」의 형태

STEP 1

1 may, rain	2 may, be
3 may, not, answer	4 May, use
5 may, not, arrive	

해석

1 구름을 봐! 비가 곧 내릴지도 모른다.
2 Rick이 아직 집에 돌아오지 않았다. 그는 지금 학교에 있을지도 모른다.
3 Mia가 내 전화를 받지 않을 지도 모른다. 그녀와 나는 크게 싸웠다.
4 내 전화기가 꺼졌다. 내가 너의 전화를 잠깐 써도 될까?
5 교통이 매우 혼잡하다. 그는 제시간에 콘서트에 도착하지 않을지도 모른다.

해설

1~2 문맥상 '비가 올지도 모른다', '있을지도 모른다'라는 의미로 「may+동사원형」
3, 5 문맥상 '받지 않을지도 모른다', '도착하지 않을지도 모른다'라는 의미로 「주어+may not+동사원형」
4 '사용해도 될까'라는 의미로 「May+주어+동사원형~?」

STEP 2

1 You may watch TV
2 Jamie might be late for class.
3 May I borrow your car tomorrow?
4 She may not like her new teacher.

해설

1, 2 may[might] 다음에는 동사원형
3 may의 의문문은 「May+주어+동사원형~?」의 형태
4 may의 부정문은 「주어+may not+동사원형」의 형태

STEP 3

1 You may sit next to me.
2 The guests may[might] arrive soon.
3 They may[might] not know the truth.
4 May I have a word with you?

해설

1, 2 may[might] 다음에는 동사원형
3 may의 부정문은 「주어+may[might] not+동사원형」의 형태
4 may의 의문문은 「May+주어+동사원형~?」의 형태

Unit 3 must / have to p.053

Check-up 1

1 있는 것이 틀림없다
2 일해야 한다
3 기다릴 필요가 없다
4 해야 했다

해설

1 강한 추측을 나타내므로 '~임이 틀림없다'로 해석
2 의무 · 필요를 나타내므로 '해야 한다'로 해석
3 불필요를 나타내므로 '~할 필요 없다'로 해석
4 과거의 의무를 나타내므로 '~해야 했다'로 해석

Check-up 2

1 throw	2 not play
3 Do I have to	4 don't have to

해석

1 우리는 쓰레기를 쓰레기통에 버려야 한다.
2 아이들은 이런 위험한 곳에서 놀면 안 된다.
3 제가 더 채소를 더 많이 먹어야 하나요?
4 일요일이다. 나는 일찍 일어날 필요 없다.

해설

1 must 다음에는 동사원형
2 must의 부정문은 「must not+동사원형」의 형태로 금지를 나타냄
3 have to의 의문문은 「Do+주어+have to+동사원형~?」의 형태
4 have to의 부정문은 「don't have to+동사원형」의 형태로 불필요를 나타냄

STEP 1

1 must be
2 must not swim
3 must study
4 have to call
5 don't have to give
6 don't have to pay for

해석

1 모두 잠을 자고 있다. 너는 조용히 해야 한다.
2 이 호수는 정말 깊다. 우리는 여기서 수영을 하면 안 된다.
3 시험에 통과하고 싶으면 너는 공부를 열심히 해야 한다.
4 TV가 작동하지 않는다. 나는 수리공을 불러야 한다.
5 나는 택시를 탈 것이다. 너는 나를 태워줄 필요 없다.
6 내가 한턱낼게. 너는 점심 값을 지불할 필요 없어.

해설

1 '조용히 해야 한다'라는 의미가 되어야 하므로 의무를 나타내는 must
2 '수영을 하면 안 된다'라는 의미가 되어야 하므로 금지를 나타내는 must not
3 '공부해야 한다'라는 의미가 되어야 하므로 의무를 나타내는 must
4 '불러야 한다'라는 의미가 되어야 하므로 필요를 나타내는 have to
5, 6 '태워줄 필요 없다', '지불할 필요 없다'라는 의미가 되어야 하므로 불필요를 나타내는 don't have to

STEP 2

1 like
2 don't have to
3 have to
4 cannot[can't]
5 had to

해석

1 Kate은 종종 영화를 보러 간다. 그녀는 영화를 좋아하는 것이 틀림없다.
2 우리는 서두를 필요 없다. 우리는 시간이 많다.
3 나는 내 미래 계획에 대해 신중하게 생각해야 할 것이다.
4 Kelly가 여기 있을 리가 없다. 그녀는 지금 시애틀에 있다.
5 그들은 어젯밤 자정까지 일해야 했다.

해설

1 must 다음에는 동사원형
2 have to의 부정문은 「don't have to+동사원형」의 형태로 불필요로 불필요를 나타냄
3 의무·필요를 나타내는 must의 미래형은 「will have to+동사원형」의 형태
4 '~일 리가 없다'라는 의미로 강한 추측의 부정의 의미가 되어야 하므로 cannot/can't
5 의무를 나타내는 must의 과거형은 「had to+동사원형」의 형태

STEP 3

1 have to wear a swimsuit
2 must exercise
3 don't need to[need not] stay
4 doesn't need to[need not] finish

해석

1 너는 수영장에서는 수영복을 입어야 한다.
2 그녀는 일주일에 적어도 세 번 운동을 해야 한다.
3 우리는 여기에 더 오래 머무를 필요 없다.
4 그는 이 일을 오늘 끝낼 필요 없다.

해설

1, 2 의무를 나타내는 must = have/has to
3, 4 불필요를 나타내는 don't/doesn't have to = don't/doesn't need to, need not

STEP 4

1 She had to stay up all night
2 We must protect our environment.
3 You must not drink spoiled milk.
4 They don't have to worry.
5 He must be very good at math.
6 Do I have to answer all the questions?

해설

1 의무를 나타내는 must의 과거형은 「had to+동사원형」의 형태
2 must 다음에는 동사원형
3 금지를 나타내는 must의 부정문은 「must not+동사원형」의 형태
4 불필요를 나타내는 have to의 부정형은 「don't have to+동사원형」의 형태
5 must 다음에는 동사원형
6 have to의 의문문은 「Do+주어+have to+동사원형~?」의 형태

STEP 5

1 You don't have[need] to do anything.
2 Max must be very hungry.
3 Gary has to be in the hospital
4 You must not talk
5 We must speak politely
6 I will have to take care of my brothers

해설

1 불필요를 나타내는 have to의 부정형은 「don't have to+동사원형」의 형태
2 추측을 나타내는 조동사는 must

3 의무 · 필요를 나타내는 조동사는 have to인데, 주어가 3인칭 단수이므로 has to
4 금지를 나타내는 must의 부정문은 「must not+동사원형」의 형태
5 의무 · 필요를 나타내는 조동사는 must
6 의무 · 필요를 나타내는 must의 미래형은 「will have to+동사원형」의 형태

Unit 4 should / had better p.056

Check-up 1

1 준비해야 한다
2 전화하면 안 된다
3 잠을 자는 게 좋겠다
4 외출하지 않는 게 좋겠다

해설

1 의무 · 충고를 나타내므로 '~해야 한다'로 해석
2 should의 부정형은 금지를 나타내므로 '~하면 안 된다'로 해석
3 조언 · 충고를 나타내므로 '~하는 것이 좋겠다'로 해석
4 조언 · 충고를 나타내는 had better의 부정문으로 '~하지 않는 것이 좋겠다'로 해석

Check-up 2

1 see 2 should not
3 Should I 4 take
5 had better 6 had better not

해석

1 너는 아파 보인다. 너는 병원에 가봐야 한다.
2 Matthew는 거짓말쟁이다. 너는 그를 믿으면 안 된다.
3 그 책을 전부 읽어야 하나요?
4 그것은 7층에 있다. 우리는 엘리베이터를 타는 것이 좋겠다.
5 너는 그의 전화를 사용하기 전에 먼저 그에게 물어보는 것이 좋겠다.
6 우리는 Nick에게 그것에 대해 얘기하지 않는 것이 좋겠다.

해설

1 should 다음에는 동사원형
2 should 부정문은 「should not[shouldn't]+동사원형」의 형태
3 should 의문문은 「Should+주어+동사원형~?」의 형태
4, 5 '~하는 것이 좋겠다'라는 의미로 충고 · 조언을 나타내는 「had better+동사원형」의 형태
6 had better의 부정문은 「had better not+동사원형」의 형태

STEP 1

1 had better not go
2 should not[shouldn't] eat
3 should wash
4 had better wear
5 should get

해설

1 조언 · 충고를 나타내는 had better의 부정문 「had better not+동사원형」의 형태
2 should의 부정형은 「should not[shouldn't]+동사원형」의 형태
3, 5 조언 · 충고를 나타내므로 「should+동사원형」
4 조언 · 충고를 나타내므로 「had better+동사원형」

STEP 2

1 should not 2 Should I
3 had better not 4 start
5 had better

해석

1 새치기를 하면 안 된다.
2 내가 그에게 사실을 얘기해야 될까요?
3 나는 돈과 시간을 낭비하지 않는 것이 좋겠다.
4 우리는 지금 당장 새 프로젝트를 시작하는 것이 좋겠다.
5 그들이 너를 기다리고 있다. 너는 서두르는 게 좋겠다.

해설

1 should 부정문은 「should not[shouldn't]+동사원형」의 형태
2 should 의문문은 「Should+주어+동사원형~?」의 형태
3 had better의 부정문은 「had better not+동사원형」의 형태
4 had better 다음에는 동사원형
5 조언 · 충고를 나타내는 조동사는 「had better+동사원형」의 형태

STEP 3

1 We should not[shouldn't] take this seriously.
2 I had[I'd] better go for a walk today.
3 Should I call you back after six?
4 You had[You'd] better not go hiking today.

해석

1 우리는 이것을 심각하게 받아들여야 한다.
→ 우리는 이것을 심각하게 받아들이면 안 된다.
2 나는 오늘 산책하러 나가지 않는 것이 좋겠다.
→ 나는 오늘 산책하러 가는 게 좋겠다.
3 나는 너에게 6시 이후에 전화해야 한다.
→ 내가 너에게 6시 이후에 전화해야 하니?

4 너는 오늘 하이킹하러 가는 것이 좋겠다.
→ 너는 오늘 하이킹하러 가지 않는 게 좋겠다.

해설

1 should 부정문은 「should not[shouldn't]+동사원형」의 형태
2, 4 had better의 부정문은 「had better not+동사원형」의 형태
3 should 의문문은 「Should+주어+동사원형~?」의 형태

STEP 4

1 You should take my advice.
2 Should we try another way?
3 We should not use paper cups.
4 You had better be honest
5 I had better take the subway.
6 You had better not lend money

해설

1 should 다음에는 동사원형
2 should 의문문은 「Should+주어+동사원형~?」의 형태
3 should 부정문은 「should not[shouldn't]+동사원형」의 형태
4, 5 had better 다음에는 동사원형
6 had better의 부정문은 「had better not+동사원형」의 형태

STEP 5

1 He had[He'd] better not bother his sister.
2 Should I apologize to Joanna?
3 We should not[shouldn't] miss this chance.
4 I had[I'd] better write a thank-you note
5 You had[You'd] better watch your step.
6 We should respect other people's opinions.

해설

1 had better의 부정문은 「had better not+동사원형」의 형태
2 should 의문문은 「Should+주어+동사원형~?」의 형태
3 should 부정문은 「should not[shouldn't]+동사원형」의 형태
4, 5 had better 다음에는 동사원형
6 should 다음에는 동사원형

Unit 5 used to / would like to p.059

Check-up 1

1 테니스를 치곤 했다 2 이었다
3 이야기를 나누고 싶어요 4 춤추시겠어요

해설

1 과거의 습관을 나타내므로 '~하곤 했다'로 해석
2 과거의 상태를 나타내므로 '~이었다'로 해석
3 소망을 나타내므로 '~하고 싶다'로 해석
4 would like to의 의문문으로 '~하시겠어요?'로 해석

Check-up 2

1 used to 2 live
3 to have 4 like to

해석

1 뒤뜰에 큰 나무가 있었다.
2 우리 조부모님은 시골에 살곤 하셨다.
3 나는 새 스마트폰을 갖고 싶다.
4 우리 체스 클럽에 가입하지 않을래?

해설

1~2 과거의 습관 또는 상태를 나타내는 「used to+동사원형」의 형태
3 소망을 나타내는 「would like to+동사원형」의 형태
4 would like to의 의문문은 「Would 주어+like to+동사원형~?」의 형태

STEP 1

1 used to like
2 used to be
3 used to take
4 would like to look around
5 would like to spend

해석

1 나는 공포 영화를 좋아하곤 했었는데, 더 이상 그렇지 않다.
2 그녀는 가수가 되기 전에 간호사였었다.
3 우리는 주말에 오래 산책을 하곤 했었는데 지금은 그렇지 않다.
4 이것이 우리의 첫 방문이다. 우리는 도시를 둘러보고 싶다.
5 Nick은 자신의 가족과 많은 시간을 보내고 싶지만, 그는 항상 바쁘다.

해설

1~3 '좋아하곤 했었다', '간호사였다', '오래 산책을 했었다'라는 의미가 되어야 하므로 과거의 습관 또는 상태를 나타내는 「used to+동사원형」의 형태
4~5 '둘러보고 싶다', '보내고 싶다'라는 의미가 되어야 하므로 소망을 나타내는 「would like to+동사원형」의 형태

STEP 2

1 I would like to introduce my friend.
2 She used to work for a film company.
3 Brian used to eat a lot of fast food.
4 My sisters would like to go on a trip

해설

1, 4 소망을 나타내는 조동사는 「would like to+동사원형」의 형태
2~3 과거의 습관 또는 상태를 나타내는 조동사는 「used to+동사원형」의 형태

STEP 3

1 Would you like to go to the movies tonight?
2 I would take my doll everywhere
3 Beth used to be very shy
4 Timmy would like to study English literature

해설

1 would like to의 의문문은 「Would+주어+like to+동사원형~?」의 형태
2 과거의 습관을 나타내는 조동사는 「would+동사원형」의 형태
3 과거의 습관 또는 상태를 나타내는 조동사는 「used to+동사원형」의 형태
4 소망을 나타내는 조동사는 「would like to+동사원형」의 형태

Unit 6 조동사+have+p.p. p.061

Check-up

1 b	2 a	3 a
4 a	5 a	6 b

해설

1 should have p.p.: ~했어야 했다
2 shouldn't have p.p.: ~하지 않았어야 했다
3 must have p.p.: ~했음이 틀림없다
4 cannot have p.p.: ~했을 리가 없다
5 may have p.p.: ~했을지도 모른다
6 could have p.p.: ~할 수 있었을 것이다(하지 못 했다)

STEP 1

1 cannot have done 2 cannot have emailed
3 could have been hurt

해설

1, 2 cannot have p.p.: ~했을 리가 없다
3 could have p.p.: ~할 수 있었을 것이다(하지 못 했다)

STEP 2

1 shouldn't have eaten 2 shouldn't have told
3 must have been

해설

1, 2 shouldn't have p.p.: ~하지 않았어야 했다
3 must have p.p.: ~했음이 틀림없다

STEP 3

1 He must have forgotten to turn off the TV.
2 She cannot have told a lie.
3 We should have reserved a room
4 Tony may[might] have called me
5 They shouldn't have missed the last train.

해설

1 must have p.p.: ~했음이 틀림없다
2 cannot have p.p.: ~했을 리가 없다
3 should have p.p.: ~했어야 했다
4 may/might have p.p.: ~했을지도 모른다
5 shouldn't have p.p.: ~하지 않았어야 했다

도전! 만점! 중등 내신 단답형&서술형 p.063

1 to
2 had
3 May[Can], ask
4 don't, have[need], to, tell
5 used, to, play
6 ⓐ rain ⓑ take
7 ⓐ to get ⓑ should
8 had, better, go
9 cannot[can't], be
10 must[should], not, shout
11 I am not able to read Chinese books.
12 You have to wash your hands before eating.
13 must[should] not make the same mistake

14 I could[was able to] jump rope well
15 must have dropped
16 You will have to finish the work
17 We don't have to worry about him.
18 I should have gone to the party.
19 ⓐ was using ⓑ had to ⓒ have been ⓓ will never
20 We used to be good friends

해석 & 해설

1
• Dave는 큰 도시에 살았었다.
• 나는 치즈버거와 콜라를 먹을게요.
과거의 습관을 나타내는 조동사는 used to, 소망을 나타내는 조동사는 would like to로 빈칸에는 공통으로 to가 와야 함

2
• 그녀는 매우 아팠다. 그래서 침대에 누워있어야 했다.
• 나는 피곤하다. 나는 쉬는 게 좋겠다.
과거의 의무를 나타내는 조동사는 had to, 충고 · 조언을 나타내는 조동사는 had better로 빈칸에는 공통으로 had가 와야 함

3
허가를 나타내는 조동사 can과 may이고 의문문은 「May/Can+주어+동사원형」의 형태

4
불필요를 나타낼 때 「don't have[need] to+동사원형」의 형태

5
과거의 습관을 나타낼 때 「used to+동사원형」

6
오늘 오후에 비가 내릴지도 모른다. 너는 우산을 가지고 가는 것이 좋겠다.
불확실한 추측을 나타낼 때 「may+동사원형」, 충고 · 조언을 나타낼 때 「had better+동사원형」의 형태

7
좋은 성적을 받고 싶으면 너는 공부를 열심히 해야 한다.
소망을 나타낼 때 「would like to+동사원형」, 문맥상 '공부해야 한다'라는 의미가 되어야 하므로 의무를 나타내는 should가 와야 함

8
A: 나 이가 많이 아파.
B: 너는 치과에 가는 게 좋겠어.
문맥상 충고 · 조언을 나타내는 조동사가 와야 하므로 had better go

9
A: Bella가 일을 그만뒀다고 들었어.
B: 사실일 리가 없어. 그녀는 정말 자신이 직업을 즐겨.
문맥상 강한 추측의 부정을 나타내는 조동사가 와야 하므로 cannot[can't] be

10
A: 이곳은 공공장소야. 너는 그렇게 소리를 지르면 안 돼.
B: 다시는 안 그럴게요, 엄마.
문맥상 '~하면 안 된다'라는 의미의 조동사가 와야 하므로 must[should] not

11
나는 중국어 책을 읽을 수 없다.
불가능을 나타내는 조동사 can't = be동사의 현재형+not+able to+동사원형

12
너는 먹기 전에 손을 씻어야 한다.
의무를 나타내는 조동사 must = have to

13
'~하면 안 된다'라는 의미의 조동사는 must[should] not

14
'~하면 안 된다'라는 의미의 조동사 can의 과거형 could는 was[were] able to와 같은 의미

15
must have p.p.: ~했음이 틀림없다

16
의무를 나타내는 must의 미래형은 「will have to+동사원형」

17
don't have to+동사원형: ~할 필요 없다

18
A: 왜 너는 파티에 오지 않았니? 우리는 매우 즐거운 시간을 보냈어.
B: 아, 내가 파티에 갔었어야 했는데.
should have p.p.: ~했어야 했다

19-20
일주일 전 Emma는 내 전화를 빌렸다. 그녀가 전화를 쓰면서 떨어뜨렸고 그것을 부수었다. 그녀는 사과도 하지 않고 나에게 그것을 돌려주었다. 나는 그것을 수리점에 가져가야 했고 그것을 고치느라 50달러를 썼다. 나는 그녀에게 나에게 사과하라고 했지만 그녀는 자신의 잘못이 아니라고 말했다. 그때 이후로 나는 그녀에게 정말 화가 나 있다. 나는 그녀와 말을 하고 싶지 않다. 우리는 좋은 친구였지만 지금은 아니다. 나는 그녀를 절대 용서하지 않을 것이다.

19
ⓐ 과거의 한 시점의 진행중인 일로 과거진행시제 was using, ⓑ 의무를 나타내는 must의 과거형은 had to, ⓒ 과거에 일어난 일이 현재까지 영향을 미치고 있으므로 현재완료인 have been, ⓓ never가 있는 will의 부정은 「will never+동사원형」

20
과거의 상태를 나타내는 「used to+동사원형」

Chapter 4 수동태

Unit 1 능동태 vs. 수동태 p.066

Check-up 1

1 a. 만들었다 b. 만들어졌다
2 a. 청소한다 b. 청소된다
3 a. 요리한다 b. 요리된다

해설

1~3 a. 주어가 동작의 주체로 능동태, '~한다'로 해석
b. 주어가 동작을 당하는 대상으로 수동태, '~되어진다'로 해석

Check-up 2

1 wrote, was written
2 sing, are sung
3 respect, is respected

해석

1 Keats가 이 시를 썼다.
→ 이 시는 Keats에 의해 쓰였다.
2 사람들은 크리스마스에 캐럴을 부른다.
→ 캐럴은 크리스마스에 사람들에 의해 불려진다.
3 많은 학생들은 Brown 선생님을 존경한다.
→ Brown 선생님은 많은 학생들에 의해 존경 받는다.

해설

1 첫 번째 문장은 Keats가 시를 쓴 것으로 능동태, 두 번째 문장은 시가 쓰인 것으로 수동태
2 첫 번째 문장은 사람들이 캐럴을 부른 것으로 능동태, 두 번째 문장은 캐럴이 불리는 것으로 수동태
3 첫 번째 문장은 학생들이 존경하는 것으로 능동태, 두 번째 문장은 Brown 선생님이 존경을 받는 것으로 수동태

STEP 1

1 is, delivered, by
2 was, painted, by
3 was, stolen, by
4 are, fed, by

해석

1 집배원이 우편물을 배달한다.
→ 우편물은 집배원에 의해 배달된다.
2 우리가 침실을 페인트칠했다.
→ 침실은 우리에 의해 페인트칠해졌다.
3 누군가가 내 자전거를 훔쳤다.
→ 내 자전거가 누군가에 의해 도난당했다.
4 나는 매일 아침 내 고양이들에게 먹이를 준다.
→ 내 고양이들은 매일 아침 나에 의해 먹이를 받는다.

해설

1~4 수동태는 「be동사+p.p.+by 행위자(목격적)」 형태

STEP 2

1 done　　2 invented
3 made　　4 by Jessica
5 drink　　6 was cooked

해석

1 이 일은 James가 했다.
2 Edison이 전구를 개발했다.
3 이 영화는 1995년에 만들어졌다.
4 이 그림들은 Jessica에 의해 그렸다.
5 많은 사람들이 커피를 마신다.
6 해산물 스파게티가 내 아버지에 의해 만들어졌다.

해설

1 일이 행해진 것으로 수동태 문장, p.p. 형태인 done
2 Edison이 전구를 만든 것으로 능동태 문장, 동사의 과거형인 invented
3 영화가 만들어진 것으로 수동태 문장, p.p. 형태인 made
4 그림이 그려진 것으로 수동태 문장, 행위자 앞 by 필요
5 사람들이 커피를 마시는 것으로 drink
6 스파게티가 만들어진 것으로 「be동사+p.p.」형태 was cooked

STEP 3

1 was locked by her
2 are worn by people of all ages
3 was built by my father
4 was designed by Vera Wang

해석

1 그녀가 앞문을 잠갔다.
→ 앞문은 그녀의 의해 잠겼다.
2 모든 연령의 사람들이 청바지를 입는다.
→ 청바지는 모든 연령의 사람들에 의해 착용된다.
3 우리 아버지가 그 건물을 지었다.
→ 그 건물은 우리 아버지에 의해 지어졌다.
4 Vera Wang이 이 드레스를 디자인했다.
→ 이 드레스는 Vera Wang에 의해 디자인되었다.

해설

1~4 수동태 문장은 능동태의 목적어를 주어로, 동사를 「be동사+p.p.」

의 형태로 바꾸고 능동태 문장의 주어를 「by+행위자(목적격)」의 형태로 씀

STEP 4

1 The table is set
2 The road is blocked by snow.
3 The door was closed by the wind.
4 The mirror was broken by my sister.
5 The machine is worked by solar power.
6 These nice photos were taken by Mark.

해설

1~6 수동태는 「주어+be동사+p.p.(+by 행위자)」의 형태

STEP 5

1 He is trusted by his friends.
2 The windows are cleaned every week.
3 Soccer is played all over the world.
4 Banks are closed at night.
5 All the cookies were eaten by my brother.
6 Picture books are read by young children.

해설

1~6 수동태는 「주어+be동사+p.p.(+by 행위자)」의 형태

Unit 2 수동태의 시제 p.069

Check-up 1

1 enjoyed 2 broken 3 sung

해설

1 수동태의 현재시제는 「be동사의 현재형+p.p.(+by 행위자)」의 형태
2 수동태의 과거시제는 「be동사의 과거형+p.p.(+by 행위자)」의 형태
3 수동태의 미래시제는 「will be+p.p.(+by 행위자)」의 형태

Check-up 2

1 are designed 2 was made
3 will be held

해설

1 수동태의 현재시제는 「be동사의 현재형+p.p.(+by 행위자)」의 형태
2 수동태의 과거시제는 「be동사의 과거형+p.p.(+by 행위자)」의 형태
3 수동태의 미래시제는 「will be+p.p.(+by 행위자)」의 형태

STEP 1

1 are used 2 is visited
3 will be caught 4 will be sold
5 were planted

해석

1 로봇은 요즘 많은 분야에서 사용된다.
2 그의 블로그는 매일 많은 사람들에 의해 방문 받는다.
3 그 도둑들은 곧 경찰에 의해 잡힐 것이다.
4 그 티켓들은 다음 달부터 온라인으로 판매될 것이다.
5 이 나무들은 2010년에 자원 봉사자들이 심었다.

해설

1~2 these days, every day는 현재 시간 표현으로 「be동사의 현재형+p.p.(+by 행위자)」의 형태
3~4 tomorrow, next month는 미래 시간 표현으로 「will be+p.p.(+by 행위자)」의 형태
5 in 2010은 과거 시간 표현으로 「be동사의 과거형+p.p.(+by 행위자)」의 형태

STEP 2

1 was 2 paid
3 is served 4 taught
5 taken

해석

1 어제 UFO가 그들에 의해 목격되었다.
2 너는 한 시간에 15달러를 지급받을 것이다.
3 아침식사는 식당에서 제공된다.
4 과학은 Green 선생님에 의해 가르쳐질 것이다.
5 Kevin은 어젯밤에 병원으로 실려 갔다.

해설

1, 5 yesterday, last night이 과거 시간 표현으로 「be동사의 과거형+p.p.(+by 행위자)」의 형태
2, 4 수동태의 미래시제는 「will be+p.p.(+by 행위자)」의 형태
3 현재시제이고 아침 식사가 제공되는 것으로 「be동사의 현재형+p.p.(+by 행위자)」의 형태

STEP 3

1 The course is taken by many students.
2 I was followed by a stranger
3 My feelings were hurt by his words
4 Dinner will be made by my sisters tonight.
5 Broken cars are repaired by the mechanic.

해석

1 많은 학생들이 그 강좌를 수강한다.
→ 그 강좌는 많은 학생들이 수강한다.

2 낯선 사람이 어젯밤 나를 따라왔다.
→ 나는 낯선 사람에 의해 쫓겼다.

3 어제 그의 말이 나의 기분에 상처를 줬다.
→ 어제 내 기분은 그의 말에 상처받았다.

4 오늘 밤 우리 언니들이 저녁을 만들 것이다.
→ 오늘 밤 저녁은 우리 언니들에 의해 만들어 질 것이다.

5 정비공은 고장 난 차들을 수리한다.
→ 고장 난 차들은 정비공에 의해 수리된다.

해설

1 목적어 the course → 주어, take → is taken, 주어 many students → by many students

2 목적어 me → I, followed → was followed, 주어 A stranger → by a stranger

3 목적어 my feelings → 주어, hurt → were hurt, 주어 His words → by his words

4 목적어 dinner → 주어, will make → will be made, 주어 My sisters → by my sisters

5 목적어 broken cars → 주어, repairs → are repaired, 주어 The mechanic → by the mechanic

STEP 4

1 Tigers are kept
2 Oranges are sold
3 The new bridge will be built
4 The dishes will be done by Brian.
5 The forest was destroyed by fire.
6 My name was made by my grandfather.

해설

1~2 현재시제 수동태로 「be동사의 현재형+p.p.(+by 행위자)」의 형태
3~4 미래시제 수동태로 「will be+p.p.(+by 행위자)」의 형태
5~6 과거시제 수동태로 「be동사의 과거형+p.p.(+by 행위자)」의 형태

STEP 5

1 Your product will be sent
2 Another chance will be given
3 The penguins are fed
4 A woman was injured
5 Mickey Mouse was created by Walt Disney.
6 The Pope is admired by a lot of people.

해설

1~2 미래시제 수동태로 「will be+p.p.(+by 행위자)」의 형태
3, 6 현재시제 수동태로 「be동사의 현재형+p.p.(+by 행위자)」의 형태
4~5 과거시제 수동태로 「be동사의 과거형+p.p.(+by 행위자)」의 형태

Unit 3 수동태의 부정문 p.072

Check-up 1

1 찾아지지 않는다 (명단에 없다)
2 써지지 않았다
3 수여되지 않을 것이다
4 초대되지 않을 것이다

해설

1 현재시제 수동태 부정문으로 '~찾아지지 않는다'로 해석
2 과거시제 수동태 부정문으로 '~써지지 않았다'로 해석
3~4 미래시제 수동태 부정문으로 '~수여되지 않을 것이다/초대되지 않을 것이다'로 해석

Check-up 2

1 not loved　2 are not
3 not cut　4 was not made
5 will not　6 not be

해석

1 안타깝게도 그는 누구에게도 사랑 받지 않는다.
2 이 노래들은 Pete에 의해 불리지 않는다.
3 잔디는 Brandon이 깍지 않았다.
4 그녀의 자동차는 독일에서 만들어지지 않았다.
5 기차는 지연되지 않을 것이다.
6 우리의 초대는 그들에 의해 받아들여지지 않을 것이다.

해설

1~2 현재시제 수동태 부정문으로 「be동사의 현재형+not+p.p.(+by 행위자)」의 형태
3~4 과거시제 수동태 부정문으로 「be동사의 과거형+not+p.p.(+by 행위자)」 의 형태
5~6 미래시제 수동태 부정문으로 「will+not+be+p.p.(+by 행위자)」의 형태

STEP 1

1 are not kept
2 were not brought
3 was not discovered
4 will not be held
5 will not be announced

해석

1 양말들은 가운데 서랍에 보관되지 않는다.
2 이 쿠키들은 Kelly가 가져오지 않았다.
3 그 섬은 1821년까지 발견되지 않았다.
4 다음 올림픽은 이스탄불에서 개최되지 않을 것이다.
5 결과는 내일 발표되지 않을 것이다.

해설

1 주어가 복수명사이고 현재시제로 are not kept
2 주어가 복수명사이고 과거시제로 were not brought
3 주어가 단수명사이고 과거시제로 was not discovered
4 미래시제로 will not be held
5 미래시제로 will not be announced

STEP 2

1 was not[wasn't] built
2 is not[isn't] spoken
3 are not[aren't] booked
4 will not[won't] be forgotten
5 not followed

해석

1 로마는 하루아침에 만들어지지 않았다.
2 영어는 중국에서 사용되지 않는다.
3 좌석은 미리 예약되지 않는다.
4 너의 친절은 잊혀지지 않을 것이다.
5 그 규칙은 Jamie에 의해 지켜지지 않았다.

해설

1, 5 과거시제 수동태 부정문은 동사가 「was/were+not+p.p.」 형태가 되어야 하므로 was not built, not followed
2~3 현재시제 수동태 부정문은 동사의 형태가 「be동사의 현재형+not+p.p.」가 되어야 하므로 is not[isn't] spoken, are not[aren't] booked
4 미래시제 수동태 부정문은 동사의 형태가 「will+not+be+p.p.」가 되어야 하므로 will not[won't] be forgotten

STEP 3

1 I will not[won't] be helped by Ross.
2 The boy was not[wasn't] scared by the thunder.
3 The dishes are not[aren't] washed by Lena.
4 Museums are not[aren't] visited by many people.
5 The computer was not[wasn't] invented by Einstein.

해석

1 Ross는 나를 도와주지 않을 것이다.
→ 나는 Ross에 의해 도움 받지 않을 것이다.
2 천둥은 그 소년을 겁주지 않았다.
→ 그 소년은 천둥 때문에 겁먹지 않았다.
3 Lena는 설거지를 하지 않는다.
→ 설거지는 Lena가 하지 않는다.
4 많은 사람들이 박물관을 방문하지 않는다.
→ 박물관은 많은 사람들에 의해 방문되지 않는다.
5 Einstein이 컴퓨터를 발명하지 않았다.
→ 컴퓨터는 Einstein에 의해 발명되지 않았다.

해설

1 목적어 me → I, will not help → will not be helped, 주어 Ross → by Ross
2 목적어 the boy → 주어, didn't scare → was not scared, 주어 The thunder → by the thunder
3 목적어 the dishes → 주어, doesn't wash → are not washed, 주어 Lena → by Lena
4 목적어 museums → 주어, don't visit → are not visited, 주어 Many people → by many people
5 목적어 the computer → 주어, didn't invent → was not invented, 주어 Einstein → by Einstein

STEP 4

1 These products are not made
2 The medicine is not sold
3 The construction was not finished
4 We were not punished by our teacher.
5 The baseball game will not be shown
6 a delivery fee will not be refunded

해설

1~2 현재시제 수동태 부정문으로 「be동사의 현재형+not+p.p.(+by 행위자)」의 형태
3~4 과거시제 수동태 부정문으로 「be동사의 과거형+not+p.p.(+by 행위자)」 의 형태
5~6 미래시제 수동태 부정문으로 「will+not+be+p.p.(+by 행위자)」의 형태

STEP 5

1 Those clothes were not[weren't] washed
2 Credit cards are not[aren't] accepted by them.
3 My brother was not[wasn't] scolded by my father.
4 That door is not[isn't] used by customers.
5 The questions will not[won't] be answered
6 Your report cards will not[won't] be sent

해설

1,3 과거시제 수동태 부정문으로 「be동사의 과거형+not+p.p.(+by 행위자)」 의 형태

2,4 현재시제 수동태 부정문으로 「be동사의 현재형+not+p.p.(+by 행위자)」의 형태

5~6 미래시제 수동태 부정문으로 「will+not+be+p.p.(+by 행위자)」의 형태

Unit 4 수동태의 의문문 p.075

Check-up 1

1 문이 닫히나요(문을 닫나요)

2 만들어졌나요

3 잡혔나요

4 열리나요

해설

1 현재시제 수동태 의문문으로 '문이 닫히나요?'로 해석

2~3 과거시제 수동태 의문문으로 '만들어졌나요/잡혔나요'로 해석

4 미래시제 수동태 의문문으로 '열리나요?'로 해석

Check-up 2

1 Are 2 spoken

3 sent 4 be taught

해석

1 이 잡지들은 십대 소녀들에게 읽히니?

2 프랑스어는 캐나다 퀘벡에서 사용되니?

3 그 소포는 Timmy에 의해 보내졌니?

4 역사는 Thomson 선생님께서 가르치실 거니?

해설

1~2 현재시제 수동태 의문문으로 「Be동사의 현재형+주어+p.p.~? 」의 형태

3 과거시제 수동태 의문문으로 「Be동사의 과거형+주어+p.p.~? 」의 형태

4 미래시제 수동태 의문문으로 「Will+주어+ be+p.p.~? 」의 형태

STEP 1

1 Were, broken 2 Are, watered

3 Is, paid 4 Will, be, prepared

5 Was, found

해석

1 창문들은 Dave에 의해 깨졌니?

2 그 식물들을 1주일에 한 번 물을 주니?

3 급여는 너의 계좌로 지급되니?

4 점심 식사는 Brandon에 의해 준비될 거니?

5 너의 가방을 분실물 취급소에서 찾았니?

해설

1 주어가 복수명사고 과거시제 수동태로 Were, broken

2 주어가 복수명사이고 현재시제 수동태로 Are, watered

3 주어가 단수명사고 현재시제 수동태로 Is, paid

4 미래시제 수동태로 Will, be prepared

5 주어가 단수명사고 과거시제 수동태로 Was, found

STEP 2

1 delivered 2 all the money spent

3 be solved 4 the steak be

5 lent

해석

1 매일 아침 신선한 우유가 배달되니?

2 그 돈은 모두 옷에 쓰였니?

3 이 수학 문제는 쉽게 풀리겠니?

4 스테이크는 네 오빠에 의해 요리될 거니?

5 이 책들은 학생들한테만 대출되니?

해설

1, 5 현재시제 수동태 의문문은 「Be동사의 현재형+주어+p.p.~?」의 형태가 되어야 하므로 delivered, lent

2 과거시제 수동태 의문문으로 「Be동사의 과거형+주어+p.p.~?」의 형태가 되어야 하므로 all the money spent

3~4 미래시제 수동태 의문문으로 「Will+주어+be+p.p.~?」의 형태가 되어야 하므로 be solved, the steak be

STEP 3

1 Was the tree hit by the car?

2 Is the grass cut by the gardener?

3 Is the president elected by people?

4 Will this table be moved by them?

5 Was the broken toilet fixed by Kevin?

해석

1 그 차가 나무를 들이받았니?
→ 나무를 그 차가 들이받았니?

2 정원사가 잔디를 깎니?
→ 잔디는 정원사가 깎니?

3 사람들이 대통령을 선출하니?
→ 대통령은 사람들에 의해 선출되니?

4 그들이 이 탁자를 옮길 거니?
→ 이 탁자는 그들에 의해 옮겨질 거니?

5 Kevin이 고장 난 변기를 수리했니?
→ 고장 난 변기는 Kevin에 의해 수리됐니?

해설

1, 5 과거시제 수동태 의문문은 「Be동사의 과거형+주어+p.p.~? 」의

형태

2~3 현재시제 수동태 의문문은 「Be동사의 현재형+주어+p.p.~? 」의 형태

4 미래시제 수동태 의문문은 「Will+주어+ be+p.p.~? 」의 형태

STEP 4

1 Were you stung by a bee?
2 Are tomatoes grown
3 Was the matter discussed
4 Will a new shop be opened
5 Was gravity discovered by Newton?
6 Will the birthday cake be baked by Rachel?

해설

1, 3, 5 과거시제 수동태 의문문은 「Be동사의 과거형+주어+p.p.~?」의 형태

2 현재시제 수동태 의문문은 「Be동사의 현재형+주어+p.p.~?」의 형태

4, 6 미래시제 수동태 의문문은 「Will+주어+ be+p.p.~? 」의 형태

STEP 5

1 Is cricket played
2 Is your car parked
3 Was the rumor told by Sarah?
4 Will a new school be built
5 Are the lectures attended by many students?
6 Were the houses damaged by the storm?

해설

1, 2, 5 현재시제 수동태 의문문은 「Be동사의 현재형+주어+p.p.~?」의 형태

3, 6 과거시제 수동태 의문문은 「Be동사의 과거형+주어+p.p.~?」의 형태

4 미래시제 수동태 의문문은 「Will+주어+be+p.p.~?」의 형태

Unit 5 by이외의 전치사를 쓰는 수동태 p.078

Check-up 1

1 with	2 about
3 with	4 to

해설

1 be covered with: ~로 덮여 있다
2 be excited about: ~에 흥분해 있다
3 be filled with: ~로 가득 차다
4 be known to: ~에게 알려지다

Check-up 2

1 in	2 of
3 with	4 at

해석

1 Charlie는 과학과 수학에 관심이 있다.
2 이 담요는 양모로 만들어져 있다.
3 아이들은 크리스마스 선물로 기뻐하고 있다.
4 선생님께서 내 질문에 놀라셨다.

해설

1 be interested in: ~에 관심이 있다
2 be made of: ~로 만들어지다(물리적 변화)
3 be pleased with: ~로 기뻐하다
4 be surprised at: ~에 놀라다

STEP 1

1 is known to
2 am tired of
3 are pleased with
4 is filled with
5 are disappointed with

해석

1 그 사실은 모든 사람에게 알려져 있다.
2 나는 매일 똑같은 일을 하는 것에 싫증이 난다.
3 우리 부모님께서는 내 결정에 기뻐하신다.
4 그 선물 상자는 초콜릿과 사탕으로 가득 차 있다.
5 우리는 그 영화의 결말에 실망해 있다.

해설

1 주어가 단수명사이고 '~에게 알려지다'라는 의미가 되어야 하므로 is known to

2 주어가 I이고 '~에 싫증이 나다'라는 의미가 되어야 하므로 am tired of

3 주어가 복수명사이고 '~로 기뻐하다'라는 의미가 되어야 하므로 are pleased with

4 주어가 단수명사이고 '~로 가득 차다'라는 의미가 되어야 하므로 is filled with

5 주어가 We이고 '~로 실망하다'라는 의미가 되어야 하므로 are disappointed with

STEP 2

1 surprise → surprised
2 excite → excited
3 of → with
4 pleasing → pleased
5 about → with

해석

1 나는 그의 실패에 놀랐다.
2 팬들은 그의 새 영화로 흥분해 있다.
3 그들은 우리의 서비스에 매우 만족했다.
4 Ron은 깜짝 파티가 기쁘지 않았다.
5 그 케이크는 전부 생크림으로 덮여 있다.

해설

1 그의 실패 때문에 놀라움을 느낀 것으로 수동태 문장이 되어야 하므로 surprised
2 새 영화에 의해 흥분을 느끼는 것으로 수동태 문장이 되어야 하므로 excited
3 be satisfied with: ~에 만족하다
4 깜짝 파티에 의해 기쁨을 느끼지 않은 것으로 수동태 문장이 되어야 하므로 pleased
5 be covered with: ~로 덮여 있다

STEP 3

1 My heart is filled with joy.
2 Your coat is covered with mud.
3 She is known to a lot of people.
4 I am interested in oil paintings.
5 They were pleased with their son's success.

해석

1 기쁨이 내 가슴을 가득 채운다.
→ 내 가슴은 기쁨으로 가득 차 있다.
2 진흙이 너의 외투를 덮었다.
→ 너의 외투가 진흙으로 덮여 있다.
3 많은 사람들이 그녀를 알고 있다.
→ 그녀는 많은 사람들에게 알려져 있다.
4 유화는 나의 흥미를 끈다.
→ 나는 유화에 흥미가 있다.
5 아들의 성공은 그들을 기쁘게 만들었다.
→ 그들은 아들의 성공으로 기뻤다.

해설

1 be filled with: ~로 가득 차다
2 be covered with: ~로 덮여 있다
3 be known to: ~에게 알려지다
4 be interested in: ~에 관심이 있다
5 be pleased with: ~로 기뻐하다

STEP 4

1 The bottle is filled with sand.
2 The desks are covered with dust.
3 We were disappointed with the food
4 Richard is interested in ancient history.
5 Bread is made from flour, milk, and eggs.
6 The girl is excited about her birthday party.

해설

1 be filled with: ~로 가득 차다
2 be covered with: ~로 덮여 있다
3 be disappointed with: ~로 실망하다
4 be interested in: ~에 관심이 있다
5 be made from: ~로 만들어지다(화학적 변화)
6 be excited about ~에 흥분해 있다

STEP 5

1 Windows are made of glass.
2 I am[I'm] tired of his rude behavior.
3 My parents were pleased with my grades.
4 I am[I'm] not satisfied with my new hair style.
5 The facts are not known to the public.
6 They are[They're] surprised at the news of her accident.

해설

1 be made of: ~로 만들어지다(물리적 변화)
2 be tired of: ~에 싫증이 나다
3 be pleased with: ~로 기뻐하다
4 be satisfied with: ~에 만족하다
5 be known to: ~에게 알려지다
6 be surprised at: ~에 놀라다

도전! 만점! 중등 내신 단답형&서술형

p.081

1 solved
2 loved
3 was fixed
4 will be finished
5 is visited
6 (1) from (2) with (3) in (4) at
7 will be held
8 used
9 Was
10 satisfied with
11 was painted by
12 will be designed by a famous architect
13 was not written by George Orwell
14 This comic book is not[isn't] read by teenage boys. Is this comic book read by teenage boys?
15 The theater is filled with people.
16 Were these pictures taken by your brother?
17 This church was not[wasn't] built
18 You will be paid
19 ⓒ Do → Is
20 Everything is covered with snow

해석 & 해설

1
Carrie가 그 문제를 쉽게 풀었다.
→ 그 문제는 Carrie에 의해 쉽게 풀렸다.
과거시제 수동태는 「be동사의 과거형+p.p.(+by 행위자)」의 형태

2
많은 사람들이 이 뮤지컬을 사랑한다.
→ 이 뮤지컬은 많은 사람들에 의해 사랑 받는다.
현재시제 수동태는 「be동사의 현재형+p.p.(+by 행위자)」의 형태

3
그 컴퓨터는 어제 James에 의해 수리되었다.
주어가 단수명사이고 yesterday가 과거 시간 표현이므로 was fixed

4
그 보고서는 내일 마무리될 것이다.
미래시제 수동태는 「will+be+p.p.(+by 행위자)」의 형태이므로 will be finished

5
국립 동물원은 요즘 많은 사람들의 방문을 받는다.
주어가 단수명사이고 these days가 현재 시간 표현이므로 is visited

6
(1) 치즈는 우유로 만들어진다.
(2) 우리는 그 소식에 기쁘다.
(3) Isaac은 운동에 관심이 많다.
(4) 나는 그의 IQ 점수에 놀랐다.
(1) be made from(화학적 변화): ~로 만들어지다
(2) be pleased with: ~로 기뻐하다
(3) be interested in: ~에 관심이 있다
(4) be surprised at: ~에 놀라다

7
콘서트는 오늘 밤 대강당에서 열릴 것이다.
콘서트가 열리는 것으로 수동태 문장이 되어야 하며 tonight는 미래 시간 표현이므로 will be held

8
인터넷은 전 세계에서 사용된다.
현재시제 수동태로 is 다음에는 p.p.가 와야 하므로 used

9
이 방은 너의 누나에 의해 청소되었니?
과거시제 수동태 의문문으로 「Be동사의 과거형+주어+p.p.~?」의 형태가 되어야 하므로 Was가 되어야 함

10
A: 저희 식당을 방문해 주셔서 감사합니다. 음식에 만족하셨나요?
B: 네. 음식이 정말 맛있어요.
be satisfied with: ~에 만족하다

11
A: 나 이 그림이 정말 마음에 들어. 누가 그것을 그렸니?
B: 그것은 샤갈에 의해 그려졌어. 그의 작품들은 많은 사람들에게 알려져 있어.
그림이 그려진 것으로 과거시제 수동태가 되어야 하므로 was painted by

12
유명한 건축가가 그 건물을 설계할 것이다.
→ 그 건물은 유명한 건축가에 의해 설계될 것이다.
미래시제 수동태는 「will+be+p.p.(+by 행위자)」의 형태로 will be designed by ~

13
George Orwell이 이 책을 쓰지 않았다.
→ 이 책은 George Orwell에 의해 써지지 않았다.
과거시제 수동태는 「be동사의 과거형+p.p.(+by 행위자)」의 형태로 was written by ~

14
이 만화책은 십대 소년들에 의해 읽힌다.
→ 이 만화책은 십대 소년들에 의해 읽히지 않는다.
→ 이 만화책은 십대 소년들에 의해 읽히니?

현재시제 수동태 부정문은 「be동사의 현재형+not+p.p.(+by 행위자)」의 형태이고, 의문문은 「Be동사의 현재형+주어+p.p.(+by 행위자)」의 형태

15
be filled with: ~로 가득 차다

16
과거시제 수동태 의문문은 「Be동사의 과거+주어+p.p.(+by 행위자)」의 형태

17
과거시제 수동태 부정은 「be동사의 과거형+not+p.p.(+by 행위자)」의 형태

18
미래시제 수동태는 「will+be+p.p.(+by 행위자)」의 형태

19-20
안녕 Mina,

메리 크리스마스!

여기는 화이트 크리스마스야. 밖은 모든 것이 눈으로 덮여 있어. 나는 화이트 크리스마스를 꿈꿨는데, 내 소원이 이루어졌어. 비록 눈 때문에 안에 머물러야 하지만, 나는 정말 행복해.

한국의 크리스마스는 어떠니? 한국에서 크리스마스가 기념되니? 12월 25일에 예수가 태어났기 때문에 우리는 크리스마스를 기념해. 우리는 크리스마스트리를 장식하고 캐럴도 불러. 가족과 친척들이 모여서 파티를 해.

한국의 크리스마스에 대해 얘기해줘.

Alice가

19
현재시제 수동태 의문문은 「Be동사의 현재형+주어+p.p.(+by 행위자)」의 형태가 되어야 하므로 Is

20
be covered with: ~로 덮여 있다

Chapter 5 부정사

Unit 1 부정사의 명사적 쓰임: 주어 p.084

Check-up 1

1 To build 2 To become
3 To travel 4 To read
5 To write

해석

1 장난감 블록 쌓기는 재미있다.
2 만화가가 되는 것은 그녀의 꿈이다.
3 자전거로 다니는 것은 몸에 좋다.
4 탐정 소설을 읽는 것은 재미있다.
5 시를 쓰는 것은 문학적인 재능이 필요하다.

해설

1~5 동사는 주어 자리에 올 수 없으므로 명사형인 to부정사로 변형

Check-up 2

1 To learn history, 역사를 배우는 것은
2 To give up smoking, 담배를 끊는 것은
3 to fly in this weather, 이런 날씨에 비행하는 것은
4 to live without air, 공기 없이 사는 것은
5 to meet new people, 새로운 사람들을 만나는 것은

해설

1 주어: To learn history, 동사: is
2 주어: To give up smoking, 동사: is
3 가주어: It, 진주어: to fly in this weather
4 가주어: It, 진주어: to live without air
5 가주어: It, 진주어: to meet new people

STEP 1

1 To invent 2 To arrive
3 To finish 4 To drive

해설

1~4 동사는 주어 자리에 올 수 없으므로 명사형인 to부정사로 변형

STEP 2

1 To become 2 To travel
3 It 4 to visit

해석

1 좋은 예술가가 되는 것은 그의 꿈이다.
2 다른 나라로 여행가는 것은 매우 재미있다.
3 상어와 함께 수영하는 것은 위험하다.
4 수족관에 가는 것은 신나는 일이다.

해설

1, 4 to부정사는 「to+동사원형」의 형태를 취함
2 동사는 주어 자리에 올 수 없으므로 to부정사로 수정
3 가주어가 와야 하므로 It으로 수정

STEP 3

1 It is harmful to your ears to use earphones.
2 It is important to keep your promises.
3 It is fun to learn new things.
4 It is necessary to boil water.

해석

1 이어폰을 사용하는 것은 귀에 해롭다.
2 약속을 지키는 것은 중요하다.
3 새로운 것을 배우는 것은 재미있다.
4 물을 끓이는 것은 필수적이다.

해설

1 가주어: It, 진주어: to use earphones
2 가주어: It, 진주어: to keep your promises
3 가주어: It, 진주어: to learn new things
4 가주어: It, 진주어: to boil water

STEP 4

1 To ride this old bike is dangerous.
2 To live in a foreign country is exciting.
3 To go to bed early is important.
4 It is not easy to have a pet dog.
5 It is impolite to ask someone's age
6 It is useful to use photos and charts

해설

1~3 「주어(to부정사)+동사+보어」의 어순으로 배열
4~6 「가주어(It)+동사+보어+진주어(to부정사)」의 어순으로 배열

STEP 5

1 It is dangerous to eat raw fish.
2 It is exciting to go rollerblading.
3 It is necessary to upgrade this software.
4 It is not easy to bathe babies.
5 It is good for your teeth to eat cheese.
6 It is bad for your health to eat junk food.

해설

1~6 「가주어(It)+동사+보어+진주어(to부정사)」의 어순으로 배열하는데, 가주어 it은 3인칭 단수이므로 동사는 단수동사를 씀

Unit 2 to부정사의 명사적 쓰임: 보어 p.087

Check-up 1

1 to believe, 주격보어
2 to master English grammar, 주격보어
3 to write an essay, 주격보어
4 to climb Mount Everest, 목적격보어
5 to finish the work, 목적격보어
6 to meet my sister, 목적격보어

해석

1 보는 것이 믿는 것이다.
2 그의 계획은 영문법을 숙달하는 것이다.
3 내 숙제는 에세이를 쓰는 것이다.
4 그는 그들이 에베레스트 산에 오르는 것을 허락했다.
5 그녀는 그가 그 일을 끝내기를 바란다.
6 나는 네가 우리 언니를 만났으면 좋겠다.

해설

1 주어: To see, 보어: to believe
2 주어: His plan, 보어: to master English grammar
3 주어: My homework, 보어: to write an essay
4 목적어: them 목적격보어: to climb Mount Everest
5 목적어: him 목적격보어: to finish the work
6 목적어: you, 목적격보어: to meet my sister

Check-up 2

1 to, win 2 to, run
3 to, protect 4 to, read
5 to, get, up

해설

1~3 동사는 주격보어로 쓸 수가 없으므로 주어진 동사를 to부정사로

바꿔야 함

4~5 want, tell과 같은 일반동사는 목적격보어로 to부정사를 씀

STEP 1

1 Their dream is to build a hotel on the moon.
그들의 꿈은 달에 호텔을 짓는 것이다.

2 She asked me to look after her children.
그녀는 자신의 자녀를 돌봐달라고 나에게 부탁했다.

해설

1 주어: Their dream, 동사: is, 보어: to build a hotel on the moon

2 주어: She, 동사: asked, 목적어: me, 목적격보어: to look after her children

STEP 2

1 The stomach's job is to digest food.
2 My father's plan is to go fishing.
3 His dream is to become a Nobel Prize winner.
4 The teacher told us to solve the math questions.

해설

1~3 「주어+동사+보어(to부정사)」의 어순으로 배열

4 「주어+동사+목적어+목적격보어(to부정사)」의 어순으로 배열

STEP 3

1 to move to Germany
2 want me to get a college degree
3 expect them to stay here so long
4 would like us to go to the party

해설

1 동사는 주격보어로 쓸 수가 없으므로 주어진 동사를 to부정사로 바꿔야 함

2~4 want, expect, would like와 같은 동사는 목적격보어로 to부정사를 쓰므로 「주어+동사+목적어+to부정사」의 어순으로 문장 작성

Unit 3 to부정사의 명사적 쓰임: 목적어 p.089

Check-up 1

1 to listen to me
2 to buy a pair of boots
3 to be late for school
4 to meet at the airport
5 to study biology in college
6 to get married next year

해석

1 그녀는 내 말을 듣기를 거절했다.
2 나는 부츠 한 켤레를 사야 한다.
3 그 아이들은 학교에 지각하고 싶지 않았다.
4 그들은 공항에서 만나기로 했다.
5 그는 대학에서 생물학을 공부하기로 결정했다.
6 그 커플은 내년에 결혼하기로 결심했다.

해설

1 to listen to me는 refused의 목적어
2 to buy a pair of boots는 need의 목적어
3 to be late for school은 want의 목적어
4 to meet at the airport는 agreed의 목적어
5 to study biology in college는 chose의 목적어
6 to get married next year는 decided의 목적어

Check-up 2

1 to, succeed 2 to, join
3 to, answer 4 to, feed

해설

1~4 동사가 목적어 자리에 오려면 명사형인 to부정사로 바꿔야 함

STEP 1

1 to help 2 to be careful
3 to drive

1~3 동사가 목적어 자리에 오려면 명사형인 to부정사로 바꿔야 함

STEP 2

1 My father planned to retire at 60.
2 He refused to discuss the problem.
3 She agreed to appear on the TV show.

1~3 「주어+동사+목적어(to부정사)」의 어순으로 배열

STEP 3

1 He learned to drive
2 forget to take your P.E. clothes
3 She failed to finish
4 remember to email him

해설

1~4 동사가 목적어 자리에 오려면 명사형으로 변형되어야 하므로 「주어+동사+to부정사」의 어순이 되는데 명령문에서는 주어가 생략됨

Unit 4 의문사+to부정사 p.091

Check-up 1

1 이 카메라를 어떻게 사용하는지
2 어디서 내리는지
3 누구에게 투표할지
4 어떤 것을 사야 할지

해석

1 그녀는 이 카메라를 어떻게 사용하는지 설명했다.
2 나는 어디서 내리는지 궁금하다.
3 우리는 누구에게 투표할지 잘 모른다.
4 그는 어떤 것을 사야 할지 결정할 수 없다.

해설

1 how+to부정사: 어떻게 ~할지
2 where+to부정사: 어디서 ~할지
3 who(m)+to부정사: 누구를 ~할지
4 which+to부정사: 어떤 것을 ~할지

Check-up 2

1 what to choose
2 how to pronounce
3 when to meet them
4 which game to play

해설

1 what+to부정사: 무엇을 ~할지
2 how+to부정사: 어떻게 ~할지
3 when+to부정사: 언제 ~할지
4 which(+명사)+to부정사: 어떤 (명사)를 ~할지

STEP 1

1 where to get off
2 what to give
3 which bus to take

해설

1 where+to부정사: 어디서 ~할지
2 what+to부정사: 무엇을 ~할지
3 which(+명사)+to부정사: 어떤 (명사)를 ~할지

STEP 2

1 how she should solve this problem
2 where they should stay
3 when I should press the button

해석

1 Cooper 선생님은 이 문제를 어떻게 푸는지 아신다.
2 그들은 어디서 머무를지 잘 모른다.
3 버튼을 언제 눌러야 하는지 저에게 알려주세요.

해설

1~3 의문사+to부정사 → 의문사+주어+should+동사원형

STEP 3

1 how to boil
2 what to wear
3 when to stop by

해석

1 엄마는 달걀을 어떻게 찌는지 설명했다.
2 나는 축제에 무엇을 입어야 할지 모른다.
3 제가 언제 들러야 하는지 저에게 말해 주세요.

해설

1~3 의문사+주어+should+동사원형 → 의문사+to부정사

STEP 4

1 We wondered when to go.
2 The little boy learned how to read.
3 They couldn't choose where to stay
4 I couldn't decide what to buy
5 Do you know where to put this table?
6 She remembers how to spell his name.

1~6 「주어+동사+의문사+to부정사」의 어순으로 배열

STEP 5

1 tell me what to do
2 knows how to catch fish
3 learned how to dive
4 where they should hold the event
5 explained when we should use a colon
6 which city we should visit

해설

1 동사: tell, 간접목적어: me, 직접목적어: what to do now
2 동사: knows, 목적어: how to catch fish
3 동사: learned, 목적어: how to dive
4 동사: wonder, 목적어: where they should hold the event
5 동사: explained, 목적어: when we should use a colon
6 동사: don't know, 목적어: which city we should visit

Unit 5 to부정사의 형용사적 쓰임 p.094

Check-up 1

1 chairs
2 some laundry
3 warm clothes
4 many topics
5 a picture
6 a lot of friends

해석

1 그는 앉을 의자들을 내게 마련해 주었다.
2 우리는 해야 할 빨래가 좀 있다.
3 당신은 입을 따뜻한 옷이 좀 필요할 것이다.
4 그들은 의논할 주제들이 많이 있다.
5 나는 벽에 걸 그림이 하나 있다.
6 그녀는 함께 놀 친구들이 많이 있다.

해설

1~6 to부정사는 명사의 앞이 아닌 뒤에서 형용사처럼 수식 할 수 있음

Check-up 2

1 가능	2 의무	3 의무
4 예정	7 의도	8 운명

해석

1 그곳에서 아무것도 볼 수 없었다.
2 여러분은 도서관에서 조용히 해야 한다.
3 여러분은 선생님을 존경해야 한다.
4 기차는 6시에 파리를 향해 떠나기로 되어있다.
5 우리들이 이기려면, 열심히 연습해야 한다.
6 그들은 서로 다시는 만날 수 없는 운명이었다.

해설

1~6 「be동사+to부정사」는 가능, 운명, 의무, 예정, 의도 등의 뜻을 나타내므로 문맥에 맞게 해석하고 알맞은 쓰임을 찾아야 함

STEP 1

1 to, see	2 to, look, at
3 to, stay, at	4 to, write, with

해설

1 to부정사는 명사 뒤에서 수식
2 look at so many photos가 되어야 하므로 to look at이 정답
3 stay at many hotels가 되어야 하므로 to stay at가 정답
4 write with a pen이 되어야 하므로 to write with가 정답

STEP 2

1 to write on	2 to read
3 to take care of	4 to play with

해석

1 쓸 종이 몇 장만 주세요.
2 그녀는 읽을 책이 필요하다.
3 나는 돌봐야 할 아이가 5명이 있다.
4 Jason은 같이 놀 친구가 많다.

해설

1 write on some paper이므로 전치사 on이 필요
2 it은 앞의 a book과 중복되므로 삭제
3 take care of five kids이므로 of가 필요
4 play with many friends이므로 with가 필요

STEP 3

1 are never to use
2 are to discuss
3 was to die
4 was to be seen
5 are to buy

해설

1~5 가능, 운명, 의무, 예정, 의도 등의 뜻을 나타내기 위해 「be동사+to부정사」를 쓰는데, be동사는 주어의 수와 시제에 맞게 씀

STEP 4

1 many places to visit in Seoul
2 not to leave the classroom until 5
3 The theme park is to open next week.
4 They are to finish the test by 4.
5 He was to live alone for his whole life.
6 She needs some lotion to put on.

해설

1 to부정사가 명사 places를 뒤에서 수식
2 의무를 나타내는 「be+to부정사」
3 예정을 나타내는 「be+to부정사」
4 의무를 나타내는 「be+to부정사」
5 운명을 나타내는 「be+to부정사」
6 'put on ~'은 '(로션, 연고 등)을 바르다'는 의미로 to부정사형으로 명사 뒤에서 수식

STEP 5

1 I would like something to eat.
2 He designed a cozy house to live in.
3 Do you have time to pick up my son?
4 If you are to be there on time
5 She was never to see her brother again.
6 No one was to be found on the ship.

해설

1 명사(something) 뒤에서 to eat으로 수식
2 live in a cozy house가 되어야 하므로 명사(a cozy house) 뒤에서 to live in으로 수식
3 명사(time) 뒤에서 to pick up my son으로 수식
4 의도를 나타내는 「be+to부정사」
5 운명을 나타내는 「be+to부정사」
6 가능을 나타내는 「be+to부정사」

Unit 6 to부정사의 부사적 쓰임 p.097

Check-up 1

1 to email 2 glad to win
3 lived to be 4 rude to say
5 perfect to have

해석

1 그는 친구들에게 메일을 보내기 위해 컴퓨터를 사용했다.
2 우리는 메달을 따서 매우 기쁘다.
3 우리 증조할아버지는 100세까지 사셨다.
4 그와 같은 말을 하다니 당신은 무례하다!
5 날씨는 야외에서 식사하기 완벽하다.

해설

1 to email his friends: 그의 친구들에게 메일을 보내기 위해 (목적)
2 to win the medal: 메달을 따서 (감정의 원인)
3 to be 100: 100세가 되다 (결과)
4 to say things like that: 그와 같은 말을 하다니 (판단의 근거)
5 to have a picnic: 야외에서 식사하기에 (형용사 수식)

Check-up 2

1 배우기 위해서 2 방문하게 되어
3 되었다 4 설명하기 어렵다

해설

1 to learn: 배우기 위해서(목적)
2 to visit: 방문하게 되어(감정의 원인)
3 to be: 되다 (결과)
4 to explain: 설명하기에 (형용사 수식)

STEP 1

1 excited to see
2 only to fail
3 brave to chase away

해설

1 to see: 보게 되어서 (감정의 원인)
2 only to fail: 결국 실패한 (결과)
3 to chase away: 쫓아낸 것을 보니 (판단의 근거)

STEP 2

1 so as to listen to music
2 so that she can book movie tickets
3 in order that they could celebrate Thanksgiving

해석

1 엄마는 음악을 듣기 위해 라디오를 켰다.
2 그녀는 영화표를 예매하기 위해 인터넷을 사용한다.
3 그의 가족은 추수감사절을 기념하기 위해 모였다.

해설

1~3 목적을 나타내는 to부정사의 부사적 용법
= so as to+동사
= so[in order] that 주어+can/could+동사

STEP 3

1 Chinese is difficult to learn.
2 They were pleased to win an award.
3 You are incredible to think of all this!
4 He trained hard to win a medal in the Olympics.

해설

1 difficult to learn: 배우기에 어려운 (difficult 수식)
2 to win an award: 상을 받게 되어서 (감정의 원인)
3 to think of all this: 이 모든 것들을 생각해내다니 (판단의 근거)
4 to win a medal: 메달을 따기 위해 (목적)

STEP 2

1 I always try not to be late.
2 We decided not to buy the car.
3 Mrs. Brown taught them never to lose hope.
4 He wrote down my name not to forget it.
5 Mom told me not to stay up too late.
6 Be careful not to use rude gestures

해설

1~6 to부정사의 부정형을 만들기 위해 not을 to부정사 앞에 놓는 것에 유의하여 문장을 작성하는데 '절대, 결코'의 의미가 들어갈 경우, not 대신 never를 씀

Unit 7 to부정사의 부정 p.099

Check-up 1

1 a 2 b 3 a

해설

1~3 not/never는 to부정사를 부정

Check-up 2

1 not, to, gain
2 not, to, call
3 not, to, talk

해설

1~3 not은 to부정사 앞에 놓여 부정의 의미를 만듦

STEP 1

1 She wore warm clothes not to catch a cold.
2 It is hard not to believe his story.
3 Try not to look at your textbooks
4 He told us not to make so much noise.
5 They decided not to participate
6 We hurried not to miss the performance.

해설

1~6 to부정사의 부정형을 만들기 위해 not을 to부정사 앞에 놓는 것에 유의하여 배열

Unit 8 to부정사의 의미상 주어 p.101

Check-up 1

1 He 2 you
3 all drivers 4 me
5 일반인

해석

1 그는 다시 건강해지기를 바란다.
2 나는 네가 시간 약속을 지켰으면 좋겠다.
3 모든 운전자들이 교통 법규를 준수하는 것이 필요하다.
4 그런 실수를 하다니 내가 부주의했다.
5 미국에서 자동차를 소유하는 것은 필요하다.

해설

1 to be healthy는 주어 he에 대한 주격보어
2 to be more punctual은 목적어 you에 대한 목적격보어
3~5 to부정사의 의미상의 주어가 주어나 목적어가 아닌 경우 「for[of]+목적격」으로 나타냄.
'of 목적격'은 사람의 성격을 나타내는 형용사와 함께 쓰임
의미상의 주어가 일반인일 경우 「for[of]+목적격」은 생략될 수 있음

Check-up 2

1 ø 2 ø 3 of 4 of
5 for

해석

1 그들은 택시를 타고 집에 가기로 했다.
2 우리는 그들이 늦게 올 것이라고 예상한다.
3 작별 인사 없이 떠나다니 그는 무례했다.
4 태평양을 건너 비행하다니 그녀는 용감했다.
5 아이들이 저 개에 접근하는 것은 위험하다.

해설

1 의미상의 주어는 문장의 주어이므로 의미상의 주어는 따로 필요 없음
2 의미상의 주어는 문장의 목적어이므로 전치사는 필요 없음
3~4 사람의 성격을 나타내는 형용사이므로 목적격 앞에 of가 필요
5 사람의 성격 외의 형용사이므로 목적격 앞에 for가 필요

STEP 1

1 her
2 you
3 of him
4 of me
5 for them

해석
1 그녀의 어머니는 그녀에게 수영을 가르쳤다.
2 당신이 지금 갔으면 좋겠어요.
3 그가 진실을 말한 것은 현명했다.
4 엉뚱한 기차를 타다니 내가 부주의했다.
5 그들이 미술관을 찾는 것은 쉬웠다.

해설
1 teach+목적어+to부정사: ~에게 ~를 가르치다
2 would like+목적어+to부정사: ~가 ~하기를 원하다
3~4 사람의 성격을 나타내는 형용사가 쓰였으므로 목적격 앞에 of가 필요
5 사람의 성격 외의 형용사이므로 목적격 앞에 for가 필요

STEP 2

1 It is generous of you to pay for us all.
2 It was hard for me to memorize all the words.
3 It was smart of him to solve the tricky riddles.
4 It is not necessary for him to wear a tie at work.

해설
1~4 「주어+동사+of[for]+의미상의 주어+to부정사」의 어순으로 배열

STEP 3

1 It is nice of you to take care of my dog.
2 It was silly of us to talk like that.
3 It is impossible for you to run 2 km every day.
4 This house is expensive for them to buy.

해설
1~2 사람의 성격을 나타내는 형용사가 쓰였으므로 목적격 앞에 of가 필요
3~4 주어, 목적격보어가 의미상의 주어가 아닌 경우 의미상의 주어를 따로 표시할 때에는 「for+목적격」을 이용해서 표시

Unit 9 to부정사의 관용 표현 p103

Check-up 1

1 too hot
2 big enough
3 large enough
4 to like

해석
1 이 차는 너무 뜨거워서 마실 수 없다.
2 이 바지는 저 덩치 큰 남자에게 맞을 정도로 충분히 크다.
3 그 회의실은 20명을 수용할 만큼 충분히 컸다.
4 그는 축구를 매우 좋아하는 것 같다.

해설
1 too+형용사/부사+to부정사: 너무 ~해서 ~할 수 없다
2~3 형용사/부사+enough+to부정사: ~할 만큼 충분히 ~한
4 seem to+동사원형: ~처럼 보인다, ~인 것 같다

Check-up 2

1 so, couldn't
2 so, can
3 so, could

해석
1 나는 너무 피곤해서 집까지 걸어갈 수 없었다.
2 그는 요트를 탈 정도로 충분히 돈이 많다.
3 그녀는 스카이다이빙을 시도할 정도로 충분히 용감했다.

해설
1 too+형용사/부사+to부정사 = so+형용사/부사+that+주어+can't/couldn't ~
2~3 형용사/부사+enough+to부정사 = so+형용사/부사+that+주어+can/could ~

STEP 1

1 too busy to have lunch
2 tall enough to change the light bulb
3 too young to sit
4 seems to have a lot of friends

해설
1, 3 too+형용사/부사+to부정사: 너무 ~해서 ~할 수 없다
2 enough+형용사/부사+to부정사: ~할 만큼 충분히 ~한
4 seem to+동사원형: ~처럼 보인다, ~인 것 같다

STEP 2

1 He is too angry to calm down.
2 The girl was smart enough to study in college.
3 The little boys were so excited that they couldn't sleep.
4 They are so foolish that they can believe the story.

해석

1 그는 너무 화가 나서 진정할 수 없다.
2 그 소녀는 대학에서 공부할 만큼 충분히 똑똑했다.
3 그 어린 소년들은 너무 신나서 잠을 잘 수 없었다.
4 그들은 그 이야기를 믿을 정도로 바보이다.

해설

1 so+형용사/부사+that+주어+can't/couldn't ~ = too+형용사/부사+to부정사
2 so+형용사/부사+that+주어+can/could ~ = 형용사/부사+enough+to부정사
3 too+형용사/부사+to부정사 = so+형용사/부사+that+주어+can't/couldn't ~
4 형용사/부사+enough+to부정사 = so+형용사/부사+that+주어+can/could ~

STEP 3

1 The potato soup is too hot to eat.
2 There are enough cookies to share.
3 He is confident enough to be a good leader.
4 My father seemed to respect him.

해설

1 too+형용사/부사+to부정사: 너무 ~해서 ~할 수 없다
2 enough+명사+to부정사: ~할 만큼 충분한 (명사)
3 형용사/부사+enough+to부정사: ~할 만큼 충분히 ~한
4 seem to+동사원형: ~처럼 보인다, ~인 것 같다

Unit 10 원형부정사: 지각동사 p.105

Check-up 1

1 touch, touching 2 rising
3 shake, shaking 4 coming
5 eaten

해석

1 그녀는 바람이 자신의 얼굴을 스치는 것을 느꼈다.
2 나는 태양이 지평선 위로 떠오르는 것을 보았다.
3 그 학생들은 지진 동안에 땅이 흔들리는 것을 느꼈다.
4 우리는 경찰차가 오는 것을 들었다.
5 그는 쥐가 뱀에게 먹히는 것을 보았다.

해설

1~4 지각동사+목적어+목적격보어(원형부정사/현재분사)
5 목적어와 목적격보어의 관계가 수동이면 목적격보어는 과거분사가 되어야 함

Check-up 2

1 go[going] 2 leave[leaving]
3 argue[arguing] 4 play[playing]
5 pulled

해석

1 그 어머니는 자신의 아이가 나가는 것을 알아차렸다.
2 그들은 그녀가 몇 분 전에 나가는 것을 보았다.
3 그는 몇 사람이 밖에서 말다툼하는 것을 들을 수 있었다.
4 우리는 아이들이 그네에서 노는 것을 보았다.
5 나는 내 머리를 누군가가 잡아당기는 것을 느낄 수 있었다.

해설

1~4 지각동사+목적어+목적격보어(원형부정사/현재분사)
5 목적어와 목적격보어의 관계가 수동이면 목적격보어는 과거분사가 되어야 함

STEP 1

1 go[going] 2 blush[blushing]
3 him 4 me
5 struck

해석

1 그는 남동생이 아래층으로 내려가는 소리를 들었다.
2 나는 내 얼굴이 붉혀지는 것을 느꼈다.
3 그녀는 그가 나가는 것을 못 봤다.
4 너는 내가 연설하는 것을 들었니?
5 그들은 나무가 번개에 맞는 것을 보았다.

해설

1~2 지각동사의 목적격보어는 원형부정사나 현재분사가 쓰임
3~4 목적격보어 자리에는 목적격이 와야 함
5 목적어와 목적격보어의 관계가 수동이므로 과거분사가 와야 함

STEP 2

1 She felt the sweat running down her face.
2 I saw whales jumping out of the water.
3 He watched his sons play hide and seek.
4 The farmer felt his shoulder stung

1~4 「주어+지각동사+목적어+목적격보어」의 어순으로 배열

STEP 3

1 you notice him leave[leaving] the meeting
2 He heard someone walk[walking]
3 We watched the soccer players warm[warming] up.
4 She heard her daughter's name called

해설

1~3 「주어+지각동사+목적어+목적격보어(동사원형/현재분사)」의 어순으로 문장 작성

4 「주어+지각동사+목적어+목적격보어(과거분사)」의 어순으로 문장 작성

Unit 11 원형부정사: 사역동사 p.107

Check-up 1

1 introduce 2 look
3 book, to book 4 to write
5 to find, find 6 stolen

해석

1 저를 소개하겠습니다.
2 이 셔츠는 나를 뚱뚱해 보이게 만든다.
3 그는 내가 기차표를 예매하는 것을 도와주었다.
4 그들은 그녀가 보고서를 작성하게 했다.
5 우리는 그녀가 고양이를 찾도록 도와주었다.
6 나는 내 차를 도둑맞았다.

해설

1~2 사역동사 let, make는 목적격보어로 원형부정사를 취함
3, 5 help는 목적격보어로 to부정사나 원형부정사를 취함
4 get은 목적격보어로 to부정사를 취함
6 목적어와 목적격보어가 수동 관계면 목적격보어는 과거분사가 되어야 함

Check-up 2

1 see 2 walk
3 (to) lift 4 to pick
5 understood 6 done

해석

1 그 상처 좀 보자.
2 그녀는 아들에게 개를 산책하도록 시켰다.
3 와서 내가 이 박스를 드는 것을 도와줘.
4 나는 아버지가 역에서 나를 데리고 가도록 했다.
5 그녀는 일본어로 이해되도록 의사를 전할 수 있다.
6 나는 오늘 내 머리를 손질할 것이다.

해설

1~2 사역동사 let, have는 원형부정사를 목적격보어로 취함
3 help는 원형부정사나 to부정사를 목적격보어로 취함
4 get은 to부정사를 목적격보어로 취함
5~6 목적어와 목적격보어가 수동 관계면 목적격보어는 과거분사가 되어야 함

STEP 1

1 relax 2 (to) choose
3 to give 4 cry
5 ironed

해석

1 당신의 몸을 쉬게 해라.
2 그녀는 내가 새 외투를 고르는 것을 도와주었다.
3 그가 너에게 전화하도록 내가 시킬게.
4 이 영화는 나를 언제나 울린다.
5 그는 자신의 셔츠를 다림질했다. (그는 셔츠 다림질을 맡겼다.)

해설

1 let은 원형부정사를 목적격보어로 취함
2 help는 원형부정사나 to부정사를 목적격보어로 취함
3 get은 to부정사를 목적격보어로 취함
4 make는 원형부정사를 목적격보어로 취함
5 목적어와 목적격보어가 수동 관계면 목적격보어는 과거분사가 되어야 함

STEP 2

1 My parents let me watch TV.
2 He got them to bring the table.
3 They had me mail a letter to her.
4 We had our car painted (by them).

해석

1 우리 부모님은 내가 TV를 보도록 허락하셨다.
2 그는 그들에게 테이블을 가져오게 했다.
3 그들은 내가 그녀에게 메일을 보내게 했다.
4 우리는 우리 차를 다시 페인트칠했다.

해설

1 allow+목적어+to부정사 = let+목적어+원형부정사: ~에게 ~를 허락하다
2~3 have+목적어+원형부정사 = get+목적어+to부정사: ~에게 ~를 하도록 하다
4 목적어와 목적격보어가 수동 관계면 목적격보어는 과거분사가 되어야 함

STEP 3

1 A warm bath helps you (to) sleep.
2 She had the hairdresser cut her hair.
3 Nothing will make her change her mind.
4 I had the house redecorated.

해설

1 help+목적어+목적격보어(to부정사/원형부정사)
2 have+목적어+목적격보어(원형부정사)
3 make+목적어+목적격보어(원형부정사), she의 목적격은 her
4 have+목적어(대상)+과거분사(상태), 목적어(the house)와 목적격보어(redecorate)의 관계가 수동

도전! 만점! 중등 내신 단답형&서술형 p.109

1 to, play
2 too, to
3 to, help
4 how to play
5 not to cheat
6 what, to, do
7 to, be
8 called
9 becoming → to become
10 to steal → stolen
11 It is expensive to travel by air.
12 It is a good habit to read books.
13 I heard a car approaching.
14 He is tall enough to be a basketball player.
15 She decided not to leave.
16 to solve, solve[solving]
17 seems, to
18 I remembered to take my passport.
19 He saw them caught by the police.
20 It is silly of me to make a stupid mistake.

해석 & 해설

1
탁구를 치는 것은 재미있다.
가주어: It, 진주어: to play table tennis

2
나는 너무 피곤해서 바닥을 청소기로 청소할 수 없었다.
so+형용사/부사+that+주어+can't+동사
= too+형용사/부사+to부정사

3
• 그들은 아프리카에 갔다.
• 그들은 가난한 사람들을 돕길 원했다.
그들은 가난한 사람들을 돕기 위해 아프리카에 갔다.
to help poor people: 가난한 사람을 돕기 위해 (목적)

4
how to play baseball: 야구를 어떻게 하는지

5
to부정사의 부정: not+to부정사

6
what to do: 무엇을 해야 할지

7
grow up to be: ~ 자라서 ~이 되다 (결과)

8
목적어와 목적격보어 관계가 수동이면 목적격보어는 과거분사가 됨

9
나의 부모님은 내가 변호사가 되기를 원하신다.
want의 목적격보어는 to부정사가 돼야 함

10
나는 어제 내 지갑을 도난당했다.
목적어와 목적격보어 관계가 수동이면 목적격보어는 과거분사가 됨

11
비행기로 여행하는 것은 비싸다.
가주어: It, 진주어: to travel by air

12
독서는 좋은 습관이다.

가주어: It, 진주어: to read books

13
hear(지각동사)+목적어+현재분사: ~가 ~하는 것을 듣다

14
형용사/부사+enough+to부정사: ~할 만큼 충분히 ~한

15
decide not to부정사: ~하지 않기로 결심하다

16
• 그녀가 그 문제를 푸는 것은 쉽다.
• 우리 선생님은 내가 문제 푸는 것을 보셨다.
「It+be동사+형용사+of/for+목적어+to부정사」
「지각동사(watch)+목적어+목적격보어(원형부정사/현재분사)」

17
그는 소설 쓰기에 관심이 있어 보인다.
It seems that 주어+동사의 현재형 = 주어+seem(s)+to+동사원형

18
remember+to부정사: ~할 것을 (잊지 않고) 기억하다

19
「지각동사+목적어+목적격보어」에서 목적어와 목적격보어 관계가 수동이면 목적격보어는 과거분사가 됨

20
「It+be동사+형용사+of/for+목적어+to부정사」에서 사람의 성격을 나타내는 형용사(silly)가 쓰여 「of+목적격」으로 의미상의 주어를 나타냄

Chapter 6 동명사

Unit 1 동명사의 역할: 주어 p.112

Check-up 1

1 Taking 2 Having 3 was
4 is 5 makes

해석
1 산책을 하는 것이 너의 기분을 상쾌하게 해 줄 거야.
2 애완동물을 키우는 것은 우리 건강에 좋다.
3 발레리나가 되는 것이 내 어릴 적 꿈이었다.
4 비닐봉투를 사용하는 것은 환경에 안 좋다.
5 고전음악을 듣는 것은 나를 차분하게 만든다.

해설
1~2 동사는 주어로 쓰일 수 없으므로 동명사로 전환 필요
3~5 주어 역할을 하는 동명사는 단수 취급하므로 단수동사 필요

Check-up 2

1 Writing essays, 에세이를 쓰는 것은
2 Drinking a lot of water, 많은 물을 마시는 것은
3 Speaking in front of people, 사람들 앞에서 말하는 것은
4 Living without a smartphone, 스마트폰 없이 사는 것은
5 Eating too many sweets, 단것을 너무 많이 먹는 것은

해설
1~5 동명사는 「V+-ing」의 형태이고, '~하기는', '~하는 것은'이라고 해석

STEP 1

1 Going 2 Traveling 3 Exercising

해설
1~3 동명사는 「V+-ing」의 형태

STEP 2

1 Waiting 2 Being
3 Selling 4 Reading

해석
1 줄을 서서 기다리는 것은 지루하다.
2 좋은 부모가 되는 것은 쉽지 않다.
3 중고차를 파는 것이 우리 삼촌의 직업이다.
4 독서를 하는 것은 우리의 어휘를 쌓는 데 도움을 준다.

해설

1 '기다리는 것은'이라는 의미가 되어야 하므로 Waiting
2 '되는 것은'이라는 의미가 되어야 하므로 Being
3 '파는 것은'이라는 의미가 되어야 하므로 Selling
4 '읽는 것'이라는 의미가 되어야 하므로 Reading

STEP 3

1 Drawing cartoons
2 Inventing a flying car
3 Brushing your teeth after meals
4 Keeping a diary every day

해석

1 나는 한가할 때 만화를 그린다. 그것은 내 취미이다.
→ 만화를 그리는 것은 내 취미이다.
2 그는 나는 자동차를 발명하고 싶어 한다. 그것이 그의 꿈이다.
→ 나는 차를 발명하는 것의 그의 꿈이다.
3 식후에는 이를 닦아라. 그것은 좋은 습관이다.
→ 식후에 이를 닦는 것은 좋은 습관이다.
4 일기를 매일 써라. 그것은 작문을 연습하는 좋은 방법이다.
→ 일기를 쓰는 것은 작문을 연습하는 좋은 방법이다.

해설

1~4 주어 역할을 하는 동명사가 되어야 하므로 밑줄 친 동사를 「V+-ing」의 형태로 바꿔야 함

STEP 4

1 Living without air is impossible.
2 Getting up early is not easy for me.
3 Growing vegetables is great fun.
4 Flying in an airplane scares me.
5 Writing a diary is a good way to end a day.
6 Buying things on the Internet saves a lot of time.

해설

1~6 「주어(동명사)+동사+보어/목적어」의 형태로 문장 완성

STEP 5

1 Running is an excellent exercise.
2 Seeing you makes me happy.
3 Flying a kite is a lot of fun.
4 Learning how to drive is my goal this year.
5 Doing yoga is a great way to relax.
6 Solving this crossword puzzle is difficult for me.

해설

1~6 주어 역할을 하는 동명사로 「V+-ing」의 형태로 바꾸고 동명사는 단수 취급하므로 단수동사 사용

Unit 2 동명사의 역할: 보어 p.115

Check-up 1

1 자신의 방을 갖는 것
2 그림을 그리는 것
3 인기 가수가 되는 것
4 책을 모두 읽는 것
5 외국어를 배우는 것
6 자신의 애완견들과 노는 것

해설

1~6 보어 역할을 하는 동명사는 '~하는 것(이다)'로 해석

Check-up 2

1 being 2 working 3 becoming
4 watching 5 writing 6 cleaning

해석

1 Harry의 가장 나쁜 습관은 늦는 것이다.
2 성공의 비결은 열심히 일하는 것이다.
3 내 꿈은 수학 교사가 되는 것이다.
4 그녀가 좋아하는 취미는 TV를 보는 것이다.
5 우리 숙제는 독서 감상문을 쓰는 것이다.
6 집에서 내 일은 매일 욕실을 청소하는 것이다.

해설

1~6 동명사는 「V+-ing」의 형태

STEP 1

1 seeing 2 making 3 building
4 collecting 5 winning

해석

1 내 가장 큰 기쁨은 내 아이들이 자라는 것을 보는 것이다.
2 Ben의 인생 목표는 많은 돈을 버는 것이다.
3 내가 좋아하는 활동 중 하나는 로봇을 만드는 것이다.
4 우리 형 취미는 액션 피겨를 모으는 것이다.
5 그들의 목표는 올림픽에서 금메달을 따는 것이다.

해설

1~5 동명사는 「V+-ing」의 형태

STEP 2

1 My goal is getting straight A's
2 Her childhood dream was being a movie star.
3 Their main interest is finding life
4 One of my hobbies is reading fashion magazines.

해설

1~4 「주어+동사+보어(동명사)」의 형태로 문장 완성

STEP 3

1 His dream is studying law
2 My summer vacation plan is traveling to Spain.
3 Annie's dream is inventing a time machine.
4 Her special talent is making people laugh.

해설

1~4 주어진 동사를 「V+-ing」의 형태로 만들고 「주어+동사+보어(동명사)」의 형태로 문장 완성

Unit 3 동명사의 역할: 목적어 p.117

Check-up 1

1 playing outside
2 coming
3 working at night
4 being clever
5 learning languages
6 going on a trip to Turkey

해석

1 아이들은 밖에서 노는 것을 좋아한다.
2 와 주셔서 감사해요.
3 나는 밤에 일하는 것을 개의치 않는다.
4 돌고래들은 영리한 것으로 유명하다.
5 그녀는 언어를 배우는 것에 관심이 있다.
6 나는 터키로 여행을 가는 것에 대해 매우 신이 나 있다.

해설

1, 3 동명사는 동사 뒤에 쓰여 동사의 목적어 역할
2, 4~6 동명사는 전치사 뒤에 쓰여 전치사의 목적어 역할

Check-up 2

1 failing 2 eating
3 taking 4 studying

해설

1, 3~4 전치사의 목적어로 동명사 필요. 주어진 동사를 「V+-ing」의 형태로 바꿈
2 동사의 목적어로 동명사 필요. 주어진 동사를 「V+-ing」의 형태로 바꿈

STEP 1

1 losing 2 playing
3 smoking 4 becoming

해석

1 나는 살을 빼는 것을 절대 포기하지 않는다.
2 Sarah는 골프를 잘 친다.
3 Fred는 자신의 건강을 위해서 담배 피우는 것을 그만두었다.
4 그녀는 항상 패션모델이 되는 것을 꿈꾼다.

해설

1 문장의 동사 give up은 동명사를 목적어로 취하고, '살을 빼는 것'이라는 의미가 되어야 하므로 losing
2 앞에 전치사(at)가 있고, '골프 치는 것'이라는 의미가 되어야 하므로 playing
3 문장의 동사 quit은 동명사를 목적어로 취하고, '담배 피우는 것'이라는 의미가 되어야 하므로 smoking
4 앞에 전치사(about)가 있고, '패션모델이 되는 것'이라는 의미가 되어야 하므로 becoming

STEP 2

1 Ben apologized for being late.
2 I'm sorry for bothering you
3 My grandparents dislike living in a big city.
4 They are worried about losing their jobs.

해설

1~2, 4 동명사가 전치사의 목적어 역할을 해야 하므로 「주어+동사+전치사+목적어(동명사)」의 형태로 문장 완성
3 동명사가 목적어 역할을 해야 하므로 「주어+동사+목적어(동명사)」의 형태로 문장 완성

STEP 3

1 Christine enjoys looking at the stars
2 They finished doing a team project after school.
3 He is[He's] interested in making foreign friends.
4 We do not[don't] mind answering personal questions.

해설

1~2, 4 문장의 동사 enjoy, finish, mind는 동명사를 목적어로 취하므로, '~하는 것을'에 해당하는 동사를 동명사로 바꾸고 「주어+동사+목적어(동명사)」의 형태로 문장 완성

3 전치사 in의 목적어 역할을 해야 하므로 '~하는 것을'에 해당하는 동사를 동명사로 바꿈.

Unit 4 동명사 vs. to부정사

p.119

Check-up 1

1 to ask	2 solving	3 going
4 to pay	5 telling	6 to meet

해석

1 나는 너에게 물어볼 것이 있다.
2 그들은 루빅 큐브를 맞추는 것을 포기했다.
3 아빠가 소풍을 가는 것을 제안했다.
4 그가 수리비를 내기로 합의했다.
5 너는 내게 너의 계획을 말하는 것을 피하고 있다.
6 우리는 곧 다시 서로 만나기로 약속했다.

해설

1, 4, 6 want, agree, promise는 to부정사를 목적어로 취하는 동사

2, 3, 5 give up, suggest, avoid는 동명사를 목적어로 취하는 동사

Check-up 2

1 to work	2 stealing	3 talking
4 to build	5 to start	6 to visit

해석

1 Jefferson은 외국에서 일하는 것을 택했다.
2 그 소년은 돈을 훔친 것을 부인했다.
3 Tina는 수업시간에 계속해서 나에게 말을 했다.
4 시는 새 학교를 지을 계획을 세웠다.
5 Clare는 자기 사업을 시작하기로 결정했다.
6 우리는 언젠가 대영박물관을 방문하길 바란다.

해설

1, 4~6 choose, plan, decide, hope은 to부정사를 목적어로 취하는 동사

2~3 deny, keep은 동명사를 목적어로 취하는 동사

STEP 1

1 to express	2 to arrive
3 taking	4 being

해석

1 나는 특별한 감사를 표하고 싶다.
2 그는 5시쯤 여기에 도착할 것으로 예상하고 있다.
3 우리는 기말고사를 막 끝냈다.
4 Kelly는 혼자 있는 것을 즐긴다. 그녀는 결코 외로워하지 않는다.

해설

1 wish는 to부정사를 목적어로 취하는 동사이고 '감사를 표하는 것'이라는 의미가 되어야 하므로 to express

2 expect는 to부정사를 목적어로 취하는 동사이고 '도착할 것'이라는 의미가 되어야 하므로 to arrive

3 finish는 동명사를 목적어로 취하는 동사이고 '시험 보는 것'이라는 의미가 되어야 하므로 taking

4 enjoy는 동명사를 목적어로 취하는 동사이고 '혼자 있는 것'이라는 의미가 되어야 하므로 being

STEP 2

1 stare → staring
2 to break → breaking
3 speaking → to speak
4 to leave → leaving

해석

1 나를 좀 그만 쳐다볼래?
2 그는 창문을 깬 것을 부인했다.
3 그녀는 매니저와 얘기하고 싶다고 요청했다.
4 우리는 내일 오후로 출발을 미뤘다.

해설

1 stop은 동명사를 목적어로 취하는 동사이고 '쳐다보는 것'이라는 의미가 되어야 하므로 stare → staring

2 deny는 동명사를 목적어로 취하는 동사이고 '깬 것'이라는 의미가 되어야 하므로 to break → breaking

3 ask는 to부정사를 목적어로 취하는 동사이고 '얘기하는 것'이라는 의미가 되어야 하므로 speaking → to speak

4 put off는 동명사를 목적어로 취하는 동사이고 '출발하는 것'이라는 의미가 되어야 하므로 to leave → leaving

STEP 3

1 to take
2 talking
3 going
4 to discuss
5 complaining

해석

1 Brian은 내 충고를 받아들이지 않았다.
→ Brian은 내 충고를 받아들이기를 거부했다.
2 그는 자신의 가족에 대해 거의 말을 하지 않는다.
→ 그는 자신의 가족에 대해 말하는 것을 꺼린다.
3 아이들은 매우 자주 동물원에 간다.
→ 아이들은 동물원에 가는 것을 즐긴다.
4 나는 너와 상의할 것이 있다.
→ 나는 너와 무언가를 상의하고 싶다.
5 그는 항상 모든 것에 대해 불평한다.
→ 그는 모든 것에 대해 계속해서 불평한다.

해설

1, 4 주어진 동사 refuse, want는 to부정사를 취하는 동사
2, 3, 5 주어진 동사 mind, enjoy, keep은 동명사를 취하는 동사

STEP 4

1 Sarah chose to buy a used car.
2 Would you mind passing me the salt?
3 Kevin finished eating the green peas.
4 Patty promised to come to my birthday party.
5 They gave up looking for their dog.
6 We plan to move to another city next month.

해설

1, 4, 6 문장의 동사 choose, promise, plan은 to부정사를 목적어로 취하는 동사이므로 「주어+동사+목적어(to부정사)」 형태로 문장 완성
2, 3, 5 문장의 동사 mind, finish, give up은 동명사를 목적어로 취하는 동사이므로 「주어+동사+목적어(동명사)」 형태로 문장 완성

STEP 5

1 He decided to change
2 I learned to ride a bike
3 I avoid drinking coffee
4 She hopes to travel all over Europe.
5 Jess quit teaching history
6 Barney stopped thinking about his past.

해설

1, 2, 4 문장의 동사 decide, learn, hope은 to부정사를 목적어로 취하는 동사로 '~하는 것'에 해당하는 동사를 to부정사로 바꾼 뒤 「주어+동사+목적어(to부정사)」 형태로 문장 완성
3, 5, 6 문장의 동사 avoid, quit, stop은 동명사를 목적어로 취하는 동사로 '~하는 것'에 해당하는 동사를 동명사로 바꾼 뒤 「주어+동사+목적어(동명사)」 형태로 문장 완성

Unit 5 동명사와 to부정사를 목적어로 취하는 동사 p.122

Check-up 1

1 보내야 하는 것을 기억해
2 놓고 온 것을 잊어버렸다
3 찾으려고 애썼다

해설

1 remember+to부정사: (앞으로 해야 할 일을) 기억하다
2 forget+동명사: ~한 것을 잊다(이미 했음)
3 try+to부정사: ~하려고 노력하다[애쓰다]

Check-up 2

1 watching, to watch
2 making
3 learning, to learn
4 to take

해석

1 우리는 코미디 영화를 보는 것을 아주 좋아한다.
2 그만 좀 떠들어. 짜증 나.
3 내 여동생은 읽는 법을 배우기 시작했다.
4 아, 여기 정말 아름다워. 우리 멈추고 사진 찍자.

해설

1, 3 love, begin은 의미 차이 없이 동명사와 to부정사를 모두 목적어로 취하는 동사
2 '떠드는 것을 멈추다'라는 의미가 되어야 하므로 「stop+동명사(목적어)」
4 '사진을 찍기 위해 멈추다'라는 의미가 되어야 하므로 「stop+to부정사」

STEP 1

1 to bring
2 visiting
3 eating[to eat]

해설

1 forget+to부정사: ~할 것을 잊다(아직 하지 않음)
2 remember+동명사: ~한 것을 기억하다(이미 했음)
3 like는 의미 차이 없이 동명사와 to부정사를 모두 목적어로 취하는 동사

STEP 2

1 to get
2 working
3 crying

해석

1 그녀는 아침에 일찍 일어나는 것을 싫어한다.
2 그는 3년 전에 요리사로 일하기 시작했다.
3 그 소녀가 엄마를 보자 울기 시작했다.

해설

1~3 hate, begin, start는 의미 차이 없이 동명사와 to부정사를 모두 목적어로 취하는 동사

STEP 3

1 bothering
2 reading
3 to take
4 to catch
5 to pick up

해석

1 나를 더 이상 성가시게 하지 마.
→ 나를 성가시게 하지 마.
2 나는 그 책을 전에 읽었다는 것을 잊었다.
→ 나는 그 책을 전에 읽었던 것을 잊었다.
3 우리는 휴식을 취하고 싶어서 멈췄다.
→ 우리는 휴식을 취하려고 멈췄다.
4 나는 버스를 잡으려고 애썼지만, 잡을 수 없었다.
→ 나는 버스를 잡으려고 노력했지만, 잡을 수 없었다.
5 네가 Jess를 학교에서 태워와야 한다는 것을 기억해.
→ 네가 Jess를 학교에서 태워와야 하는 것을 기억해.

해설

1 '성가시게 하는 것'이라는 의미가 되어야 하므로 동명사 bothering
2 '책을 읽었던 것'이라는 의미가 되어야 하므로 동명사 reading
3 '휴식을 취하기 위해서'라는 의미가 되어야 하므로 to부정사 to take
4 '버스를 타려고 노력하다'라는 의미가 되어야 하므로 to부정사 to catch
5 '태워와야 한다는 것'을 이라는 의미가 되어야 하므로 to부정사 to pick up

STEP 4

1 Remember to call me
2 The train began to move slowly.
3 I tried taking a painkiller
4 They love talking about sports.
5 I forgot borrowing money from her
6 The kids stopped playing soccer, it started to rain

해설

1 '~할 것을 기억하다'라는 의미가 되어야 하고, 명령문 형식이므로 「Remember+to부정사」의 형태
2 동사가 begin이고 주어진 단어가 to move로 「주어+begin+to부정사」의 형태
3 '시험 삼아 (한번) ~하다'라는 의미가 되어야 하므로 「주어+try+동명사」의 형태
4 동사가 love이고 주어진 단어가 talking으로 「주어+love+동명사」의 형태
5 '~한 것을 잊다'라는 의미가 되어야 하므로 「주어+forget+동명사」의 형태
6 동사가 stop이고 '~하는 것을 멈추다'라는 의미가 되어야 하므로 「주어+stop+동명사」, 동사가 start이고 주어진 단어가 to rain으로 「주어+start+to부정사」의 형태

STEP 5

1 Do not[Don't] forget to pick up some milk
2 Emily stopped to say hello
3 My brother likes sleeping[to sleep] late
4 I remember going to Hawaii
5 She hates watching[to watch] horror movies.
6 Dad tried to fix the computer

해설

1 '~할 것을 잊지 마라'라는 명령문이 되어야 하므로 「Do not[Don't]+forget+to부정사」의 형태
2 동사가 stop이고 '~하기 위해 멈추다'라는 의미가 되어야 하므로 「주어+stop+to부정사」 의 형태
3 like는 동명사와 to부정사를 모두 취하는 동사로 「주어+like+동명사/to부정사」 의 형태
4 '~한 것을 기억하다'라는 의미가 되어야 하므로 「주어+remember+동명사」의 형태
5 hate는 동명사와 to부정사를 모두 취하는 동사로 「주어+hate+동명사/to부정사」 의 형태
6 '~하려고 노력하다[애쓰다]'라는 의미가 되어야 하므로 「주어+try+to부정사」의 형태

Unit 6 꼭 암기해야 할 동명사의 관용 표현 p.125

Check-up 1

1 수영하러 간다
2 타도 소용없다
3 방문하기를 기대하고 있다
4 가는 게 어때

해설

1 go -ing: ~하러 가다
2 It is no use -ing: ~해도 소용없다
3 look forward to -ing: ~을 기대하다
4 how[what] about -ing: ~하는 게 어때?

Check-up 2

1 lying　2 fishing
3 making　4 cleaning

해석

1 침대에 눕자마자, 그녀는 잠이 들었다.
2 Patrick은 종종 아들들과 낚시하러 간다.
3 우리는 엄마께 드릴 생일 케이크를 만드느라 바쁘다.
4 그들은 집을 청소하면서 온종일을 보냈다.

해설

1 '눕자마자'라는 의미가 되어야 하므로 「on -ing」
2 '낚시하러 가다'라는 의미가 되어야 하므로 「go -ing」
3 '만드느라 바쁘다'라는 의미가 되어야 하므로 「be busy -ing」
4 '청소하는 데 온종일을 썼다'라는 의미가 되어야 하므로 「spend+시간[돈]+-ing」

STEP 1

1 worth visiting
2 feel like talking
3 What[How] about taking
4 has difficulty[trouble/a hard time] writing
5 look forward to reading

해설

1 be worth -ing: ~할 가치가 있다
2 feel like -ing: ~하고 싶다
3 how[what] about -ing」 ~하는 게 어때?
4 have difficulty[trouble/a hard time] -ing: ~하는 데 어려움을 겪다
5 look forward to -ing: ~을 기대하다

STEP 2

1 Ed is used to living alone.
2 It's no use trying to hide it.
3 What about playing soccer after school?
4 We look forward to seeing you again.
5 I have difficulty remembering names.
6 The students are busy studying for the exam.

해설

1 주어가 단수명사이고 '사는 것에 익숙하다'라는 의미로 is used to living ~
2 '해봐야 소용없다'라는 의미로 It's no use trying ~
3 '축구를 하는 것이 어때?'라는 의미로 what about playing soccer ~
4 '보기를 기대한다'라는 의미로 look forward to seeing ~
5 '기억하는 데 어려움을 겪는다'라는 의미로 have difficulty remembering ~
6 주어가 복수명사이고 '시험 공부하느라 바쁘다'라는 의미로 are busy studying ~

도전! 만점! 중등 내신 단답형&서술형 p.127

1 eating
2 being
3 to meet, learning
4 to study, doing
5 waiting, staying
6 to buy
7 lending
8 are → is
9 to close → closing
10 go → going
11 buying a new computer
12 to call me
13 Her job is writing children's books.
14 We like going hiking
15 On seeing a police officer, she started running away
16 Playing board games is great fun.
17 Peter hates going to the dentist.

18 This movie is worth watching twice.
19 ⓐ working ⓑ to fix ⓒ asking ⓓ fixing
ⓔ preparing
20 Try pushing the power button.

해석&해설

1
• 매일 아침을 먹는 것은 좋은 습관이다.
• 사람들은 이탈리아 음식을 먹는 것을 즐긴다.
문장에서 주어 역할을 하고, enjoy의 목적어 역할을 하는 동명사가 필요. 동명사는 「V+-ing」의 형태

2
• 내 꿈은 패션 디자이너가 되는 것이다.
• 그 소녀는 집에 혼자 있는 것을 무서워한다.
문장에서 보어 역할을 하고 전치사(of)의 목적어 역할을 하는 동명사 필요. 동명사는 「V+-ing」의 형태

3
• 우리는 기차역에서 만나기로 동의했다.
• 그는 외국 문화를 배우는 데 관심이 있다.
agree는 to부정사를 목적어로 취하는 동사이므로 to meet, 전치사(in)의 목적어로 동명사가 와야 하므로 learning

4
• 나는 대학에서 음악을 공부하고 싶다.
• Susan은 과학 프로젝트를 하느라 바쁘다.
want는 to부정사를 목적어로 취하는 동사이므로 to study, '~하느라 바쁘다'라는 의미의 표현은 「be busy -ing」

5
• 그를 기다려 봐야 소용없다. 그는 여기 오지 않을 것이다.
• 나는 밤에 자지 않고 늦게까지 깨어 있는 것에 익숙하다.
'~해도 소용없다'라는 의미의 표현은 「It is no use -ing」이며 '~에 익숙하다'는 「be used to –ing」

6
'~하기 위해' 멈춘 것으로 「stop+to부정사」

7
'한 것을 잊다'라는 의미이므로 「forget+동명사」

8
A: 와, 너의 어머니는 책이 정말 많구나.
B: 응. 그녀의 취미 중 하나가 책을 읽는 것이야.
주어 역할을 하는 동명사는 단수로 취급하므로 are → is

9
A: 창문을 닫아도 될까요?
B: 네. 전 전혀 개의치 않아요.
mind는 동명사를 목적어로 취하는 동사로 to close → closing

10
A: 날씨가 정말 좋아. 소풍 가는 게 어때?
B: 미안해. 나는 오늘 외출하고 싶지 않아.
'~하고 싶다'라는 의미의 표현은 「feel like -ing」이므로 go → going

11
나는 컴퓨터를 사려고 많은 돈을 지불했다.
→ 나는 컴퓨터를 사는 데 많은 돈을 썼다.
'~하는 데 …을 소비하다'라는 의미의 표현 「spend+시간[돈]+ -ing」

12
내일 나에게 전화해야 하는 것을 기억해.
→ 내일 나에게 전화할 것을 기억해.
「remember+to부정사」: (미래에 해야 할 일을) 기억하다

13
'~하는 것(이다)'라는 의미로 보어 역할을 하는 동명사를 써서 「주어+동사+동명사」의 형태

14
like는 동명사와 to부정사를 모두 목적어로 취하는 동사이고 '~하러 가다'라는 의미의 표현은 「go -ing」

15
'~하자마자'라는 의미의 표현은 「on -ing」

16
동명사가 문장에서 주어 역할을 해야 하므로 「주어(동명사)+동사+보어」의 형태

17
hate는 동명사와 to부정사를 모두 목적어로 취하는 동사로 「주어+hate+동명사/to부정사」의 형태

18
be worth -ing: ~할 가치가 있다

19-20
A: 복사기가 작동을 멈췄어. 난 어떻게 고쳐야 하는지 모르겠어.
B: 시험 삼아 전원 버튼을 한번 눌러봐.
A: 나 벌써 여러 번 그렇게 했어. 그런데 소용없었어.
B: 그럼, Jim에게 도움을 청하는 게 어때? 그는 물건을 아주 잘 고쳐.
A: 나는 그가 시험을 준비하느라고 바쁘다고 들었어.
B: 그러면 그냥 수리공을 부르자.

19
ⓐ 작동하는 것을 멈춘 것으로 working, ⓑ '~하는 법'이라는 의미로 how to fix, ⓒ '~하는 게 어때?'라는 의미의 표현은 「how[what] about -ing」으로 asking, ⓓ 전치사의 목적어로 동명사가 필요하므로 fixing, ⓔ '~하느라 바쁘다'라는 의미의 표현은 「be busy -ing」로 preparing

20
'시험 삼아 (한번) ~하다'라는 의미의 표현은 「try+동명사」

Chapter 7 분사

Unit 1 현재분사 p.130

Check-up 1

1 sleeping 2 dancing
3 singing 4 reading

해석

1 그는 잠자는 아기를 바라보았다.
2 무대에서 춤을 추는 소녀들을 봐.
3 Brian은 그녀가 노래 부르는 것을 보았다.
4 Ben은 만화책을 읽고 있다.

해설

1 명사 앞에서 명사를 수식하는 현재분사
2 명사 뒤에서 명사를 수식하는 현재분사
3 목적격보어 역할을 하는 현재분사
4 진행시제를 나타내는 현재분사

Check-up 2

1 짖고 있는 2 날고 있는
3 얘기하고 있는 4 부르고 있는

해설

1~4 현재분사는 능동(~하는)과 진행(~하고 있는)의 의미

STEP 1

1 smiling 2 charming 3 playing
4 waiting 5 cutting

해석

1 그는 Mary가 나에게 미소 짓는 것을 보았다.
2 Rachel은 아주 매력적인 여성이다.
3 그네를 타고 있는 꼬마가 Jacob이다.
4 그녀는 그를 30분 동안 기다리게 했다.
5 James는 정원에서 잔디를 깎고 있었다.

해설

1~5 현재분사는 「V+-ing」의 형태

STEP 2

1 looking 2 burning
3 boring 4 roaring
5 wearing

해석

1 그녀는 구름을 보면서 누워 있었다.
2 무언가 타는 냄새가 난다.
3 그 지루한 영화의 제목이 뭐지?
4 내 남동생은 으르렁거리는 사자에 겁을 먹었다.
5 Dan은 검정색 티셔츠를 입은 소년 옆에 있다.

해설

1 보어 역할을 하는 현재분사
2 목적격보어 역할을 하는 현재분사
3 '지루하게 하는'의 의미의 현재분사
4 '으르렁거리는'의 의미의 현재분사
5 '입고 있는'의 의미의 현재분사

STEP 3

1 swimming fish
2 running for the bus
3 the twinkling lights of the city
4 the people wearing Halloween costumes

해석

1 그 호수는 물고기들로 가득하다. 물고기들이 헤엄치고 있다.
→ 그 호수는 헤엄치는 물고기들로 가득하다
2 내 이웃은 Andrew를 보았다. 그는 버스를 타려고 뛰어가고 있었다.
→ 내 이웃은 Andrew가 버스를 타려고 뛰어가는 것을 보았다.
3 우리는 도시의 불빛을 바라보고 있었다. 그 불빛은 반짝이고 있었다.
→ 우리는 반짝이는 도시의 불빛을 바라보고 있었다.
4 나는 사람들의 사진을 찍었다. 그 사람들은 핼러윈 복장을 입고 있었다.
→ 나는 핼러윈 복장을 입고 있는 사람들의 사진을 찍었다.

해설

1 swimming: 단독으로 fish를 수식
2 running for the bus: 목적격보어 역할
3 twinkling: 단독으로 lights를 수식
4 wearing: 수식어구와 함께 쓰여 people을 수식

STEP 4

1 We saw the Sun rising
2 Don't wake the sleeping baby.
3 He came running into the house.
4 Ted is riding a bike in the park.
5 There is a train leaving for London
6 I found him lying on the floor.

해설

1 rising: the Sun에 대한 목적격보어
2 sleeping: 단독으로 baby를 수식하는 현재분사
3 running: 주격보어 역할을 하는 현재분사
4 riding: 현재진행 시제에서 쓰인 현재분사
5 leaving: 현재분사가 수식어구와 함께 쓰여 train을 수식
6 lying: 목적격보어 역할을 하는 현재분사

STEP 5

1 The story was interesting.
2 Kate is walking in the rain.
3 They were standing waving their hands.
4 The man buying tulips is Max.
5 She heard her daughter crying loudly.
6 The kids swimming in the pool are my cousins.

해설

1 interesting: 주격보어 역할을 하는 현재분사
2 walking: 진행 시제에서 쓰인 현재분사
3 standing: 진행 시제에서 쓰인 현재분사, waving: 주격보어 역할을 하는 현재분사
4 buying: 수식어구와 함께 쓰여, the man 수식
5 crying: 목적격보어 역할을 하는 현재분사
6 swimming: 수식어구와 함께 쓰여 the kids 수식

Unit 2 과거분사 p.133

Check-up 1

1 말해지는, 말하고 있는
2 불타버린, 불타고 있는
3 떨어지는, 떨어진

해석

1 칠레에서 사용되는 언어는 스페인어이다.
그녀와 이야기하고 있는 남자는 그녀의 선생님이 아니다.
2 그는 불타버린 집을 응시했다.
그는 불타고 있는 집에서 한 소년을 구했다.
3 나는 떨어지는 빗소리를 들으며 앉아있었다.
절벽에서 떨어진 바위가 도로를 막고 있었다.

해설

1~3 현재분사는 능동(~하는)과 진행(~하고 있는)의 의미이고, 과거분사는 수동(~되는/당하는)과 완료(~한/~해진)의 의미

Check-up 2

1 written 2 injured 3 fixed

해설

1 '써진'의 의미로 과거분사
2 '부상을 입은'의 의미로 과거분사
3 '수리된'의 의미로 과거분사

STEP 1

1 permed 2 loved 3 looking
4 drawn 5 running

해석

1 Charlie는 머리를 파마했다.
2 그 소녀는 모든 사람의 사랑을 받는다.
3 나는 내 아이들을 보면서 서 있었다.
4 그는 그의 아들에 의해 그림이 그려지는 것을 보았다.
5 교실에서 뛰는 학생들이 있다.

해설

1 hair와 perm은 수동 관계이므로 과거분사 permed
2 '사랑을 받는'의미로 과거분사
3 '보면서'의 의미로 현재분사
4 '그려지는'의 의미로 과거분사
5 '달리고 있는'의 의미로 현재분사

STEP 2

1 covered 2 boiled 3 touching
4 crowded 5 named

해석

1 그 책들은 먼지로 덮인 채 놓여 있다.
2 내가 삶은 달걀 껍질을 벗기는 것은 쉽지 않다.
3 그녀는 무언가가 자신의 손을 만지는 것을 느꼈다.
4 나는 거리가 사람들로 붐비고 있음을 알게 되었다.
5 그 이야기는 Jacob이라는 이름의 소년과 그의 개에 대한 것이다.

해설

1 '덮인 채'의 의미로 과거분사
2 '삶아진'의 의미로 과거분사
3 '내 손을 만지는'의 의미로 현재분사
4 '거기라 붐비는'의 의미로 과거분사
5 '이름 붙여진'의 의미로 과거분사

STEP 3

1 They live in the house painted white.
2 We stayed at a hotel built by the sea.
3 The police found the stolen car.
4 I cut my finger with the broken mirror.
5 Sue bought a leather bag made in Italy.

해석

1 그들은 하얀색으로 페인트칠 된 집에 산다.
2 우리는 바다 옆이 지어진 호텔에 묵었다.
3 경찰은 그 도난당한 자동차를 찾았다.
4 나는 깨진 거울에 손가락을 베었다
5 Sue는 이탈리아에서 만들어진 가죽 가방을 샀다.

해설

1, 2, 5 분사가 수식어와 함께 명사를 수식할 경우 뒤에 위치
3, 4 분사가 단독으로 명사를 수식할 경우 명사 앞에 위치

STEP 4

1 The door remained locked
2 My computer was repaired by Mike.
3 Walter left the work undone.
4 I ate a hamburger and fried potatoes
5 She bought a toy car made of wood.
6 The injured people were carried to the hospital.

해설

1 locked: 주격보어 역할을 하는 과거분사로 동사 뒤에 위치
2 repaired: 수동태 문장으로 be동사 뒤에 위치
3 undone: 목적격보어로 목적어(the work) 뒤에 위치
4 fried: 단독으로 명사를 수식하는 경우로 potatoes 앞에 위치
5 made: 수식어와 함께 명사를 수식하는 경우로 a toy car 뒤에 위치
6 injured: 단독으로 people을 수식, be carried(수동태): 실려 가다

STEP 5

1 Mary has worn the glasses for two years.
2 I became worried about my grandmother's health.
3 Coffee grown in Guatemala tastes good.
4 The girl is carrying a bag filled with books.
5 My parents haven't opened the letter sent by Jamie
6 Sandra showed me some photos taken

해설

1, 5 현재완료 문장으로 「have/has+과거분사」
2 worried: 주격보어가 되어야 하고 '걱정되는'의 의미로 「become+과거분사」
3 grown: 수동의 의미를 나타내야 하고, 수식어와 함께 명사를 수식하므로 coffee 뒤에 위치
4 filled: 수동의 의미를 나타내야 하고, 수식어와 함께 명사를 수식하므로 a bag 뒤에 위치
6 taken: 수동의 의미를 나타내야 하고, 수식어와 함께 명사를 수식하므로 photos 뒤에 위치

Unit 3 감정을 나타내는 분사 p.136

Check-up 1

1 exciting 2 disappointing
3 tiring 4 amazed

해설

1~4 감정을 느끼게 할 때 현재분사, 감정을 느끼게 될 때는 과거분사

Check-up 2

1 interesting 2 pleased
3 Surprising 4 tired

해설

1~4 감정을 느끼게 할 때 현재분사, 감정을 느끼게 될 때는 과거분사

STEP 1

1 boring 2 pleased
3 satisfying 4 disappointed

해석

1 길고 지루한 비행이었다.
2 나는 당신을 다시 뵙게 되어 기쁩니다.
3 우리는 매니저로부터 만족스러운 답변을 받았다.
4 관객들은 그들의 공연에 실망했다.

해설

1, 3 감정을 느끼게 하는 것으로 현재분사

2, 4 감정을 느끼게 될 때는 과거분사

STEP 2

1 His songs are pleasing to the ear.
2 Everybody was surprised at the results.
3 I was shocked to see the accident scene.
4 The students became bored with his long lecture.

해설

1 주격보어 역할을 하는 현재분사

2~4 주격보어 역할을 하는 과거분사

STEP 3

1 The food at the restaurant was disappointing.
2 I heard a surprising story about Mr. Smith.
3 Jennifer is satisfied with her job as a teacher.
4 Jean is an interesting person to talk to.

해설

1 disappointing: 주격보어 역할을 하는 현재분사
2 surprising: 명사를 수식하는 현재분사
3 satisfied: 주격보어 역할을 하는 과거분사
4 interesting: 명사를 수식하는 현재분사

Unit 4 현재분사 vs. 동명사 p.138

Check-up 1

1 동명사, 현재분사　　2 현재분사, 동명사

해석

1 Greg은 지저분한 옷을 세탁기 안에 넣었다.
손을 씻고 있는 아이가 내 조카이다.
2 아이들이 집에서 만든 컵케이크를 팔고 있다.
그녀의 직업은 여성용 액세서리를 파는 것이다.

해설

1 washing: 용도를 나타내므로 동명사, 명사를 수식하는 현재분사로 각각 쓰임
2 selling: 현재진행형에서 쓰인 현재분사, 주격보어 역할을 하는 동명사로 각각 쓰임

Check-up 2

1 기다리고 있는
2 흡연하기 위한
3 수영하고 있는
4 잠을 자기 위한

해석

1 너를 기다리는 한 남자가 있다.
2 이 건물에 흡연실이 있나요?
3 호수에서 수영하는 아이들이 즐거운 시간을 보내고 있다.
4 그들은 캠핑에 쓸 새 침낭을 사야 한다.

해설

1 명사를 수식하는 현재분사
2 용도를 나타내는 동명사
3 명사를 수식하는 현재분사
4 용도를 나타내는 동명사

STEP 1

1 dancing　　2 living　　3 running

해설

1~2 용도를 나타내는 동명사로 「V+-ing」 형태

3 명사를 수식하는 현재분사로 「V+-ing」 형태

STEP 2

1 The fitting room is right over there.
2 They are packing for their camping trip.
3 A polar bear is an animal living in the Arctic.
4 My favorite activity is swimming in the sea.

해설

1 fitting: 용도를 나타내는 동명사
2 packing: 현재진행형에서 쓰인 현재분사
3 living: 명사를 수식하는 현재분사
4 swimming: 주격보어 역할을 하는 동명사

STEP 3

1 Who is the man smiling at you over there?
2 I saw a man smoking inside the building.
3 We should change into our swimming suits.
4 My grandfather cannot[can't] walk without a walking stick.

해설

1 smiling: 명사를 수식하는 현재분사

2 smoking: 목적격보어 역할을 하는 현재분사

3~4 swimming, walking: 용도를 나타내는 동명사

Unit 5 분사구문 p.140

Check-up 1

1 길을 걷고 있을 때
2 돈이 없었기 때문에
3 규칙적으로 운동하면
4 그 영화를 보면서

해설

1 때를 나타내는 분사구문으로 '~할 때'로 해석
2 이유를 나타내는 분사구문으로 '~ 때문에'로 해석
3 조건을 나타내는 분사구문으로 '~하면'으로 해석
4 동시동작을 나타내는 분사구문으로 '~하면서'로 해석

Check-up 2

1 Hearing 2 Wearing
3 Being busy 4 Taking

해석

1 그 소식을 듣자, 그는 기뻐서 소리 질렀다.
2 두꺼운 외투를 입고 있는데도 그녀는 여전히 추위를 느낀다.
3 바빴기 때문에 나는 그 파티에 갈 수 없었다.
4 택시를 타면 거기에 10분 안에 도착할 수 있다.

해설

1~4 분사구문은 부사절(접속사+주어+동사)을 부사구 「V+-ing」로 줄여 쓴 구문

STEP 1

1 Trying 2 Getting up 3 Being

해설

1~3 분사구문은 부사절(접속사+주어+동사)을 부사구 「V+-ing」로 줄여 쓴 구문

STEP 2

1 Eating a lot
2 Having a stomachache
3 Waiting for her

해석

1 그는 많이 먹는 데도 날씬하다.
2 배가 아팠기 때문에 나는 아무것도 먹지 않았다.
3 그녀를 기다리는 동안 나는 십자말풀이를 했다.

해설

1~3 분사구문은 부사구의 접속사를 없애고, 주어를 없앤 다음(주절과 부사절의 주어가 같은 경우) 동사를 「V+-ing」로 바꾼 형태

STEP 3

1 Although she is very old
2 Because I felt depressed
3 After we had an early dinner
4 If you take this bus

해석

1 매우 늙었는데도 그녀는 아직도 매우 건강하다.
2 우울했기 때문에 나는 온종일 집에 있었다.
3 저녁을 일찍 먹은 후에 우리는 산책하러 나갔다.
4 이 버스를 타면 국립박물관에 도착할 것이다.

해설

1 양보를 나타내는 분사구문으로 Although she(주절과 같은 주어), 「V+-ing형」을 동사원형으로 바꾼 후 주절과 같은 시제 is
2 이유를 나타내는 분사구문으로 Because I(주절과 같은 주어), 「V+-ing형」을 동사원형으로 바꾼 후 주절과 같은 시제 felt
3 시간을 나타내는 분사구문으로 After we(주절과 같은 주어), 동사는 「V+-ing형」을 동사원형으로 바꾼 후 주절과 같은 시제 had
4 조건을 나타내는 분사구문으로 If you(주절과 같은 주어), 동사는 「V+-ing형」을 동사원형으로 바꾼 후 주절과 같은 시제 take

STEP 4

1 Missing her family
2 Having no money
3 Arriving at the airport
4 Being poor
5 Lying on the grass
6 Studying hard

해설

1 동시동작을 나타내는 분사구문
2 이유를 나타내는 분사구문
3 때를 나타내는 분사구문
4 양보를 나타내는 분사구문
5 동시동작을 나타내는 분사구문
6 조건을 나타내는 분사구문

STEP 5

1 Having nothing to do, we felt bored.
2 Calling my name, he opened the door.
3 Crossing the street, he looked both ways.
4 Living alone, she doesn't feel lonely.
5 Being shocked at the news, he became speechless.
6 Turning left at the corner, you can see the bus stop.

해설

1 이유를 나타내는 분사구문
2 동시동작을 나타내는 분사구문
3 때를 나타내는 분사구문
4 양보를 나타내는 분사구문
5 이유를 나타내는 분사구문
6 조건을 나타내는 분사구문

도전! 만점! 중등 내신 단답형&서술형

p.143

1 talking, satisfied
2 fallen, standing
3 shocked, amazing
4 swimming
5 washing
6 broken
7 excited
8 ⓐ tiring ⓑ Getting
9 ⓐ Being ⓑ surrounded
10 ⓐ interesting ⓑ pleased
11 Walking down the stairs
12 Being short
13 Because/As/Since I felt sick
14 If you take the subway
15 I saw the children dancing
16 I heard the surprising news
17 filled with gold coins
18 The lady wearing a long dress is my aunt.
19 The house painted in blue is Alex's house.
20 Being friendly, she is loved by everybody.

해석 & 해설

1
• 그녀는 선생님과 이야기를 하면서 앉아 있었다.
• 그들은 그 결과에 만족하게 되었다.
주격보어 역할을 해야 하며 그녀가 직접 말하는 것이므로 현재분사, 감정을 느끼게 될 때는 과거분사

2
• Silvia는 땅에서 떨어진 나뭇잎 하나를 주었다.
• 나는 낯선 남자가 문가에 서 있는 것을 보았다.
'떨어진'이라는 의미로 과거분사, '서 있는'이라는 의미로 목적격보어 역할을 하는 현재분사

3
• 어둠 속에서 무엇인가를 봐서 우리는 충격을 받았다.
• 파리는 방문하기에 놀라운 도시이다.
감정을 느끼게 될 때는 과거분사, 감정을 느끼게 할 때는 현재분사

4
swimming: 현재분사(헤엄치고 있는), 용도를 나타내는 동명사(수영하기 위한)로 각각 쓰임

5
washing: 용도를 나타내는 동명사(세탁하기 위한), 주격보어로서의 동명사(설거지 하는 것)로 각각 쓰임

6
A: 손이 왜 그러니?
B: 깨진 유리에 베였어.
'깨진'이라는 의미가 되어야 하므로 과거분사

7
A: 너 신 나 보여. 무슨 일이니?
B: 나는 내일 괌으로 여행 가.
감정을 느끼게 될 때는 과거분사

8
그녀에게는 길고 힘든 하루였다. 집에 들어오고 나서 그녀는 곧장 침대로 갔다.
ⓐ 감정을 느끼게 할 때는 현재분사
ⓑ 「V+-ing」의 형태로 분사구문을 시작

9
인기가 아주 좋아서 그는 항상 그의 팬들에 의해 둘러싸여 있다.
ⓐ 이유를 나타내는 분사구문으로 「V+-ing」의 형태
ⓑ 팬들에 의해 둘러싸이게 되므로 수동의 의미인 과거분사

10
Tony는 이야기를 나누기에 아주 재미있는 사람이다. 나는 항상 그를 만나는 것이 기쁘다.
ⓐ 감정을 느끼게 하므로 현재분사인 interesting
ⓑ 감정을 느끼게 되므로 과거분사인 pleased

11

계단을 내려오면서, 나는 미끄러져서 넘어졌다.

부사구의 접속사를 없애고, 주어를 없앤 다음(주절과 부사절의 주어가 같은 경우) 동사를 「V+-ing」 형태로 바꿈

12

키가 작기는 해도 그는 뛰어난 농구선수이다.

부사구의 접속사를 없애고, 주어를 없앤 다음(주절과 부사절의 주어가 같은 경우) 동사를 「V+-ing」 형태로 바꿈

13

아파서 나는 일찍 퇴근했다.

'~때문에'라는 의미로 이유를 나타내는 분사구문

14

지하철을 타면 당신은 그곳에 더 일찍 도착할 것이다.

'~하면'이라는 의미로 조건을 나타내는 분사구문

15

dancing: '춤추고 있는'의 의미로 목적격보어 역할을 하는 현재분사

16

감정을 느끼게 할 때는 현재분사

17

상자는 채워졌으므로 수동의 의미인 과거분사 filled로 수식

18

wearing은 수식어와 함께 명사를 수식하는 경우로 뒤에 위치

19

painted는 수식어와 함께 명사를 수식하는 경우로 뒤에 위치

20

분사구문은 「V+-ing」 형태로 시작하고, 수동태 문장으로 과거분사 「주어+be동사+p.p.」의 형태

Chapter 1 단순/진행 시제 p.146~151

Unit 01 현재시제

1 They have a cute kitten.
2 Your plan sounds perfect.
3 I feel very tired now.
4 He drinks a glass of milk in the morning every day.
5 We go to the movies once a month.
6 The River Thames runs through London.
7 Water freezes at zero degrees Centigrade.
8 Christmas holidays start on December 24th.
9 We leave for Seattle tomorrow morning.
10 George spends lots of time with his family.

Unit 02 동사의 현재형 변화

1 I like strawberry ice cream.
2 We live in a big house with a garden.
3 She works for a toy company.
4 Harry practices basketball every day.
5 He washes his car every Sunday.
6 Dave watches TV for an hour after dinner.
7 Kevin brushes his teeth three times a day.
8 He studies music at college.
9 The baby cries all the time.
10 She has a lot of friends.

Unit 03 과거시제

1 The rain stopped an hour ago.
2 Susan entered a university last year.
3 Sam lived in the country when he was young.
4 Irene brought some cookies to the party.
5 He earned $8 an hour last year.
6 The Titanic sank in 1912.
7 Edison invented the light bulb.
8 Leonardo da Vinci painted the *Mona Lisa* in 1506.
9 Shakespeare wrote many great plays.
10 Korea held the World Cup in 2002.

Unit 04 동사의 과거형 변화

1 The police asked some questions of him.
2 I found your bag under the sofa.
3 Mom read us a storybook last night.
4 He changed his name two years ago.
5 It was late, and I hurried home.
6 They tried hard and won the competition.
7 I dropped a fork on the floor.
8 The snow stopped half an hour ago.
9 A bird flew into the classroom.
10 Mike bought her some red roses.

Unit 05 진행시제

1 She knows the truth.
2 I like TV dramas very much.
3 Ian was wearing a suit and tie.
4 I am drawing a polar bear now.
5 Mom was preparing dinner at that time.
6 They are riding bikes along the river now.
7 Nancy is lying in bed now.
8 She was tying her hair back with a ribbon.
9 We are planning a trip to Chicago.
10 The boys were flying kites into the sky.

Unit 06 미래시제(will / be going to)

1 She will visit us this evening.
2 Jeff will give me a ride to the airport.
3 I will not forget your kindness.
4 Will you do me a favor?
5 Will she stay here long?
6 Sam is going to help me.
7 We are going to make a cake for our parents.
8 He is not going to come to the party.
9 Is Ann going to attend the meeting?
10 Is Paul going to go to the dentist tomorrow?

Chapter 2 현재완료 시제

p.152~158

Unit 01 현재완료: 계속

1 Jones has studied physics since he entered college.
2 I have had a cold for a week.
3 We have been friends since 2010.
4 Peter has loved Kelly for ten years.
5 Jacob has played the violin since he was young.
6 She has worn glasses for thirty years.
7 James has trusted his lawyer since their first meeting.
8 It has been very cold for a month.
9 They have envied my popularity for the last three years.
10 People have believed in all kinds of gods since thousands of years ago.

Unit 02 현재완료: 경험

1 You have seen this movie twice.
2 She has visited the museum before.
3 We have eaten Thai food once.
4 I have played Pokémon GO a few times.
5 He has been abroad many times.
6 They have been to London.
7 She has ridden a roller coaster once.
8 We have learned Japanese before.
9 He has had a problem like this before.
10 I have seen polar bears once.

Unit 03 현재완료: 결과

1 John has gone to Japan.
2 Carl has left his wallet on the bus.
3 My daughter has cut her finger with scissors.
4 I have lost my backpack.
5 Stephen has hurt his knee.
6 Someone has stolen my car.
7 My parents have forgotten my birthday.
8 We have missed the last train.
9 My pet bird has flown away.
10 We have spent all our money.

Unit 04 현재완료: 완료

1 Spring has already come. [Spring has come already.]
2 We have just moved to this house.
3 They have moved all the furniture.
4 You have answered all the questions already. [You have already answered all the questions.]
5 Walter has just repaired his bike.
6 Tom and Alice have already painted the house.
7 I have already signed up for the cooking class.
8 The train has just arrived at the station.
9 Bella has just come back home.
10 I have just bought Christmas presents for my family.

Unit 05 현재완료 부정문

1 I have not slept for two days.
2 The new semester has not started yet.
3 Sophie has not found a new job.
4 She hasn't made up her mind yet.
5 You haven't finished your dinner yet.
6 She hasn't gotten married yet.
7 We haven't talked to each other for a month.
8 I have never tried skydiving before.
9 He has never climbed Mt. Everest.
10 Ian has never seen a whale before.

Unit 06 현재완료 의문문

1 Has she ever been to Toronto?
2 Have we met before?
3 Have you ever tried sushi?
4 Has it stopped snowing yet?
5 Have you brushed your teeth already?
6 How long have they lived together?
7 Where have you been for the last 10 years?
8 How long has she been sick?
9 How long have you worked here?
10 What have you done to my car?

Unit 07 과거 vs. 현재완료

1 When did you meet Carrie first?
2 I wrote an essay last week.
3 They saw the woman at the party a few days ago.
4 You haven't answered my question yet.
5 Susan has visited the art gallery several times.
6 They have seen the woman somewhere before.
7 Have you ever read *Animal Farm*?
8 Sarah has lived in Manhattan for ten years.
9 Has she finished the test already?
10 I have had a toothache since this morning.

Chapter 3 조동사

p.159~164

Unit 01 can / could

1 My brother can swim well, like a fish.
2 I cannot[can't] ride a motorbike.
3 Ben could fix the broken computer.
4 They couldn't meet the deadline.
5 You can borrow seven books at one time.
6 Could you move your car, please?
7 I am able to jump very high.
8 We are not able to breathe under water.
9 Are you able to climb that tree?
10 They will be able to be here on time.

Unit 02 may / might

1 He may agree with our plan.
2 She may not like her new teacher.
3 May I eat this sandwich?
4 You may open your presents now.
5 May I have a word with you?
6 You may sit next to me.
7 Harry might not be honest.
8 Jamie might be late for class.
9 Silvia might not come to school today.
10 They might not know the truth.

Unit 03 must / have to

1 Tim must be in the library now.
2 We must protect our environment.
3 You must not drink spoiled milk.
4 He must be very good at math.
5 Max must be very hungry.
6 Mark has to work this weekend.
7 Do I have to answer all the questions?
8 You don't have to do anything.
9 He doesn't have to finish this work today.
10 I had to do my homework again.

Unit 04 should / had better

1 You should wash your hands after using the bathroom.
2 You should take my advice.
3 Should we try another way?
4 Should I apologize to Joanna?
5 They shouldn't eat too much chocolate.
6 We shouldn't miss this chance.
7 We'd better go to sleep now.
8 You'd better be honest with Brandon.
9 I'd better not go out in this bad weather.
10 You'd better not lend money to Jessica.

Unit 05 used to / would like to

1 Sarah used to play tennis every morning.
2 She used to work for a film company.
3 Brian used to eat a lot of fast food.
4 This used to be an art gallery.
5 There used to be an old theater here.
6 Beth used to be very shy, but she is outgoing now.
7 I would like to introduce my friend.
8 Would you like to go to the movies tonight?
9 Would you like to join our chess club?
10 When I was a kid, I would take my doll everywhere.

Unit 06 조동사+have+p.p.

1 He must have left for Seoul.
2 She may have gone home.
3 You could have called me.
4 They must have been surprised to see you there.
5 He cannot have done poorly in the English test.
6 She shouldn't have told them about it.
7 You could have been hurt.
8 He must have forgotten to turn off the TV.
9 We should have reserved a room in advance.
10 Tony may[might] have called me while I was sleeping.

Chapter 4 수동태

p.165~169

Unit 01 능동태 vs. 수동태

1 The mail carrier delivers mail.
2 Keats wrote this poem.
3 People sing carols on Christmas Day.
4 Many students respect Mr. Brown.
5 She locked the front door.
6 The road is blocked by snow.
7 The mirror was broken by my sister.
8 The machine is worked by solar power.
9 The windows are cleaned every week.
10 Soccer is played all over the world.

Unit 02 수동태의 시제

1 Robots are used in many ways these days.
2 Tigers are kept in the cage.
3 Oranges are sold by the pound.
4 The Pope is admired by a lot of people.
5 The forest was destroyed by fire.
6 All the rooms were booked.
7 Mickey Mouse was created by Walt Disney.
8 The final match will be held this Sunday.
9 The new bridge will be built next year.
10 Your product will be sent tomorrow.

Unit 03 수동태의 부정문

1 The medicine is not sold in supermarkets.
2 Socks are not kept in the middle drawer.
3 Her car was not made in Germany.
4 The island was not discovered until 1821.
5 The construction was not finished on time.
6 They will not be invited to the party.
7 The next Olympics will not be held in Istanbul.
8 English isn't spoken in China.
9 Rome wasn't built in a day.
10 Your report cards won't be sent home.

Unit 04 수동태의 의문문

1 Is your car parked in the middle of the road?

2 Is fresh milk delivered every morning?
3 Are these books only lent to the students?
4 Are tomatoes grown in your garden?
5 Were the robbers caught yesterday?
6 Were you stung by a bee?
7 Were the houses damaged by the storm?
8 Will this math problem be solved easily?
9 Will the festival be held next week?
10 Will a new school be built in our town?

Unit 05 by이외의 전치사를 쓰는 수동태

1 The road is covered with fallen leaves.
2 Bread is made from flour, milk, and eggs.
3 We are disappointed with the ending of the film.
4 The bottle is filled with sand.
5 They are surprised at the news of her accident.
6 They were pleased with their son's success.
7 I am not satisfied with my new hair style.
8 Charlie is very interested in science and math.
9 I am tired of his rude behavior.
10 The students are excited about the school trip.

Chapter 5 부정사 p.170~180

Unit 01 to부정사의 명사적 쓰임: 주어

1 To build things with toy blocks is fun.
2 To learn history is useful.
3 To arrive there before 11 is impossible.
4 To invent useful things needs patience.
5 It is harmful to your ears to use earphones.
6 It is important to keep your promises.
7 It is not easy to have a pet dog.
8 It is impolite to ask someone's age in some countries.
9 It is dangerous to eat raw fish.
10 It is exciting to meet new people.

Unit 02 to부정사의 명사적 쓰임: 보어

1 His plan is to master English grammar.
2 My homework is to write an essay.
3 Our goal is to win the trophy.
4 My dream is to run in the marathon.
5 His job is to protect the President.
6 She wanted me to read her new novel.
7 The teacher told us to solve the math questions.
8 They would like us to go to the party.
9 She asked me to look after her children.
10 We didn't expect them to stay here so long.

Unit 03 to부정사의 명사적 쓰임: 목적어

1 They hope to succeed.
2 She agreed to join the tennis club.
3 He refused to answer the question.
4 I promised to be careful.
5 He decided to drive them home.
6 My father planned to retire at 60.
7 The kids didn't want to be late for school.
8 She failed to finish the marathon race.
9 I need to buy a pair of boots.
10 He chose to study biology in college.

Unit 04 의문사+to부정사

1 They couldn't choose where to stay in Brazil.
2 I couldn't decide what to buy for your birthday.
3 She explained how to use this camera.
4 They explained how to pronounce the word.
5 She told me when to meet them.
6 We are not sure who to vote for.
7 He can't decide which to buy.
8 Can you tell me which bus to take to the airport?
9 I don't know what to wear to the festival.
10 Please tell me when to press the button.

Unit 05 to부정사의 형용사적 쓰임

1 We have some laundry to do.
2 He got me chairs to sit on.
3 She didn't have a pen to write with.
4 No one was to be found on the ship.
5 He was to live alone for his whole life.

6 You are not to leave the classroom until 5.
7 They are to finish the test by 4.
8 They are to discuss climate change.
9 The theme park is to open next week.
10 If you are to be there on time, please take a taxi.

Unit 06 to부정사의 부사적 쓰임

1 He used the computer in order to email his friends.
2 Mom turned on the radio so as to listen to music.
3 We are very glad to win the medal.
4 They were excited to see their favorite singer.
5 The girl grew up to be a movie director.
6 She worked hard, only to fail.
7 He was brave to chase away the thieves.
8 You are incredible to think of all this!
9 The weather is perfect to have a picnic.
10 This event is difficult to explain.

Unit 07 to부정사의 부정

1 I told her not to go out alone.
2 You should exercise not to gain weight.
3 He promised not to call her.
4 She wore warm clothes not to catch a cold.
5 It is hard not to believe his story.
6 We hurried not to miss the performance.
7 Be careful not to use rude gestures in foreign countries.
8 You were wise not to tell them the truth.
9 Mom told me not to stay up too late.
10 My daughter promised never to lie again.

Unit 08 to부정사의 의미상 주어

1 He wants to be healthy again.
2 We expect them to be late.
3 I would like you to go now.
4 Her mother taught her to swim.
5 It was careless of me to take the wrong train.
6 It is generous of you to pay for us all.
7 It was easy for them to find the art museum.
8 It was hard for me to memorize all the words.
9 It is enjoyable to listen to pop music.
10 It is not desirable to jaywalk.

Unit 09 to부정사의 관용 표현

1 We were too busy to have lunch today.
2 The potato soup is too hot to eat.
3 He is tall enough to change the light bulb on the ceiling.
4 He is confident enough to be a good leader.
5 There are enough cookies to share.
6 He is so rich that he can buy a yacht.
7 She was so brave that she could try skydiving.
8 The little boys were so excited that they couldn't sleep.
9 Richard seems to have a lot of friends.
10 My father seemed to respect him.

Unit 10 원형부정사: 지각동사

1 He heard someone walk[walking] upstairs.
2 We watched the soccer players warm[warming] up.
3 The students felt the ground shake[shaking] during the earthquake.
4 They saw her leave[leaving] a few minutes ago.
5 Did you notice him leave[leaving] the meeting?
6 I listened to him play[playing] the cello.
7 She felt the wind touch[touching] her face.
8 I could feel my hair pulled by someone.
9 The farmer felt his shoulder stung by a bee.
10 She heard her daughter's name called loudly.

Unit 11 원형부정사: 사역동사

1 She can make herself understood in Japanese.
2 Nothing will make her change her mind.
3 Let me introduce myself.
4 My parents let me watch TV.
5 She had her son walk the dog.
6 They got her to write a report.
7 He got them to bring the table.
8 We helped her (to) find her cat.
9 I had my car stolen.
10 She had the hairdresser cut her hair.

Chapter 6 동명사 p.181~186

Unit 01 동명사의 역할: 주어

1 Writing essays is difficult.
2 Drinking a lot of water is good for health.
3 Speaking in front of people makes me nervous.
4 Being good parents is not easy.
5 Reading books helps (to) build our vocabulary.
6 Drawing cartoons is my hobby.
7 Living without air is impossible.
8 Buying things on the Internet saves lots of time.
9 Learning how to drive is my goal this year.
10 Doing yoga is a great way to relax.

Unit 02 동명사의 역할: 보어

1 My mom's hobby is painting pictures.
2 His favorite thing is playing with his pet dogs.
3 The key to success is working hard.
4 Her favorite pastime is watching TV.
5 My greatest joy is seeing my children grow.
6 One of my favorite activities is building robots.
7 My brother's hobby is collecting action figures.
8 Their main interest is finding life on other planets.
9 One of my hobbies is reading fashion magazines.
10 Her special talent is making people laugh.

Unit 03 동명사의 역할: 목적어

1 Kids like playing outside.
2 Fred quit smoking for his health.
3 My grandparents dislike living in a big city.
4 Christine enjoys looking at the stars through her telescope.
5 We do not[don't] mind answering personal questions.
6 Thank you for coming.
7 Dolphins are famous for being clever.
8 She is[She's] interested in learning languages.
9 I'm thinking about taking a cooking class.
10 Sarah is good at playing golf.

Unit 04 동명사 vs. to부정사

1 Dad suggested going on a picnic.
2 The kids enjoy going to the zoo.
3 Would you mind passing me the salt?
4 Jess quit teaching history in high school.
5 Barney stopped thinking about his past.
6 I wish to express my special thanks.
7 I want to discuss something with you.
8 Brian refused to take my advice.
9 Patty promised to come to my birthday party.
10 I learned to ride a bike at the age of six.

Unit 05 동명사와 to부정사를 목적어로 취하는 동사

1 We love watching[to watch] comedy movies.
2 She hates getting[to get] up early in the morning.
3 He began working[to work] as a cook three years ago.
4 Emily stopped to say hello to her friends.
5 Please remember to post this letter.
6 He remembers visiting this museum before.
7 I forgot borrowing money from her last year.
8 Do not[Don't] forget to pick up some milk on your way home.
9 They tried to find a solution to the problem.
10 I tried taking a painkiller, but it didn't help.

Unit 06 꼭 암기해야 할 동명사의 관용 표현

1 The students are busy studying for the exam.
2 I don't feel like talking to anyone now.
3 How about going to the amusement park tomorrow?
4 I often go swimming in summer.
5 I'm looking forward to visiting my uncle in London.
6 The new art gallery is worth visiting.
7 Ed is used to living alone.
8 I have difficulty remembering names.
9 They spent the whole day cleaning up the house.
10 It's no use worrying about the exam results.

Chapter 7 분사 p.187~191

Unit 01 현재분사

1 He looked at the sleeping baby.
2 The barking dog looks scary.
3 The boy sitting on the bench is my twin brother.
4 I found him lying on the floor.
5 The story was interesting.
6 He came running into the house.
7 She kept him waiting for thirty minutes.
8 James was cutting the grass in the garden.
9 Ben is reading a comic book.
10 Ted is riding a bike in the park.

Unit 02 과거분사

1 They found the hidden treasure.
2 The injured people were carried to the hospital.
3 The language spoken in Chile is Spanish.
4 They live in the house painted white.
5 The door remained locked for a year.
6 I became worried about my grandmother's health.
7 He had his car fixed by the mechanic.
8 She bought a toy car made of wood.
9 Mary has worn the glasses for two years.
10 My computer was repaired by Mike.

Unit 03 감정을 나타내는 분사

1 Riding a roller coaster is always exciting.
2 My test result was disappointing.
3 It was a long and boring flight.
4 We got a satisfying answer from the manager.
5 I heard a surprising story about Mr. Smith.
6 I'm pleased to see you again.
7 The students became bored with his long lecture.
8 Jennifer is satisfied with her job as a teacher.
9 Everybody was surprised at his results.
10 I'm very tired from working all day.

Unit 04 현재분사 vs. 동명사

1 A polar bear is an animal living in the Arctic.
2 You should wash your hands under running water.
3 They are watching TV in the living room.
4 They are packing for their camping trip.
5 I saw a man smoking inside the building.
6 We heard children singing carols.
7 Getting up early is a good habit.
8 We like dancing to the music.
9 My favorite activity is swimming in the sea.
10 They need to buy new sleeping bags for camping.

Unit 05 분사구문

1 Watching the movie, I fell asleep.
2 Crossing the street, he looked both ways.
3 Having nothing to do, we felt bored.
4 Being shocked at the news, he became speechless.
5 Turing left at the corner, you can see the bus stop.
6 Taking this bus, you will get to the National Museum.
7 Living alone, she doesn't feel lonely.
8 Being very old, she is still very healthy.
9 Calling my name, he opened the door.
10 Waiting for her, I did a crossword puzzle.

MEMO

MEMO

도전만점 중등내신 서술형 1234

꼼꼼한 통문장 쓰기 연습으로 서술형 문제 완벽 대비

- 영문법 핵심 포인트를 한눈에! 기본 개념 Check-up!
- Step by Step 중등내신 핵심 영문법 + 쓰기
- 도전만점 중등내신 단답형 & 서술형 문제 완벽 대비
- 스스로 훈련하는 통문장 암기 훈련 워크북 제공
- 영작문 쓰기 기초 훈련을 위한 어휘 리스트, 어휘 테스트 제공
- 객관식, 단답형, 서술형 챕터별 추가 리뷰 테스트 제공
- 동사 변화표, 문법 용어 정리, 비교급 변화표 등 기타 활용자료 제공

www.nexusbook.com